LES SIGNES DU DESTIN

LA GUERRE DES
CLANS

Cycle IV – Livre II

Un écho lointain

« Il te reste une chose à faire, miaula Étoile du Tigre, se tournant vers le guerrier.

— C'est-à-dire ? demanda Plume de Faucon, les yeux plissés.

— Il y a une autre apprentie. Au potentiel inestimable. Elle doit nous rejoindre pour que cette bataille soit équitable. Pénètre ses rêves. Apprends-lui que notre guerre, c'est son destin. » Il fit claquer le bout de sa longue queue. «Va. »

Tandis que le guerrier massif s'éloignait dans la brume, Étoile du Tigre lui lança dans un grognement :

« Ce ne devrait pas être difficile. Elle est prête. »

LA GUERRE DES
CLANS

Explorez le monde de

LA GUERRE DES CLANS

HORS-SÉRIE

La quête d'Étoile de Feu
La prophétie d'Étoile Bleue
La promesse de l'Élu

ROMANS ILLUSTRÉS

LES AVENTURES DE PLUME GRISE

1. Le guerrier perdu
2. Le refuge du guerrier
3. Le retour du guerrier

LE DESTIN DE NUAGE DE JAIS

1. Une paix menacée
2. Un clan en danger
3. Un cœur de guerrier

Découvrez les autres séries d'Erin Hunter

LA QUÊTE DES OURS

1. L'aventure commence
2. Le mystère du lac sacré
3. Le Géant de feu
4. Les dernières contrées sauvages
5. Le feu du ciel

SURVIVANTS

1. Lucky le Solitaire

L'auteur

Pour écrire *La guerre des Clans*, **Erin Hunter** puise son inspiration dans son amour des chats et du monde sauvage. Elle est une fidèle protectrice de la nature. Elle aime par-dessus tout expliquer le comportement animal grâce aux mythologies, à l'astrologie et aux pierres levées. Erin Hunter est également l'auteur des séries *La quête des ours* et *Survivants* dans la même collection.

Vous aimez les livres de la série

La guerre des
CLANS

Écrivez-nous
pour nous faire partager votre enthousiasme :
Pocket Jeunesse, 12, avenue d'Italie, 75013 Paris.

Et retrouvez *La guerre des Clans* sur :
www.laguerredesclans.fr
pour tout savoir sur la série !

Erin Hunter

LES SIGNES DU DESTIN
LA GUERRE DES CLANS

Cycle IV – Livre II

Un écho lointain

Traduit de l'anglais par Aude Carlier

POCKET JEUNESSE
PKJ·

Titre original :
Fading Echoes

Loi n° 49956 du 16 juillet 1949 sur les publications
destinées à la jeunesse : mars 2015.

© 2010, Working Partners Ltd.
Publié pour la première fois par Harper Collins *Publishers*.
Tous droits réservés.
© 2015, éditions Pocket Jeunesse, département d'Univers Poche,
pour la présente édition et la traduction française.
La série « La guerre des Clans » a été créée
par Working Partners Ltd, Londres.
ISBN : 978-2-266-24385-8

*Pour la véritable Nuage de Lis
et pour tout le Clan Venu de Loin.
Remerciements tout particuliers à Kate Cary.*

CLANS

CLAN DU TONNERRE

CHEF

ÉTOILE DE FEU – mâle au beau pelage roux.

LIEUTENANT

GRIFFE DE RONCE – chat au pelage sombre et tacheté, aux yeux ambrés.

GUÉRISSEUR

ŒIL DE GEAI – mâle gris tigré.

GUERRIERS

(MÂLES ET FEMELLES SANS PETITS)

PLUME GRISE – chat gris plutôt massif à poil long.

MILLIE – chatte au pelage argenté tigré.

PELAGE DE POUSSIÈRE – mâle au pelage moucheté brun foncé.

TEMPÊTE DE SABLE – chatte roux pâle.

POIL DE FOUGÈRE – mâle brun doré.

POIL DE CHÂTAIGNE – chatte blanc et écaille aux yeux ambrés.

FLOCON DE NEIGE – chat blanc à poil long.

CŒUR BLANC – chatte blanche au pelage constellé de taches rousses.

CŒUR D'ÉPINES – matou tacheté au poil brun doré.

APPRENTIE : NUAGE D'ÉGLANTINE.

POIL D'ÉCUREUIL – chatte roux foncé aux yeux verts.

FEUILLE DE LUNE – chatte brun pâle tigrée, aux yeux ambrés et aux pattes blanches, ancienne guérisseuse.

PATTE D'ARAIGNÉE – chat noir haut sur pattes, au ventre brun et aux yeux ambrés.

BOIS DE FRÊNE – mâle au pelage brun clair tigré.

AILE BLANCHE – chatte blanche aux yeux verts.

TRUFFE DE SUREAU – matou au pelage crème.

PLUME DE NOISETTE – petite chatte au poil gris et blanc.

APPRENTIE : NUAGE DE PÉTALES.

PATTE DE MULOT – chat gris et blanc.

APPRENTI : NUAGE DE BOURDON.

CŒUR CENDRÉ – femelle grise.

APPRENTIE : NUAGE DE LIS.

PELAGE DE LION – mâle au pelage doré et aux yeux ambrés.

APPRENTIE : NUAGE DE COLOMBE.

PATTE DE RENARD – mâle tigré tirant sur le roux.

BRUME DE GIVRE – femelle blanche.

ŒIL DE CRAPAUD – mâle noir et blanc.

PÉTALE DE ROSE – chatte au pelage crème foncé.

APPRENTIS

(ÂGÉS D'AU MOINS SIX LUNES, INITIÉS POUR DEVENIR DES GUERRIERS)

NUAGE D'ÉGLANTINE – femelle au pelage brun sombre.

NUAGE DE PÉTALES – chatte au pelage écaille et blanc.

NUAGE DE BOURDON – mâle au pelage gris perle zébré de noir.

NUAGE DE COLOMBE – femelle gris perle aux yeux bleus.

NUAGE DE LIS – chatte au pelage argenté et blanc et aux yeux bleu sombre.

REINES

(FEMELLES PLEINES OU EN TRAIN D'ALLAITER)

FLEUR DE BRUYÈRE – chatte aux yeux verts et à la fourrure gris perle constellée de taches plus foncées.

CHIPIE – femelle au long pelage crème venant du territoire des chevaux.

PAVOT GELÉ – femelle au pelage blanc et écaille (mère de Petite Cerise, une femelle rousse, et Petit Loir, un mâle au poil brun et crème).

ANCIENS **(GUERRIERS ET REINES ÂGÉS)**

LONGUE PLUME – chat crème rayé de brun.

POIL DE SOURIS – petite chatte brun foncé.

ISIDORE – matou tigré dodu au museau grisonnant (ancien solitaire).

CLAN DE L'OMBRE

CHEF **ÉTOILE DE JAIS** – grand mâle blanc aux larges pattes noires.

LIEUTENANT **FEUILLE ROUSSE** – femelle roux sombre.

GUÉRISSEUR **PETIT ORAGE** – chat tigré très menu.

APPRENTI : PLUME DE FLAMME.

GUERRIERS **BOIS DE CHÊNE** – matou brun de petite taille.

APPRENTI : NUAGE DE FURET.

PELAGE FAUVE – chat roux.

PELAGE DE FUMÉE – mâle gris foncé.

PATTE DE CRAPAUD – mâle au pelage brun sombre.

PELAGE POMMELÉ – chatte au pelage brun avec des nuances plus claires.

CORBEAU GIVRÉ – mâle noir et blanc.

DOS BALAFRÉ – matou brun avec une longue cicatrice sur le dos.

APPRENTIE : NUAGE DE PIN.

OISEAU DE NEIGE – chatte à la robe blanche immaculée.

PELAGE D'OR – chatte écaille aux yeux verts.

APPRENTI : NUAGE D'ÉTOURNEAU.

MUSEAU OLIVE – chatte écaille.

GRIFFE DE CHOUETTE – chat au poil brun clair.

PATTE DE MUSARAIGNE – femelle grise au bout des pattes noir.

PELAGE CHARBONNEUX – mâle au poil gris sombre.

SAULE ROUGE – mâle au poil brun et roux.

CŒUR DE TIGRE – chat tacheté brun sombre.

AUBE CLAIRE – femelle crème.

REINES

PELAGE HIRSUTE – femelle tigrée aux longs poils ébouriffés.

PLUME DE LIERRE – femelle au pelage noir, blanc et écaille.

ANCIENS

CŒUR DE CÈDRE – mâle gris foncé.

FLEUR DE PAVOT – chatte tachetée brun clair haute sur pattes.

QUEUE DE SERPENT – mâle brun sombre à la queue tigrée.

EAU BLANCHE – femelle borgne, aux longs poils blancs.

CLAN DU VENT

CHEF
LIEUTENANT
GUÉRISSEUR

ÉTOILE SOLITAIRE – mâle brun tacheté.

PATTE CENDRÉE – chatte au pelage gris.

PLUME DE CRÉCERELLE – matou gris pommelé.

GUERRIERS

PLUME DE JAIS – mâle gris foncé, presque noir, aux yeux bleus.

PLUME DE HIBOU – mâle au pelage brun clair tigré.

APPRENTI : NUAGE CLAIR.

AILE ROUSSE – petite chatte blanche.

BELLE-DE-NUIT – chatte noire.

PLUME DE JONC – chatte à la fourrure gris et blanc très pâle et aux yeux bleus.

POIL DE BELETTE – matou au pelage fauve et aux pattes blanches.

POIL DE LIÈVRE – mâle brun et blanc.

PLUME DE FEUILLES – mâle au poil sombre et tigré, aux yeux ambrés.

PELAGE DE FOURMI – mâle brun avec une oreille noire.

PATTE DE BRAISE – mâle gris avec deux pattes plus sombres.

ŒIL DE MYOSOTIS – chatte au pelage brun clair et aux yeux bleus.

APPRENTIE : NUAGE DE ROMARIN.

PELAGE DE BRUME – mâle noir aux yeux ambrés.

APPRENTI : NUAGE DE ROC.

FLEUR D'AJONCS – femelle au pelage brun clair tigré.

AILE D'HIRONDELLE – chatte gris sombre.

RAYON DE SOLEIL – chatte écaille avec une grande tache blanche sur le front.

ANCIENS

PLUME NOIRE – matou gris foncé au poil moucheté.

OREILLE BALAFRÉE – chat moucheté.

CLAN DE LA RIVIÈRE

CHEF

ÉTOILE DU LÉOPARD – chatte au poil doré tacheté de noir.

LIEUTENANT

GUÉRISSEUSE

GUERRIERS

PATTE DE BRUME – chatte gris-bleu foncé aux yeux bleus.

PAPILLON – jolie chatte au pelage doré et aux yeux ambrés.

APPRENTIE : FEUILLE DE SAULE.

CŒUR DE ROSEAU – mâle noir.

APPRENTI : NUAGE CREUX.

BRUME GRISE – chatte gris perle.

APPRENTIE : NUAGE DE TRUITE.

POIL DE MENTHE – mâle tigré au poil gris clair.

PLUME DE GIVRE – chatte blanche aux yeux bleus.

ÉCAILLE D'ANGUILLE – chatte gris sombre.

APPRENTIE : NUAGE MOUSSEUX.

PATTE DE GRAVIER – chat gris pommelé.

APPRENTIE : NUAGE DE JONC.

POIL D'HIBISCUS – matou tigré brun clair.

CŒUR DE LOUTRE – chatte brun sombre.

APPRENTI : NUAGE DE BRISE.

AILE DE ROUGE-GORGE – matou blanc et écaille.

PATTE DE SCARABÉE – mâle rayé blanc et brun.

BOUTON DE ROSE – chatte au poil gris et blanc.

PLUME D'HERBE – chat brun clair.

PLUIE D'ORAGE – mâle au pelage gris-bleu pommelé.

REINES

PELAGE DE CRÉPUSCULE – chatte à la robe brune tigrée.

PELAGE DE MOUSSE – reine écaille-de-tortue aux yeux bleus.

ANCIENS

MUSEAU POMMELÉ – chatte grise.

PATTE DE GRENOUILLE – mâle roux et blanc.

DIVERS

PACHA – mâle musculeux gris et blanc qui vit dans une grange près du territoire des chevaux.

CÂLINE – petite chatte au pelage gris et blanc vivant avec Pacha.

MINUIT – blaireau vivant près de la mer, qui s'adonne à la contemplation des étoiles.

Nid de Bipèdes abandonné

Source de Lune

Ancien Chemin du Tonnerre

Camp du Tonnerre

Vieux Chêne

Camp du Vent

Demi-pont brisé

Territoire des Bipèdes

Territoire des chevaux

Chemin du Tonnerre

Clan du Tonnerre

Clan de la Rivière

Clan de l'Ombre

Clan du Vent

Clan des Étoiles

PROLOGUE

Dᴀɴꜱ ʟᴀ ꜰᴏʀêᴛ ꜱᴏᴍʙʀᴇ, les arbres semblaient échanger des murmures inquiétants. La brume enveloppait les troncs lisses, aussi blancs que des ossements. Au-dessus des branches, le ciel noir et froid, dépourvu d'étoiles, évoquait une gueule béante.

Des bruits de pas résonnaient sur la terre aride. Deux guerriers, dressés sur leurs pattes arrière, s'affrontaient brutalement, leurs corps tordus, tels des fantômes dans les ténèbres. L'un brun. L'autre noir. Prises dans une bourrasque soudaine, les branches s'entrechoquèrent au moment même où le matou brun, dont les larges épaules se soulevaient à chaque respiration, voulut porter un coup violent à son adversaire plus mince. Le chat noir l'esquiva sans détourner le regard, si concentré que ses yeux n'étaient plus que deux fentes.

Le guerrier brun rata sa cible et retomba lourdement. Il ne se tourna pas assez vite pour éviter les crocs de son ennemi. Il se redressa en crachant, pivota sur une seule patte et asséna à son adversaire une pluie de coups qui lui martelèrent le dos comme autant de pierres.

23

Le matou noir s'écroula au sol, le souffle coupé. L'autre en profita pour plonger ses griffes acérées dans la fourrure noire. Sa truffe frémit lorsqu'il sentit le sang jaillir de la blessure, écarlate et salé.

Aussi vif qu'un serpent, le chat noir échappa aux pattes de son assaillant et riposta avec tant de hargne qu'il parvint à le faire reculer. Il en profita pour se jeter sur lui et mordre une de ses pattes avant.

Poussant un cri de rage, le chat brun le repoussa, les prunelles embrasées. Les deux félins se défièrent un instant du regard. Puis le matou noir plongea sous son opposant afin de griffer son ventre blanc. Mais ce dernier se laissa tomber sur lui et le cloua au sol avec ses longues griffes recourbées.

« Trop lent », gronda-t-il.

L'autre se débattit, pris de panique, tandis que la mâchoire du premier se refermait sur sa gorge.

« Assez. »

Un matou tacheté au pelage sombre sortit de l'ombre. À chacun de ses pas, ses pattes massives soulevaient la brume.

Après s'être figés un instant, les deux félins se séparèrent. Le brun s'assit, une patte levée comme s'il ne pouvait plus la poser au sol tant il souffrait. Le noir se releva tant bien que mal et, lorsqu'il s'ébroua, des gouttelettes de sang giclèrent.

« C'était pas mal, Plume de Faucon, déclara le nouveau venu, avant de se tourner vers le noiraud. Tu t'améliores, Pelage de Brume, mais tu devras travailler tes accélérations pour vaincre des guerriers plus forts que toi. Face à un adversaire plus lourd, privilégie des attaques rapides.

— J'y travaillerai », répondit le chat noir.

24

Un quatrième mâle apparut entre les troncs et vint se placer devant Étoile du Tigre. Ses rayures sombres brillaient dans le clair-obscur.

« Plume de Faucon, lui, peut affronter n'importe qui, ronronna-t-il d'une voix mielleuse. Peu de guerriers possèdent sa force et sa dextérité.

— Silence, Éclair Noir ! Plume de Faucon connaît sa force.

— Je ne...

— Et il est toujours possible de s'améliorer », le coupa l'ancien chef.

Un cinquième félin sortit de derrière un arbre. Son pelage hirsute couleur de nuit se découpait sur les troncs blancs.

« Plume de Faucon se repose bien trop sur sa force physique, marmonna-t-il. Et Pelage de Brume trop sur sa vitesse. Ensemble, ils feraient un guerrier formidable. Séparés, ils sont vulnérables.

— Salutations, Étoile Brisée, miaula Plume de Faucon. Doit-on vraiment écouter les conseils de celui qui n'a pas réussi à faire taire pour toujours Œil de Geai ?

— Je ne m'attendais pas à ce que le Clan des Étoiles se batte si durement pour le sauver, se défendit Étoile Brisée en remuant le bout de la queue.

— Ne sous-estime jamais l'ennemi. »

Plume de Faucon tendit la patte en grimaçant.

Pelage de Brume léchait les estafilades qui barraient son flanc, la langue rougie par le sang.

« Nous devons nous tenir prêts, gronda Étoile du Tigre. Vaincre un adversaire ne suffit pas. Nous devons nous entraîner jusqu'à ce que nous soyons capables de vaincre une patrouille tout entière. »

Pelage de Brume releva un instant la tête, les yeux brillants.

« J'arrive déjà à battre Poil de Lièvre et Plume de Feuilles à l'entraînement.

— L'entraînement, c'est une chose, contra Étoile du Tigre. Les guerriers se battent avec plus de hargne lorsque leur vie est en jeu.

— Je peux être encore plus hargneux que ça, affirma le matou noir en griffant le sol.

— Tu as en effet plus de raisons de l'être que la plupart », reconnut Étoile du Tigre.

Un grondement approbateur résonna dans la gorge de Pelage de Brume.

« Car tu as été victime d'une injustice. »

Dans l'obscurité, le museau rond de Pelage de Brume évoquait celui d'un chaton.

« Vous êtes les seuls à le comprendre, on dirait.

— Je t'ai dit que tu devais chercher à te venger, lui rappela Étoile du Tigre. Avec notre aide, tu pourras punir tous ceux qui t'ont trahi. »

Une lueur avide embrasa le regard du jeune félin lorsque Étoile du Tigre poursuivit :

« Et tous ceux qui n'ont rien fait pendant que d'autres revendiquaient ce qui t'appartenait.

— À commencer par Plume de Jais. »

Pelage de Brume avait craché le nom de son père comme un bout de gibier faisandé.

Étoile Brisée leva sa queue tordue et miaula :

« Qu'a fait ton père pour te défendre ? »

Ses mots étaient pleins d'amertume, comme puisés dans ses propres souvenirs.

« Il n'a jamais eu aucune estime pour toi », lança Éclair Noir en s'approchant.

D'un mouvement de la queue, Étoile du Tigre le fit reculer et dit :

« Il a tenté de t'écraser, de t'affaiblir.

— Il a échoué, cracha Pelage de Brume.

— Malgré tous ses efforts. Peut-être accordait-il plus d'importance à ses autres petits, ceux nés dans le Clan du Tonnerre. Ces trois-là n'auraient jamais dû voir le jour. » Étoile du Tigre s'approcha de Pelage de Brume, les prunelles luisantes, et le fixa tel un serpent hypnotisant sa proie. « Tu as grandi dans le mensonge, entouré d'êtres faibles. Tu as souffert pendant que d'autres se réjouissaient. Mais tu es fort. Tu rendras justice. Ton père a trahi son Clan. Il t'a trahi. Feuille de Lune a trahi le Clan des Étoiles en prenant un compagnon.

— Je me vengerai », affirma Pelage de Brume. Nul feu ne brûlait dans ses yeux, juste une haine glaciale. « Je les ferai tous payer, jusqu'au dernier.

— On reprend l'entraînement ? suggéra Plume de Faucon.

— Non, décréta Étoile du Tigre. Vous avez mieux à faire. Il y a une autre apprentie. Au potentiel inestimable. Elle doit nous rejoindre pour que cette bataille soit équitable.

— Tu veux que je lui rende visite ? s'indigna Plume de Faucon.

— Oui. Pénètre ses rêves. Apprends-lui que notre guerre, c'est son destin. » Il fit claquer le bout de sa longue queue sombre. « Va. »

Tandis que le guerrier massif s'éloignait dans la brume, Étoile du Tigre lui lança dans un grognement :

« Ce ne devrait pas être difficile. Elle est prête. »

CHAPITRE 1

NUAGE DE COLOMBE frissonnait dans son sommeil.

« Nuage de Colombe ! Nuage de Colombe ! » gémissaient des voix autour d'elle tandis qu'elle luttait contre le courant qui menaçait de l'emporter dans un tourbillon de ténèbres. « Nuage de Colombe ! » Les cris trahissaient une peur panique. Des arbres et des branches la dépassaient de tout côté, portés par le torrent. Sous elle, un abîme noir s'ouvrait à l'infini. Sa gorge se noua d'horreur.

La plainte désespérée de Pelage d'Écume résonna à ses oreilles :

« Nuage de Colombe ! »

Elle sursauta et ouvrit les yeux.

Nuage de Lis, sa sœur, remua dans le nid voisin.

« Tu rêvais ? lui demanda-t-elle en la couvant d'un regard inquiet. Tu gigotais comme une souris.

— Un cauchemar. » Nuage de Colombe s'efforçait d'adopter un ton calme. Son cœur palpitait et l'écho lointain du cri de Pelage d'Écume résonnait encore dans sa tête. « C'est fini, maintenant. »

Nuage de Lis referma ses yeux ensommeillés et

Nuage de Colombe huma le doux parfum de sa sœur. *Je suis chez moi*, se rappela-t-elle. *Tout va bien.* Pourtant, son cœur battait toujours la chamade. Elle s'étira dans son nid et un frisson fit frémir le bout de sa queue. Puis elle se leva, louvoya entre les litières et sortit.

Le clair de lune baignait la clairière déserte et, au-dessus des parois rocheuses qui dominaient le camp, la lumière laiteuse de l'aube pointait à l'horizon. Nuage de Colombe entendit les miaulements des nouveau-nés de Pavot Gelé dans la pouponnière, ainsi que des ronflements venus des autres tanières. L'air, frais et humide sur son museau, lui parut étrange. Pendant des lunes et des lunes, elle n'avait connu que le vent brûlant de la canicule qui lui asséchait la langue. À présent, elle goûtait dans l'atmosphère la fraîcheur de la forêt, entêtante et alléchante.

De fins nuages glissèrent dans le ciel comme autant de toiles d'araignées voilant la Toison Argentée. Elle se demanda si Pelage d'Écume l'observait depuis là-haut, au milieu de ses autres ancêtres devenus étoiles.

Je suis désolée. Ces mots résonnèrent dans son esprit tel le cri solitaire d'une chouette.

Un quart de lune avait passé depuis leur quête jusqu'au barrage des castors. Pourtant, ses souvenirs étaient toujours aussi douloureux. Le lac était à nouveau rempli et la vie reprenait ses droits dans les territoires des Clans. Elle le percevait dans le frémissement des feuilles de la forêt, elle l'entendait dans les frétillements des proies au-delà des limites du camp.

Une vague de fierté l'envahit tout à coup. C'était elle qui avait senti la présence des castors. Et elle avait aussi contribué à la destruction du barrage. À présent, la survie de tous les Clans était assurée. Cependant, cette victoire lui avait laissé un goût amer, comme une feuille de mille-feuille posée sur sa langue. Pelage d'Écume, du Clan de la Rivière, avait perdu la vie en se battant contre ces féroces animaux marron, plus forts que des renards, et dont les grandes incisives jaunes étaient plus mortelles que des griffes.

Depuis que Nuage de Colombe était rentrée, la mort de Pelage d'Écume hantait ses pensées. Est-ce que Pelage de Lion ressassait lui aussi leur aventure ? Elle n'osait le lui demander. Et elle ne pouvait pas non plus avouer à Œil de Geai à quel point le souvenir de ce voyage la tourmentait. Elle aurait l'air faible. Alors qu'un grand destin l'attendait.

Comment pourrait-elle être digne de la prophétie reçue par Étoile de Feu bien des saisons plus tôt ? « Ils seront trois, parents de tes parents, à détenir le pouvoir des étoiles entre leurs pattes. »

Nuage de Colombe était l'une des Trois, avec Pelage de Lion et Œil de Geai. Elle n'arrivait toujours pas à se faire à cette idée. Alors qu'elle était apprentie depuis moins d'une lune, elle avait plus de responsabilités qu'un vétéran. Que pouvait-elle faire à part aiguiser les pouvoirs qu'elle avait reçus, les pouvoirs qui faisaient d'elle l'une des Trois ? Chaque jour elle s'entraînait, chaque jour elle déployait ses sens jusqu'au cœur de la forêt, épiant, humant, guettant des bruits et des mouvements que même Œil de Geai ne pouvait détecter.

La jeune chatte grise s'assit devant la tanière des novices, la fourrure ébouriffée par la brise humide, et ferma les yeux. Ignorant la sensation de la terre sous ses pattes, elle passa outre les bruits des petits de Pavot Gelé qui gigotaient dans la pouponnière pour pousser ses sens à leur maximum. Elle entendit les oiseaux secouer leur plumage avant de commencer leur chant matinal et la patrouille de l'aube du Clan de l'Ombre sortir de son camp, leurs pattes encore engourdies de sommeil glissant sur le sol parsemé d'aiguilles. Le parfum puissant de l'herbe à chat qui poussait près du nid de Bipèdes abandonné empreignit sa langue. Le bruit du torrent clapotant sur les pierres à la frontière du territoire du Clan du Vent fit remuer la fourrure de ses oreilles.

Attends un peu !

Pourquoi deux félins se glissaient-ils près du lac à cette heure de la journée ?

Prise de panique, elle rouvrit les yeux. Elle devait avertir quelqu'un. À qui pourrait-elle s'adresser sans révéler ses pouvoirs secrets ? Pelage de Lion ? Non. Son mentor dormait dans la tanière des guerriers et elle ne pourrait pas le réveiller sans déranger les autres.

Œil de Geai ? Mais oui ! Il vivait seul depuis que Feuille de Lune avait rejoint les rangs des combattants. Nuage de Colombe traversa la clairière à toute vitesse et écarta brusquement le rideau de ronces qui masquait l'entrée de la petite grotte sombre.

« Œil de Geai ! » cria-t-elle en écarquillant les yeux pour s'habituer à l'obscurité.

Comme il ne répondait pas, elle s'approcha de son nid et le secoua du bout de la truffe.

« Va-t'en, grommela-t-il, le museau caché sous une patte.

— C'est important », cracha Nuage de Colombe.

L'aveugle releva le menton et cligna des yeux.

« J'étais en train de rêver ! » pesta-t-il.

Nuage de Colombe se crispa. Avait-elle interrompu un message du Clan des Étoiles ?

« J'allais attraper une souris dodue. » Il écarta un tout petit peu les pattes. « J'étais à ça de l'avoir. »

Nuage de Colombe réprima un ronron. Il était rassurant de savoir qu'Œil de Geai faisait lui aussi des rêves ordinaires de temps en temps.

« Désolée.

— Ce n'est pas drôle ! »

Le matou se leva et se secoua.

Nuage de Colombe s'écarta au moment où il sauta hors du nid.

« Qu'est-ce qui se passe ? demanda-t-il avant de se lécher une patte et de se lisser les moustaches.

— Deux félins sont en train de contourner le lac. »

Œil de Geai reposa sa patte au sol et planta ses prunelles bleues aveugles dans celles de la novice. Nuage de Colombe cligna des yeux. Elle était toujours aussi surprise lorsqu'il agissait comme s'il voyait.

« Est-ce qu'ils se dirigent vers notre territoire ? »

Nuage de Colombe hocha la tête, soulagée qu'il ne lui ait pas demandé si elle était sûre d'elle. Il la croyait, tout simplement. Il lui faisait confiance. Il avait foi en ses pouvoirs. Elle était bel et bien l'une des Trois.

Il poussa un long soupir pensif.

« Sais-tu de quel Clan ils sont ? »

Pourquoi n'y avait-elle pas pensé toute seule ? Elle projeta de nouveau ses sens vers le lac et examina les deux inconnus qui marchaient toujours près de l'eau.

« Du Clan de la Rivière », murmura-t-elle en reconnaissant leur odeur de poisson.

C'était deux chattes. Elle distinguait même la couleur de leurs pelages : l'une était dorée, l'autre grise.

« Il y a Papillon », annonça-t-elle en flairant le parfum des remèdes qui imprégnait les poils de la chatte dorée.

La grise était plus grande et ses épaules musclées laissaient deviner qu'elle était une guerrière expérimentée.

« Et Patte de Brume. »

Le lieutenant du Clan de la Rivière.

Œil de Geai hocha la tête, le regard assombri.

« Qu'y a-t-il ? s'enquit Nuage de Colombe en se penchant tout près de lui.

— Elles sont en deuil », murmura-t-il.

Elle aussi avait perçu le chagrin qui alourdissait les pas lents des deux chattes. Mais la tristesse qui pointait dans le miaulement d'Œil de Geai lui disait qu'il ressentait lui-même cette peine comme si elle était la sienne.

« Pourquoi donc ?

— J'imagine qu'Étoile du Léopard est morte.

— Hein ?

— Elle avait atteint sa neuvième vie. Ce n'était plus qu'une question de temps. »

Œil de Geai se dirigea doucement vers la fissure au fond de sa tanière.

« Patte de Brume et Papillon se rendent sans doute à la Source de Lune, lança-t-il par-dessus son épaule. Pour que la nouvelle meneuse reçoive ses neuf vies. »

Il disparut dans la réserve et sa voix résonna à l'intérieur.

« Puisque nous sommes réveillés de si bonne heure,

autant faire quelque chose d'utile », miaula-t-il, une pointe de reproche dans la voix.

Nuage de Colombe l'entendit à peine. *Étoile du Léopard, morte ?* Elle se concentra pour projeter ses sens de l'autre côté du lac, jusqu'au camp de la Rivière. Des images de guerriers terrassés par le chagrin emplirent son esprit. Ils tournaient en rond autour d'un corps étendu dans leur clairière tandis que d'autres frottaient du romarin et de la menthe aquatique sur son pelage tacheté afin de masquer l'odeur de la mort. D'un coup de patte, une reine renvoya ses petits vers la pouponnière.

Œil de Geai ressortit de la fissure avec un paquet d'herbes dans la gueule.

« Patte de Brume fera une excellente meneuse, miaula-t-il en lâchant le paquet d'herbes pour retourner dans la réserve. Elle est juste et sage, et les autres Clans la respectent. »

Il revint avec un ballot plus gros et le posa près du premier.

« Est-ce qu'Étoile du Léopard chasse avec le Clan des Étoiles, maintenant ?

— Oui, nos ancêtres accueilleront avec joie une si noble guerrière », répondit le guérisseur tout en commençant à diviser les feuilles en petits tas.

Leur parfum acide fit froncer la truffe de l'apprentie.

« Qu'est-ce que tu prépares ? lui demanda-t-elle.

— Je dois étaler ces feuilles pour les faire sécher. Aide-moi.

— Et pour Étoile du Léopard ? Qu'est-ce qu'on fait ?

— Rien, miaula-t-il avant de pousser un tas vers

elle. De la pluie s'est infiltrée dans la réserve. Je ne veux pas que ces remèdes pourrissent.

— Ne devrait-on pas avertir Étoile de Feu ?

— Tu tiens vraiment à le réveiller ? »

Nuage de Colombe baissa les yeux vers les herbes médicinales, pensive. Effectivement, ils pouvaient attendre que leur chef sorte de sa tanière pour le lui dire, cela ne changerait rien.

Avec des gestes experts, Œil de Geai avait commencé à étaler ses remèdes un par un. Nuage de Colombe entreprit de décoller une large feuille humide de son paquet.

« Est-ce que c'est toujours le lieutenant qui devient chef ?

— Oui, tant qu'aucun guerrier ne se croit capable de diriger mieux le Clan. »

Nuage de Colombe le fixa d'un air étonné, la feuille pendant au bout de sa patte.

« Est-ce déjà arrivé ?

— Oui, au sein du Clan du Vent. Étoile Solitaire a dû se battre pour faire valoir ses droits de lieutenant.

— Se battre ? »

Nuage de Colombe s'efforça de poser la feuille près des autres sans trembler. Deux camarades pouvaient-ils vraiment se retourner l'un contre l'autre ?

« Griffe de Pierre était persuadé qu'il ferait un meilleur chef », expliqua l'aveugle d'un ton détaché.

Il avait déjà étalé des feuilles sur toute une longueur de queue. Nuage de Colombe tenta de travailler plus vite.

« Attention ! la mit-il en garde. Si tu les déchires, elles perdront une partie de leurs propriétés. »

La novice marqua une pause avant de décoller une autre feuille du tas.

« Est-ce que cela arrive souvent ? s'enquit-elle, le ventre noué. Que des camarades se battent pour devenir chef, je veux dire...

— Non, c'est rare. Et Patte de Brume est déjà en route pour la Source de Lune, ce qui est un signe clair que personne ne l'a défiée. » Il se mit à redresser les feuilles étalées par la jeune chatte. « Mais, à une autre époque, quelqu'un aurait pu chercher à prendre sa place.

— Quand ça ? »

Nuage de Colombe déploya aussitôt ses sens vers le camp de la Rivière à la recherche d'une queue agitée, de griffes sorties... ou d'autres signes de mécontentement. Elle ne trouva rien, que les pas lourds et les queues tombantes d'un Clan tout entier endeuillé.

« Du temps de Plume de Faucon, répondit-il en crachant presque ce nom. Le frère de Papillon. »

Nuage de Colombe avait entendu parler de lui dans les histoires que les anciens racontaient à propos de l'époque où les Clans étaient arrivés près du lac.

« Il est mort, que le Clan des Étoiles soit loué. »

S'il ne leva pas les yeux de son travail, ses gestes ralentis portaient à croire que ses souvenirs le déconcentraient.

« L'as-tu vu parmi nos ancêtres ? » voulut savoir Nuage de Colombe.

Œil de Geai ignora sa question.

« Dépêche-toi, la pressa-t-il. Je veux que ces feuilles soient toutes étalées avant le lever du soleil, pour qu'elles aient bien le temps de sécher. »

Et Pelage d'Écume ? L'a-t-il vu ?

Le souvenir du guerrier décédé lui transperça le cœur.

Œil de Geai partit chercher un autre paquet de feuilles dans la fissure.

« Est-ce que ce sont Patte de Brume et Papillon qui t'ont réveillée si tôt ? »

Nuage de Colombe leva la tête et cligna des yeux.

« Est-ce qu'elles ont dérangé tes rêves ? » insista-t-il.

Elle fit non de la tête. Elle ne voulait pas lui décrire le cauchemar qui l'avait arrachée au sommeil.

« Rêvais-tu de Pelage d'Écume ? »

Nuage de Colombe sursauta, tout aussi étonnée par la question que par la gentillesse qu'elle avait perçue dans sa voix. Était-il présent dans son rêve ?

Le guérisseur la rassura aussitôt :

« Non, je n'ai pas visité tes songes. »

Est-ce qu'il lit dans mes pensées, là, tout de suite ?

« Je devine que tu es troublée et je perçois ton chagrin. Il te meurtrit telle une aiguille plantée dans ton cœur, qui piquerait quiconque voudrait l'ôter. »

Nuage de Colombe s'appliqua à décoller des feuilles et à les disposer consciencieusement comme si elle n'avait jamais rien fait de plus important. Elle avait essayé de tout son cœur de dissimuler ses émotions. Que penserait-il d'elle, à présent qu'il savait qu'elle était si sensible ? Serait-il déçu qu'elle soit l'une des Trois ?

Œil de Geai poursuivait sa tâche.

« Tu as peut-être l'impression que tu es responsable de sa mort, mais c'est faux. Ton destin t'attend, comme tous les chats. Depuis toujours, Pelage d'Écume devait participer à cette quête. Il était très courageux et vous n'auriez pas pu réussir sans lui. Sa disparition a aiguillé votre progression, vous a aidés à trouver un autre moyen de vaincre les castors. Il est mort pour sauver ses camarades. C'est le Clan des Étoiles qui a guidé ses pattes vers la bataille qui lui a coûté la vie. Pas toi.

— C'est vrai ? demanda-t-elle en fixant les yeux bleus du guérisseur.

— Vrai.» Il roula en boule une feuille déchirée et l'enveloppa dans une autre. Son ton retrouva sa sécheresse habituelle : «Le suc de la feuille intacte renforcera la feuille abîmée.»

Nuage de Colombe hocha la tête sans l'entendre. Œil de Geai avait réussi à ôter l'ortie qui lui brûlait le cœur. Pour la première fois depuis la mort de Pelage d'Écume, elle se sentait en paix. Était-ce si simple ? Devait-elle juste suivre son destin et laisser le reste au Clan des Étoiles ?

Mais un jour elle serait *plus puissante* que le Clan des Étoiles. Pelage de Lion le lui avait promis. Qu'arriverait-il alors ?

Elle s'assit. La lumière du soleil commençait à filtrer par le rideau de ronces à l'entrée de la tanière. De longues rangées de feuilles s'étendaient devant elle.

«Étoile de Feu doit être réveillé, maintenant. Devons-nous l'avertir, pour Étoile du Léopard ?

— Et comment expliqueras-tu que tu sois au courant ?

— Étoile de Feu ne devrait-il pas être prévenu, pour nos pouvoirs ?»

Leur meneur avait cru que c'était le Clan des Étoiles qui avait envoyé à Nuage de Colombe une vision l'avertissant de la présence des castors, et l'apprentie ne l'avait pas détrompé. Mais croirait-il aussi qu'elle ait pu rêver de la mort du chef d'un autre Clan ?

« Non. » Œil de Geai tira une feuille noircie qui commençait à pourrir et la mit de côté. « La situation est assez compliquée comme ça.

— N'est-il pas au courant, pour tes pouvoirs ? »

Du bout de la queue, il épousseta les feuilles.

« Il ne sait même pas que nous sommes les Trois.

— Vraiment ? »

Et pourquoi donc ? s'étonna-t-elle, le ventre noué. Pourquoi devaient-ils cacher leurs pouvoirs s'ils étaient chargés de protéger l'avenir des Clans ? Sans compter que c'était Étoile de Feu qui avait reçu la prophétie.

« Nos ancêtres ne lui auraient pas confié cette prophétie s'ils n'avaient pas voulu qu'il sache…

— Tu devrais rejoindre une patrouille, la coupat-il. Je finirai seul. »

Elle ouvrit la gueule pour protester mais Œil de Geai ajouta :

« J'entends Griffe de Ronce qui sort de sa tanière. Il n'aime pas qu'on le fasse attendre. »

Nuage de Colombe se détourna à contrecœur. Œil de Geai ne lui révélerait rien de plus. Lorsqu'elle regagna la clairière, elle vit le lieutenant assis au pied de l'éboulis menant à la Corniche. Cœur Cendré allait et venait devant lui tandis que les autres guerriers s'approchaient pour savoir à quelle patrouille ils seraient affectés ce jour-là. Griffe de Ronce eut l'air surpris de voir Nuage de Colombe sortir de la tanière d'Œil de Geai.

« Tu te sens bien ? s'inquiéta-t-il.

— J'avais un peu mal au ventre, mentit-elle en

empêchant ses oreilles de frétiller. Ça va mieux, maintenant.

— Dans ce cas, Pelage de Lion et toi pouvez vous joindre à ma patrouille.

— Quelqu'un m'a appelé ? lança son mentor en émergeant du repaire des guerriers.

— Tu pars pour la patrouille de l'aube », lui apprit le lieutenant.

Les yeux du matou doré brillèrent. Puis il aperçut Nuage de Colombe et son expression s'assombrit. Il avait senti que quelque chose n'allait pas. Elle secoua imperceptiblement la tête.

La pouponnière frémit au passage des petits de Pavot Gelé. La reine au pelage écaille et blanc les suivit en soupirant.

« Pourquoi faut-il que les chatons se réveillent si tôt ? »

Elle tendit la queue pour empêcher Petite Cerise et Petit Loir de se diriger vers les guerriers rassemblés près des rochers.

« Restez sur le côté, ordonna-t-elle.

— Mais je veux entendre Griffe de Ronce, protesta Petite Cerise.

— Nous ne les dérangerons pas », promit Petit Loir.

Nuage de Colombe fixa les chatons, comme engourdie. Elle était bouleversée par la mort d'Étoile du Léopard alors que ses camarades ne se doutaient de rien et ne s'inquiétaient que des patrouilles à venir. Elle eut soudain l'impression d'être prise au piège derrière une cascade, séparée de ses camarades par un rideau étincelant, sa voix étouffée par le grondement de l'eau.

Nuage de Lis la rejoignit d'un bond.

« Il est bien trop tôt ! se lamenta la nouvelle venue, mais ses yeux pétillaient. Tu sens l'odeur de la forêt ? C'est merveilleux, non ? » Elle inspira profondément et se lécha les babines. « Ça sent le gibier à pleine truffe. »

D'un signe de tête, Griffe de Ronce attira l'attention de l'apprentie au poil blanc et argenté.

« Cœur Cendré et toi devriez peut-être vous joindre à nous pour la patrouille frontalière.

— Oh, oui ! se réjouit Nuage de Lis, les yeux posés sur sa sœur. Je parie que je serai la première à prendre du gibier aujourd'hui ! »

Cœur Cendré leur passa devant en agitant la queue.

« N'oublie pas que nous ne pourrons chasser qu'une fois les frontières vérifiées.

— Je sais, je sais ! » lança la novice en bondissant à sa suite.

Nuage de Colombe les suivit et rattrapa Pelage de Lion. Griffe de Ronce, Cœur Cendré et Nuage de Lis étaient déjà sortis du camp.

Dois-je avertir Pelage de Lion, pour Étoile du Léopard ?

« Dépêche-toi, Nuage de Colombe ! » l'appela Nuage de Lis.

Non, je le lui dirai plus tard.

Elle fila devant son mentor et fonça avec sa sœur dans les sous-bois où perlait encore la rosée. Les orages avaient amolli la terre si bien que le sol était souple sous leurs pattes et très parfumé. Le soleil commençait à réchauffer la forêt ; des volutes de brume s'élevaient de la terre, ici et là.

Les premières feuilles mortes jonchaient le sol, certaines encore vertes mais ratatinées par la canicule et arrachées des branches par les pluies torrentielles. D'un coup de patte, Nuage de Colombe en fit voler sur le dos de sa sœur.

« Hé ! » protesta Nuage de Lis.

Après s'être ébrouée, celle-ci riposta et détala.

Nuage de Colombe se lança à sa poursuite. Nuage de Lis grimpa sur un tronc couché en projetant derrière elle des éclats d'écorce qui se prirent dans les moustaches de Nuage de Colombe. L'apprentie grise sauta près de sa sœur et, d'un coup de museau, la fit tomber de l'autre côté. Elle disparut dans un bouquet de fougères.

« Nuage de Lis ? » Nuage de Colombe renifla les frondes, inquiète de ne percevoir aucun mouvement. « Tout va bien ? »

Les fougères frémirent puis s'écartèrent brusquement lorsque la jeune chatte au pelage argenté et blanc bondit afin de plaquer Nuage de Colombe au sol.

« Même Petite Cerise ne se serait pas laissé avoir par le coup du "Je fais le mort !" », ronronna-t-elle.

Nuage de Colombe la repoussa sans mal. Ses pattes s'étaient bien musclées pendant leur expédition jusqu'au barrage des castors. Nuage de Lis se releva et fit un bond de côté pour esquiver l'attaque de Nuage de Colombe.

« Ah ! Raté ! » la taquina sa sœur avant de se lancer dans la pente menant au lac.

Nuage de Colombe la prit en chasse, filant à toute allure vers la zone moins boisée de la rive. Elle faillit percuter Nuage de Lis, qui s'était arrêtée brusquement.

« Waouh ! » s'écria cette dernière.

Le lac asséché, réduit à quelques flaques boueuses, avait fait place à une vaste étendue d'eau argentée, étincelante sous les rayons du soleil levant, qui léchait paresseusement les rives. Sa surface frémissait sous les arbres et les buissons. La saveur de l'eau imprégna la langue de Nuage de Colombe, aussi fraîche, riche et prometteuse que les senteurs de la forêt.

« Dépêche-toi ! » la pressa Nuage de Lis, qui s'éloignait déjà.

Nuage de Colombe la suivit, dérapant sur l'herbe humide. Les graviers crissèrent lorsqu'elle arriva au bord de l'eau.

« Je n'ai jamais vu tant d'eau ! »

Les vagues venaient lécher les pattes de Nuage de Lis.

Nuage de Colombe resta en retrait. Elle se souvenait trop bien du torrent libéré par la destruction du barrage des castors. Il l'avait ramenée vers la forêt en fauchant les arbres et en arrachant les buissons sur son passage. L'eau lui avait alors paru terrifiante – une bête grondante, écumant de rage après avoir été piégée si longtemps. À présent, le lac semblait paisible, tel un chat dodu couché sous l'azur du ciel.

« D'où vient toute cette eau ? se demanda Nuage de Lis. Du ciel ? Du torrent ? »

Nuage de Colombe inclina la tête. Elle entendit les gazouillis de tous les ruisseaux qui venaient se jeter dans le lac, ressuscités par les dernières pluies.

« Les cours d'eau sont de retour, annonça-t-elle à sa sœur. Grâce aux orages.

— Tant mieux. J'espère que le lac ne disparaîtra plus jamais. »

Elle se pencha pour laper l'eau scintillante, avant

de reculer d'un bond lorsqu'une vaguelette lui éclaboussa le museau.

Un feulement outré retentit derrière elles. Nuage de Colombe pivota et vit Griffe de Ronce qui accourait, talonné par Cœur Cendré et Pelage de Lion. « Nous sommes des guerriers en patrouille, pas des chatons en promenade ! les gronda-t-il. Vous avez fait tellement de bruit que vous avez dû effrayer tout le gibier de cette zone. Je n'aimerais pas être à la place de la patrouille de chasse ! »

Tête basse, Nuage de Colombe suivit Nuage de Lis au sommet de la berge et s'arrêta devant le lieutenant, les oreilles brûlantes de honte.

« Je sais que vous vous réjouissez pour le lac, ajouta Pelage de Lion d'un ton moins sévère. Mais vous pourrez jouer plus tard. »

Le regard de Griffe de Ronce demeura ferme.

« Avez-vous renouvelé le marquage, ici ? s'enquit-il en pointant la queue vers la ligne parallèle à la rive, à trois longueurs de queue de l'eau. Puisque le lac est de nouveau rempli, nous devons rétablir l'ancien marquage.

— Je m'y mets tout de suite ! » annonça Nuage de Lis. Et elle fila. « Aïe ! » cria-t-elle soudain.

Elle s'arrêta net, la patte levée, les oreilles rabattues, les yeux agrandis par la douleur.

« Qu'est-ce qu'il y a ? » s'inquiéta Cœur Cendré en venant examiner son apprentie.

Nuage de Lis grimaça et tenta de se dérober.

« Tiens-toi tranquille », lui ordonna son mentor. Elle lui agrippa la patte et commença à tirer sur l'écharde avec ses dents.

— Aïe aïe aïe ! hurla Nuage de Lis sans cesser de gigoter pour se libérer.

— Attends ! gronda Cœur Cendré. Je l'ai presque. »
Serrant de toutes ses forces la patte de Nuage de Lis,
elle tira une dernière fois et sortit de la chair une
écharde sanguinolente.

« Par les chatons du Clan des Étoiles, tu m'as fait
mal ! » gémit Nuage de Lis en sautant en rond sur
trois pattes.

Elle finit par s'asseoir pour lécher sa blessure.

Nuage de Colombe vint se blottir contre elle.

« Ça va ? » s'inquiéta-t-elle.

Le pelage de la blessée retomba peu à peu en place.
Elle secoua la patte puis inspecta son coussinet d'où
suintait une goutte de sang.

« Ça va mieux », soupira-t-elle.

Griffe de Ronce renifla l'écharde que Cœur Cendré
avait recrachée puis balaya le sol du regard. Ses yeux
s'assombrirent lorsqu'il repéra un bâton brisé en
deux dans l'herbe haute.

« Elle devait venir de ça. »

Nuage de Colombe le reconnut aussitôt.

« J'ai marché dessus, la dernière fois qu'on est
venus », dit-elle.

Elle traîna un morceau devant le lieutenant, puis
l'autre.

Pelage de Lion fixa les bouts de bois avec étonnement. Il ouvrit la gueule comme pour parler mais
Griffe de Ronce le prit de court :

« Jetez-moi ça dans le lac. Je ne veux pas d'autres
blessés. »

Nuage de Colombe ramassa le premier bout et
l'envoya le plus loin possible. Un grand « splash »
retentit. Quand elle fit demi-tour pour aller chercher

l'autre morceau, elle vit que Nuage de Lis l'avait déjà apporté sur la berge et le jetait elle-même dans l'eau.

C'est alors que Nuage de Colombe entendit au loin le cri de douleur d'un chat au supplice. Elle se figea, l'oreille tendue. Est-ce que quelqu'un d'autre avait marché sur une écharde ? Elle glissa un coup d'œil vers ses camarades, mais ils contemplaient tous en silence les deux morceaux de bois qui dérivaient loin de la berge.

Nuage de Colombe se renfrogna. Elle déploya ses sens plus loin, les oreilles dressées, pour tâcher de deviner qui avait poussé ce cri de douleur. Un parfum lui parvint alors, porté par la brise humide, altéré par l'écho de la douleur.

Œil de Geai !

Il se léchait le flanc. Ses mouvements étaient saccadés, comme s'il tentait de localiser sa blessure.

Nuage de Colombe prit peur. Lorsque Œil de Geai avait poussé cette terrible plainte, on aurait dit qu'une griffe lui avait transpercé le corps. Près d'elle, Pelage de Lion fixait les morceaux de bois qui flottaient vers le milieu du lac, tendu. L'inquiétude voilait son regard et, sans qu'elle sût pourquoi, Nuage de Colombe frémit.

Chapitre 2
❧

« **A**ïe ! »

Œil de Geai chancela lorsqu'il sentit une vive douleur lui transpercer le flanc, comme si un faucon avait plongé ses serres dans son corps.

Il se lécha frénétiquement, à l'affût du goût salé du sang. En vain. Sa fourrure était intacte.

Dérouté, il leva la truffe et huma l'odeur des remèdes étalés devant lui dans sa tanière. Une patte tendue, il tâtonna autour de lui à la recherche d'une tige de ronce.

Rien.

Qu'est-ce qui s'était passé ?

Il avait dû l'imaginer. Ou alors il avait ressenti le chagrin du Clan des Étoiles qui accueillait Étoile du Léopard parmi ses rangs. À moins qu'il ait été touché par le baptême de chef de Patte de Brume – peut-être avait-il éprouvé une partie de son choc lorsqu'elle avait reçu ses nouvelles vies. Il y réfléchit un instant. Un changement de chef était un événement important. Il était peut-être inévitable que cela l'affecte, d'une façon ou d'une autre.

Il fit quelques pas devant ses remèdes tandis que la douleur diminuait jusqu'à n'être plus qu'une vague gêne. Les feuilles séchaient bien dans la brise qui filtrait entre les ronces à l'entrée de la tanière, et le soleil brillait suffisamment fort pour que sa chaleur réchauffe l'atmosphère. Il n'avait plus qu'à attendre. Il avait largement le temps d'aller examiner Pavot Gelé et ses petits.

Œil de Geai sauta par-dessus les feuilles et gagna la clairière en laissant les ronces lui gratter le dos.

Étoile de Feu somnolait sur la Corniche, près de Tempête de Sable. Œil de Geai entendait le crissement de leurs fourrures qui se frôlaient à chaque inspiration. Ils avaient dû chasser durant la nuit. Œil de Geai savait que le meneur et sa compagne aimaient se glisser hors du camp pour aller courir les bois pendant que leurs camarades dormaient. Des images de leur partie de chasse peuplaient les rêves du chef et Œil de Geai perçut sa joie, son sentiment de liberté et le plaisir d'avoir sa compagne à ses côtés, loin des soucis du Clan.

Œil de Geai éloigna son esprit de celui du rouquin. Pénétrer les pensées de ses camarades le mettait toujours mal à l'aise, bien que la tentation fût souvent grande de le faire.

« Allez, Nuage de Pétales ! lançait Plume Grise à son apprentie. Tu es censée nous aider. Pas jouer. »

La novice se figea, la queue en l'air, sous une pluie de feuilles mortes. Elle en serrait un tas entre ses pattes.

« Ah ! » lança Nuage d'Églantine en s'écartant soudain, et Œil de Geai devina la scène : Nuage de

Pétales s'apprêtait à envoyer ce tas de feuilles sur sa sœur avant d'être prise sur le vif par Plume Grise.

« Désolée. »

D'un mouvement de la queue, Nuage de Pétales poussa les feuilles vers Plume Grise, qui se reconcentra sur sa tâche. Le guérisseur entendit la fourrure du matou ardoise frôler les parois de la pouponnière.

« Il y a plus de trous là-dedans que dans un terrier de lapin, se lamenta-t-il. Je veux qu'ils soient bouchés avec des feuilles avant que le vent ne soit trop froid. »

Truffe de Sureau examinait les ronces de l'autre côté de la pouponnière.

« Ce n'est pas mieux par ici », annonça le guerrier crème en enfonçant des feuilles entre les tiges.

Son inquiétude était légitime, car c'étaient ses petits, et sa compagne, qui se trouvaient à l'intérieur.

Œil de Geai était si concentré sur les deux guerriers qu'il sursauta lorsqu'une petite boule de poils roula jusqu'à ses pattes.

« Désolée, Œil de Geai ! pépia Petite Cerise en battant en retraite vers sa mère, qui prenait le soleil devant l'entrée de la pouponnière.

— Fais un peu attention ! la gronda la reine.

— Œil de Geai ! lança Petit Loir en trottinant vers lui. Regarde ce que je sais faire ! »

Œil de Geai sentit que Pavot Gelé se crispait en entendant les paroles maladroites de son fils. Il battit de la queue pour lui faire comprendre qu'il ne le prenait pas mal. Il appréciait que les chatons lui parlent naturellement, sans se forcer à faire attention à chaque mot qu'ils prononçaient.

« Montre-moi », l'encouragea-t-il.

51

Il entendit des petits pas précipités puis un « Ouf », suivi de ronrons amusés de Petite Cerise.

« C'est le pire saut que j'aie jamais vu, se moqua la petite chatte.

— Fais voir si t'es cap de faire mieux ! » la défia son frère.

Œil de Geai entendit sa courte queue frôler le sol lorsqu'elle s'accroupit pour prendre son élan. Au moment où elle bondit, une feuille morte lui frôla l'épaule et la fit sursauter si fort qu'elle rata sa réception.

« Joli atterrissage ! ironisa Petit Loir.

— Tais-toi !

— Tu as eu peur d'une feuille !

— C'est pas vrai !

— Oh, la peureuse !

— C'est celui qui dit qu'y est !

— Petit Loir ! gronda Pavot Gelé. Petite Cerise est ta sœur. Tu dois l'encourager au lieu de la rabaisser ! De vrais guerriers s'entraident toujours.

— D'accord », marmonna le chaton en grattant le sol.

La pouponnière frémit lorsque Fleur de Bruyère en sortit. Même si ses petits étaient grands, elle préférait rester avec Chipie pour seconder les reines qui allaient et venaient au fil des saisons. Les deux chattes avaient aidé à élever tant de chatons que, ces temps-ci, il était aussi courant de voir les jeunes félins désireux de conseils se diriger vers la pouponnière que vers la tanière des anciens. Surtout depuis qu'Isidore avait rejoint le noisetier. Lorsque le vieux solitaire se lançait dans une histoire, le soleil avait parfois le temps de se coucher avant qu'il laisse la parole à quelqu'un d'autre.

« Comment te sens-tu ? » demanda Œil de Geai à Pavot Gelé, dont il devinait la fatigue.

Non loin, Petit Loir pourchassait Petite Cerise.

« Attention ! » miaula Plume Grise qui faillit trébucher lorsque les chenapans lui passèrent sous les moustaches.

Pavot Gelé ronronna. Œil de Geai se retint de lui demander comment des chatons bruyants, affamés et querelleurs arrivaient à faire oublier aux reines leur épuisement, les sollicitations incessantes et les disputes qui éclataient sans arrêt.

« Tu manges et tu bois correctement ?

— Oui, je vais bien », le rassura-t-elle.

Il flaira l'odeur d'un bout de mousse imprégné d'eau, près d'elle. Il portait la trace de Truffe de Sureau. Son compagnon s'assurait manifestement qu'elle ne manquât de rien. Et, à en juger par l'aura de contentement qui émanait de la reine au pelage blanc et écaille, toutes ses craintes concernant Truffe de Sureau et son attachement à Pelage de Miel, sa sœur décédée, s'étaient dissipées.

Feuille de Lune et Poil d'Écureuil entrèrent dans le camp, apportant un fumet de gibier. Œil de Geai, furieux, se retint de feuler. Certaines choses ne pouvaient être oubliées. Ni pardonnées. Les mensonges et les trahisons, dont sa mère et sa tante avaient entouré leur naissance à son frère, sa sœur et lui, lui laissaient un goût de chair à corbeau dans la gueule. Si elles n'avaient pas caché la vérité à tous et conspiré comme des renardes, Feuille de Houx n'aurait peut-être jamais disparu derrière la coulée de boue qui avait condamné les tunnels.

Œil de Geai avait la gorge nouée. Contrairement à ce qu'on leur avait fait croire toute leur vie, leur père était Plume de Jais, et non Griffe de Ronce. Et c'était Feuille de Lune qui leur avait donné le jour. Poil d'Écureuil n'avait jamais été leur mère.

Leur mère ! Œil de Geai n'avait plus de mère, à présent.

La seconde patrouille de chasseurs revint juste avant midi. Poil de Châtaigne, qui sommeillait sous la Corniche, se leva pendant que Flocon de Neige, Cœur Blanc et Aile Blanche déposaient leurs prises sur le tas de gibier. Cœur d'Épines s'étira près d'elle et émit un ronron gourmand en humant les bonnes odeurs de viande.

Cependant, c'était un autre parfum qui avait fait sortir Œil de Geai de sa tanière. Il l'avait vaguement attendu pendant toute la matinée, depuis que Nuage de Colombe l'avait réveillé.

« Le Clan de la Rivière ! » s'écria Fleur de Bruyère. Son cri provoqua une agitation dans tout le camp et fit descendre Étoile de Feu de la Corniche.

Patte de Brume sortit du tunnel, talonnée par Papillon.

Œil de Geai entendit la queue de Fleur de Bruyère balayer le sol pour pousser Petit Loir et Petite Cerise vers leur mère. Un sentiment hostile émanait de Cœur d'Épines et de Pelage de Poussière. Quant à Plume Grise, il cessa de travailler aux parois de la pouponnière et se laissa retomber sur ses quatre pattes. Sa curiosité était presque palpable.

Étoile de Feu traversa la clairière pour aller saluer les deux visiteuses.

« Tout va bien ? s'inquiéta-t-il.

— Étoile du Léopard est morte », annonça Patte de Brume de but en blanc.

Œil de Geai se retrouva pris dans le flot de souvenirs d'Étoile de Feu : un incendie de forêt et un chaton sauvé des eaux ; des montagnes crénelées de neige, où flottait l'odeur du danger ; le regard ambré courageux et entêté d'Étoile du Léopard. Le chagrin du chef du Clan du Tonnerre était si profond qu'il lui coupa le souffle.

Papillon soupira.

« Nous revenons tout juste de la Source de Lune, murmura-t-elle. Étoile de Brume a reçu ses neuf vies. »

Les moustaches d'Étoile de Feu frôlèrent le sol lorsqu'il s'inclina devant la nouvelle meneuse du Clan de la Rivière.

« Étoile de Brume, dit-il.

— Étoile de Brume, répéta Plume Grise avec respect.

— Étoile de Brume, Étoile de Brume. »

Le nom de la meneuse se propagea dans tout le Clan rassemblé. L'hostilité perceptible chez certains s'était évaporée telle la rosée.

Étoile de Feu se pencha vers Étoile de Brume et leurs truffes se frôlèrent.

« Comment se porte le Clan de la Rivière ? lui demanda-t-il.

— La saison des feuilles vertes a été difficile, reconnut-elle. Nous dépendons trop du lac pour pouvoir survivre sans lui. »

À cet instant, Longue Plume sortit d'un pas raide de la tanière des anciens. La queue posée sur les épaules de son camarade, Poil de Souris le guida vers la clairière tandis qu'Étoile de Brume poursuivait :

« Nous avons perdu trois anciens, morts de soif et de faim.

— Qui donc ? s'enquit Poil de Souris, tendue.

— Griffe Noire, Poil de Campagnol et Fleur de l'Aube. »

Œil de Geai entendit la fourrure de Poil de Souris crisser contre celle de Longue Plume lorsqu'elle se blottit contre lui.

Étoile de Feu s'assit près d'Étoile de Brume.

« Nous vous donnerons des herbes fortifiantes, déclara le rouquin.

— Merci. Ce n'est pas de refus, à condition que cela ne vous prive pas. »

Œil de Geai se demanda si Étoile du Léopard, elle, aurait accepté leur aide si facilement.

« Papillon, suis Œil de Geai, ordonna Étoile de Feu. Il te donnera des remèdes. »

D'un mouvement de la queue, le guérisseur lui fit signe. Il se réjouissait d'avoir la chance de se retrouver seul avec elle, intrigué de savoir comment elle avait pu présider au baptême d'Étoile de Brume alors qu'elle ne croyait pas au Clan des Étoiles. Il écarta les ronces qui dissimulaient l'entrée de sa tanière et ne put s'empêcher de sonder les pensées de la chatte lorsqu'elle passa devant lui. Mais son esprit était vide, elle ne pensait qu'à ses pattes douloureuses.

« Repose-toi là. » Œil de Geai se glissa dans sa réserve et noua ensemble quelques feuilles fraîchement séchées. Il prit le ballot dans la gueule et le déposa doucement devant elle. « Je peux te donner de l'onguent pour soulager tes coussinets, si tu veux.

— Non, merci, répondit-elle, un peu mal à l'aise. Nous sommes bientôt arrivées.

— Mais la berge est caillouteuse.

— Je me soignerai en arrivant chez moi, insista Papillon. Je te prive déjà de trop de choses.

— Nous pouvons nous en passer. »

De justesse. La forêt desséchée n'avait offert que peu de remèdes au cours de la saison des feuilles vertes et la saison des feuilles mortes attendait son heure tel un renard tapi dans l'ombre.

« Longue Plume a l'air d'avoir les pattes plus raides que jamais, déclara Papillon. As-tu essayé de moudre des graines de pavot et de les mélanger à des feuilles de souci et de consoude pour en faire un emplâtre ? »

Œil de Geai se tourna vers elle, surprise. Pourquoi n'y avait-il pas pensé tout seul ? Les graines de pavot soulageraient aussitôt la douleur tandis que la consoude et le souci traiteraient l'inflammation.

« C'est une idée géniale !

— Ça marchait bien sur l'épaule de Poil de Campagnol.

— Merci. » Il étala les herbes devant elle. « Tu as là de la tanaisie, de la menthe aquatique et du chasse-fièvre. »

Son esprit bouillonnait de curiosité. Qu'avait-elle ressenti lorsque Étoile de Brume avait reçu ses neuf vies ? Est-ce qu'elle croyait au Clan des Étoiles, à présent qu'elle avait vu leur pouvoir de ses propres yeux ?

Tandis que Papillon remettait les remèdes en ballot pour pouvoir les porter entre ses mâchoires, Œil de Geai lui demanda d'un ton détaché :

« Comment s'est passé le baptême de chef d'Étoile de Brume ?

— Bien. Elle sera une meneuse formidable. Aurais-tu un brin d'herbe pour que j'attache tout ça ? »

La guérisseuse du Clan de la Rivière ne laissait rien paraître.

Œil de Geai sortit un instant de la grotte pour arracher un brin d'herbe au pied de la paroi rocheuse et revint aussitôt. Il s'approcha d'elle et tenta de sonder ses souvenirs récents.

Un soleil pâle éclairait la Source de Lune, où se reflétait le ciel clair de l'aube. Œil de Geai eut un mouvement de recul tant les images étaient lumineuses. Il était habitué à voir la Source de Lune plongée dans les ombres noires de la nuit. Étoile de Brume avait dû avoir hâte de recevoir ses nouvelles vies.

Papillon fixait sa camarade. Le chagrin et l'angoisse de leur Clan tout entier émanaient d'elles. Le lieutenant du Clan de la Rivière se tapit près de la source, les pattes repliées sous elle, la truffe frôlant la surface.

Papillon observait la cérémonie de très loin, comme si elle n'était pas concernée.

Étoile de Brume se crispa soudain dans son sommeil et poussa un cri de douleur. Papillon sursauta, saisie d'angoisse. *Est-ce qu'elle souffre ?* se demanda-t-elle, interloquée.

Quand Étoile de Brume se détendit, Papillon se retint d'aller l'examiner.

Se passait-il vraiment quelque chose ?

Non. Papillon écarta cette idée.

Les guerriers de jadis ne me sont jamais apparus, comment

pourraient-ils être réels ? Cette idée transperça l'esprit de la jeune chatte tel un éclair incandescent.

Comme Étoile de Brume commençait à remuer, Papillon s'approcha.

«Tout va bien ? s'enquit-elle.

— Tu n'étais pas là !»

Après s'être figée un instant, Papillon se détendit, comme soulagée qu'Étoile de Brume ait découvert son secret.

«Non, admit-elle sans sourciller. Tu rendras toujours visite seule au Clan des Étoiles. Il n'existe pas pour moi de la façon dont il existe pour toi.

— Tu... tu ne crois pas au Clan des Étoiles ? s'étrangla la meneuse. Mais tu es notre guérisseuse depuis si longtemps ! N'as-tu jamais partagé les rêves des guerriers de jadis ?

— Tu as tes croyances, j'ai les miennes. Les chats que tu vois en rêve te guident et te protègent d'une façon qui m'a été jusque-là étrangère. Je suis une bonne guérisseuse et c'est suffisant pour servir mon Clan.»

Étoile de Brume fixa un moment sa camarade avant de hocher la tête.

Œil de Geai cligna des yeux et replongea dans les ténèbres lorsqu'il quitta les pensées de Papillon.

Il sentait son regard glisser sur lui telle une brise d'été. Elle l'observait, curieuse. Savait-elle depuis le début qu'il explorait ses souvenirs et revivait le baptême d'Étoile de Brume ?

«Tu sais que je n'ai aucun lien avec eux, lui rappela-t-elle. Cela ne fait pas de moi une mauvaise guérisseuse pour autant.» Elle noua le brin d'herbe autour des feuilles. «Il faut que tu l'admettes.» Elle prit le

59

paquet de remèdes. Lorsque ses dents se plantèrent avec délicatesse dans les herbes, leur doux parfum se répandit dans la tanière. Elle tourna les talons et sortit.

Les ronces se refermèrent derrière elle dans un léger froissement. Œil de Geai sentit ses pattes le picoter. Même sans le Clan des Étoiles pour la guider et la rendre plus forte, Papillon était formidable. D'instinct, il hocha la tête comme Étoile de Brume l'avait fait devant elle. Le Clan des Étoiles avait fait un choix judicieux, finalement.

CHAPITRE 3

❧

Œɪʟ ᴅᴇ Gᴇᴀɪ ʀᴇʟᴇᴠᴀ ʟᴀ ᴛêᴛᴇ lorsque le crissement des ronces le prévint de l'arrivée d'un visiteur.

« Étoile de Brume et Papillon sont parties », lui annonça Pelage de Lion.

Œil de Geai devina aussitôt l'agitation de son frère.

« Que se passe-t-il ? »

Le guerrier semblait hésiter à s'expliquer.

« Allons dans la forêt », suggéra le guérisseur.

Pour toute réponse, Pelage de Lion pivota et se dirigea vers la sortie. Lorsque Œil de Geai le rattrapa enfin, sur la berge du lac, l'odeur de l'eau lui imprégna la langue.

« Le Clan de la Rivière est en train de pêcher », lui apprit Pelage de Lion.

Un vent frais et humide soufflait sur les arbres, qui lâchèrent sur eux une averse de feuilles mortes. À leurs pieds, la surface du lac ondulait et des vaguelettes s'écrasaient sur la rive.

« Alors, que se passe-t-il ? demanda Œil de Geai.

— Nuage de Lis a marché sur un bâton cassé, tout à l'heure.

— Oui, j'ai traité sa blessure. »

Nuage de Lis ne lui avait pas dit qu'elle s'était blessée à cause d'un bout de bois. À présent, il savait ce que Pelage de Lion allait lui dire.

« C'était *ton* bâton, pas vrai ? »

Œil de Geai sentait le regard de son frère sur lui, lourd d'inquiétude.

« C'est toi qui l'as cassé ? insista-t-il.

— Oui. »

Œil de Geai s'en voulait. Il se posait tant de questions sur la prophétie – des questions qui n'avaient toujours pas de réponses – et Pierre avait refusé de l'aider. Cela avait rendu le guérisseur si furieux que, de dépit, il avait brisé le bout de bois. Il se remémora en frémissant le bruit sec du craquement. Les marques séculaires étaient détruites pour toujours, ce lien qui l'unissait aux chats des temps révolus. Cette idée lui noua la gorge.

« Pourquoi ? » s'enquit Pelage de Lion, dérouté.

Œil de Geai eut l'impression que sa fourrure grouillait soudain de puces. Il avait anéanti une chose sacrée, qu'il comprenait mal. *Pourquoi ?* Il regrettait amèrement son geste.

« Je... je... »

Comment s'expliquer ?

« Je n'ai jamais compris pourquoi ce bout de bois était si important pour toi, déclara Pelage de Lion d'une voix distante – il ne regardait pas son frère mais le lac. Cependant, je sais que tu avais l'habitude d'aller auprès de lui lorsque tu étais inquiet ou troublé. » Il se pencha vers Œil de Geai et leurs fourrures se touchèrent. « Était-ce un signe du Clan des Étoiles ? »

Si cela pouvait être si simple…

« Il y a eu un temps, avant le Clan des Étoiles…, hasarda Œil de Geai.

— *Avant ?* s'étrangla le guerrier.

— Le bâton venait de cette époque. Les chats qui vivaient ici jadis devenaient des griffes-acérées en retrouvant leur chemin dans les tunnels…

— Des quoi ? le coupa Pelage de Lion.

— Des griffes-acérées. Comme des guerriers.

— Ils formaient un Clan ?

— Pas vraiment…

— Quel est le rapport avec le bâton ?

— Il y avait des marques, dessus. Elles décomptaient les chats qui avaient réussi à sortir des tunnels… et les autres. » Pelage de Lion comprendrait sans mal. Ils étaient tous les trois descendus dans les souterrains lorsqu'ils étaient apprentis – Œil de Geai, Pelage de Lion et Feuille de Houx. Ils s'y seraient noyés si Feuille Morte, l'un de ces chats des temps révolus, n'avait pas montré la sortie à Œil de Geai.

Pelage de Lion s'immobilisa et frémit.

« Des chats *mouraient* en essayant de devenir des guerriers ? »

Œil de Geai hocha la tête.

« Et ils vivaient ici avant nous ?

— Oui.

— Ils y sont encore ?

— Non. » *Mais je les ai rencontrés.* Œil de Geai n'était pas prêt à expliquer qu'il avait même remonté le temps pour vivre avec ces félins, apprendre leur histoire et les aider à quitter leur territoire pour en

63

trouver un nouveau. « Je pense que certains d'entre eux sont partis vivre dans les montagnes.

— Comme la Tribu de l'Eau Vive ?

— Justement, je crois que ce sont ces chats qui ont fondé la Tribu. »

Mille pensées tourbillonnaient dans la tête de Pelage de Lion. Œil de Geai dut bloquer son esprit pour ne pas se faire emporter dans le chaos.

« Comment as-tu deviné ce que signifiait ce bâton ? finit par demander Pelage de Lion.

— D'abord, je l'ai senti. Puis j'ai rencontré Pierre. » Avant que son frère ne l'interrompe, il se hâta d'ajouter : « Pierre vivait dans les tunnels, il y a très longtemps. Son esprit est toujours là, juste sous notre territoire. »

Pelage de Lion se redressa. Ses pensées cessèrent soudain leur course folle. À quoi songeait-il ? *Est-ce qu'il me croit ?*

Prudemment, malgré ses réticences, Œil de Geai sonda l'esprit de son frère. Le procédé était injuste et il craignait parfois de découvrir des choses qu'il aurait préféré ne jamais connaître. Cependant, il devait absolument savoir ce que Pelage de Lion pensait. Après tout, son frère avait sa propre histoire avec les tunnels. Que ressentait-il d'apprendre que les galeries n'étaient pas aussi désertes qu'elles le semblaient ?

Pelage de Lion pensait à Œil de Myosotis. Il se revoyait dans une caverne traversée par une rivière souterraine et éclairée par un mince rayon de lune gris. Voyant par les yeux de son frère, Œil de Geai leva la tête vers la Corniche où il avait vu Pierre pour la première fois.

Là, ce n'était pas Pierre qui s'y tenait, mais Œil de Myosotis. Ses yeux bleus fixaient Pelage de Lion avec affection.

« Je suis le chef du Clan des Souterrains ! » annonça-t-elle.

Œil de Geai sentit le cœur de son frère se serrer puis la colère du guerrier eut raison de cet accès de chagrin.

Les souvenirs du matou ne contenaient aucune image de Pierre, pourtant Œil de Geai devinait la présence du félin répugnant, avec ses yeux aveugles, globuleux, et sa peau dépourvue de poils. Immobile, à peine intéressé, il observait sans les juger les jeunes félins qui jouaient, comme s'il attendait, résigné, l'issue inévitable de leur histoire.

« Arrête ! feula Pelage de Lion, devinant que son frère arpentait ses souvenirs.

— Pardon, s'excusa Œil de Geai en s'arrachant aux images du passé.

— Œil de Myosotis et moi, nous n'avons jamais vu personne, en bas. Nous étions seuls.

— Ils sont partis il y a bien longtemps.

— Alors pourquoi conserver cette branche pleine de griffures ? Et pourquoi la briser ensuite ? »

Œil de Geai se détourna, incapable de décrire la rage qui l'avait poussé à casser le bâton. La prophétie lui torturait l'esprit depuis trop longtemps : il *fallait* qu'il comprenne sa signification. À quoi servaient leurs pouvoirs ? Pourquoi avaient-ils été choisis, tous les trois ? Quelle était leur destinée ? Pierre détenait toutes les réponses. Œil de Geai le sentait au plus profond de son cœur. Pourtant, Pierre avait choisi le silence.

Œil de Geai ravala l'amertume qui l'avait conduit à commettre l'irréparable. La colère ne lui avait été d'aucune utilité à ce moment-là, elle ne le serait pas plus maintenant.

« Pourquoi l'avoir brisé ? » répéta Pelage de Lion.

Œil de Geai s'ébroua.

« Nous devons nous concentrer sur le présent, pas sur le passé. Si nous sommes plus puissants que les étoiles, alors nul ne peut nous aider. Nous devons découvrir la vérité par nous-mêmes.

— Nous n'avons pas eu beaucoup de chance, jusqu'à aujourd'hui. »

Pelage de Lion s'avança tout au bord de la crête. Œil de Geai l'y rejoignit. Le vent venu du lac soufflait si fort dans ses oreilles qu'il entendit à peine ce que son frère lui dit ensuite.

« Tu ne crois pas qu'on devrait faire quelque chose ?

— Comme quoi ? s'étonna Œil de Geai en élevant le ton.

— Partir, pour chercher les réponses ailleurs. Pour découvrir ce que nous sommes censés faire. »

Le guerrier se tourna vers lui pour ajouter :

« Au lieu de rester là à attendre de voir ce qui va se passer. »

Le guérisseur haussa les épaules. Il ne savait pas quoi dire. Il avait partagé les rêves du Clan des Étoiles et ceux des félins des temps révolus, et pourtant il n'était pas plus avancé. Il n'y comprenait toujours rien.

Pelage de Lion renifla.

« Je retourne au camp. »

Œil de Geai resta où il était, à humer le parfum

du lac. Une vision du bâton tournait dans son esprit. Ses deux morceaux dérivaient chacun de son côté, de plus en plus loin, à la surface du lac agité, avant de disparaître sous les vagues, sombrant dans les ténèbres.

Chapitre 4

❦

« **Non, non** ! lança Pelage de Lion à son apprentie.
Si tu grimpes de ce côté-ci du tronc, je te verrai, et je
saurai que tu es là ! »

Nuage de Colombe redescendit de l'arbre. Le
chêne luisait sous la pluie. Un léger crachin tombait
sur la forêt depuis l'aube et les nuages gris étaient si
bas dans le ciel qu'ils semblaient frôler la cime des
arbres.

« Tu es certain que c'est le temps idéal pour les
entraîner à se battre dans les arbres ? » s'enquit Cœur
Cendré.

Elle était assise à côté de Nuage de Lis, son
apprentie. Les deux chattes paraissaient frêles, avec
leur pelage plaqué sur le corps.

« C'est le meilleur temps qui soit, argumenta Pelage
de Lion. Si elles peuvent grimper aux branches quand
elles sont glissantes, alors elles trouveront ça enfantin
par beau temps. »

Les guerriers du Clan du Tonnerre étaient les meilleurs grimpeurs de tous les Clans car ils chassaient
sur un terrain où poussait une végétation dense.

Étoile de Feu avait décidé récemment qu'il serait idiot de ne pas se servir de cet avantage au combat. L'entraînement incluait donc à présent des séances d'escalade au cours desquelles les novices apprenaient à attaquer l'adversaire depuis une branche.

« Maintenant, remonte, ordonna-t-il à Nuage de Colombe. Fais comme si j'étais une patrouille du Clan de l'Ombre.

— Une patrouille à toi tout seul ? plaisanta-t-elle.

— Reste concentrée ! »

Pelage de Lion n'était pas d'humeur à plaisanter. Il avait faim, il était trempé et frustré. Qu'est-ce que l'entraînement des apprentis avait à voir avec la réalisation de la prophétie ? Œil de Geai lui avait dit d'attendre. Mais Pelage de Lion commençait à perdre patience.

Cœur Cendré lui décocha un regard dérouté.

« Je les guiderai jusqu'au sommet de l'arbre en leur donnant des instructions », proposa-t-elle.

Pelage de Lion hésita. Après l'accident qui avait failli la rendre infirme lorsqu'elle était apprentie, il n'aimait guère l'idée qu'elle monte si haut dans un arbre.

« Nous ferons attention ! » promit-elle en levant les yeux au ciel.

Du bout du museau, elle poussa Nuage de Lis près du tronc et la regarda se hisser sur la première branche. Puis elle se tourna vers Nuage de Colombe.

« À ton tour. »

Celle-ci contourna le chêne et réapparut un instant plus tard juste au-dessus de Pelage de Lion.

« Tu ne m'as pas vue, cette fois-ci ! lança-t-elle.

— Très bien, la félicita-t-il, étonné par sa rapidité.

— Voilà une branche parfaite pour se laisser tomber sur l'ennemi, déclara Cœur Cendré en grimpant à son tour. Si vous atterrissez sur les épaules de Pelage de Lion, il amortira votre chute et sera si surpris que vous aurez le temps de le frapper plusieurs fois avant qu'il comprenne ce qui lui arrive.

— Je peux essayer ? s'écria Nuage de Lis.

— Je doute qu'il soit très surpris, fit remarquer Nuage de Colombe. Il nous observe.

— Essayons de grimper sur la branche suivante, suggéra Cœur Cendré. Regardez bien où vous mettez les pattes. L'écorce est glissante. Cramponnez-vous avec vos griffes. Attention ! »

Trop tard. Nuage de Lis bascula de la branche en poussant un cri étouffé et plongea droit vers Pelage de Lion.

Il encaissa le choc en espérant qu'il avait bien amorti la chute de la novice.

« Tout va bien ? s'inquiéta-t-il.

— Désolée », miaula-t-elle en sautant à terre.

Elle avait l'air si stupéfaite que le matou poussa un ronron amusé qui balaya toute sa frustration.

« C'est moi qui suis censé être surpris, pas toi ! » la taquina-t-il.

Un peu honteuse, Nuage de Lis regrimpa dans l'arbre.

« Attention, Nuage de Colombe ! la mit en garde Cœur Cendré. Cette branche est trop étroite. Elle ne tiendra pas sous ton poids ! »

Un craquement retentit parmi les feuilles.

« Nuage de Colombe ! » s'alarma Pelage de Lion en levant la tête.

Suspendue dans le vide, l'apprentie au pelage gris

se cramponnait à une mince branche qui tenait à peine.

« Je vais tomber ! gémit-elle tandis que ses griffes glissaient.

— Essaie de viser la branche du dessous ! » lui conseilla Cœur Cendré au moment même où la novice lâchait prise et tombait vers la branche suivante.

Elle se débattit pour trouver une prise mais ses griffes dérapèrent sur l'écorce et elle tomba de nouveau en poussant un cri.

« Garde tes griffes sorties ! hurla Pelage de Lion.

— C'est ce que je fais ! cria Nuage de Colombe en rebondissant d'une branche à l'autre comme un caillou dévalant une pente. Ça glisse trop. »

Pelage de Lion se détendit. Les branches ralentissaient la chute de la jeune chatte, qui finit par percuter le sol comme un pigeon qui aurait raté son atterrissage. Elle se releva, la fourrure dressée sur l'échine.

Pelage de Lion secoua la tête.

« Quand Œil de Geai m'a dit qu'il allait pleuvoir aujourd'hui, il n'a pas précisé qu'il pleuvrait... des chats ! »

Nuage de Colombe fut rassurée de voir une lueur amusée danser dans les yeux de son mentor.

« Je ferai mieux la prochaine fois », promit-elle en se lançant de nouveau à l'assaut de l'arbre.

Pelage de Lion s'éloigna à pas lents. Il entendait les feuilles frémir au-dessus de sa tête tandis que Cœur Cendré guidait les novices d'une branche à l'autre.

Tout en attendant leur « attaque-surprise », il décida de chasser. La saison des feuilles mortes s'installait peu à peu et la moindre proie supplémentaire serait la bienvenue. La truffe au sol, il renifla les racines noueuses et trempées par la pluie. Une crotte d'écureuil fraîche lui fit froncer le nez. Il contourna l'énorme tronc du chêne en silence, tel un serpent, et suivit le fumet qui le conduisit dans le lit d'un petit cours d'eau à sec qui fendait le sol en deux.

Pelage de Lion se figea.

Un gros écureuil gris lui tournait le dos, non loin, sous les branches dégoulinantes du chêne. Le rongeur était si concentré sur la noix qu'il grignotait qu'il ne flaira pas Pelage de Lion lorsque celui-ci adopta la posture du chasseur.

Les moustaches raides, la queue juste au-dessus du sol couvert de feuilles, le mâle au pelage doré s'approcha en silence. Arrivé à une longueur de queue, il s'arrêta, prit appui sur ses pattes arrière et bondit. L'écureuil gigota un instant entre ses griffes jusqu'à ce qu'il lui brise la nuque d'un coup de croc rapide. Satisfait, il se redressa, sa prise dans la gueule.

Un frôlement venu d'en haut lui fit lever la tête. Deux silhouettes fondirent sur lui et atterrirent, l'une après l'autre, sur ses épaules. Il en recracha sa prise et ses pattes se dérobèrent sous lui.

« On a réussi ! » hurla Nuage de Colombe tout près de l'oreille du guerrier.

Pelage de Lion la dégagea d'un mouvement d'épaule et laissa Nuage de Lis glisser de son dos.

« Assourdir l'ennemi, miaula-t-il, voilà une super stratégie ! »

Cœur Cendré se laissa descendre du tronc, l'air content.

« Tu ne te doutais pas que nous étions juste là, pas vrai ? Belle prise, par ailleurs, ajouta-t-elle en lorgnant le rongeur.

— On peut recommencer ? implora Nuage de Lis.

— Pourquoi pas ? répondit aussitôt Cœur Cendré. Remontez. »

Nuage de Lis sauta sur le tronc mais Nuage de Colombe s'était immobilisée et scrutait le cœur de la forêt, les oreilles dressées.

Elle a entendu quelque chose !

Pelage de Lion lisait de l'inquiétude dans son regard sombre.

« Grimpe avec Nuage de Lis, dit-il à Cœur Cendré. Je viens de penser à une technique de chasse que je voulais montrer à Nuage de Colombe depuis longtemps.

— Est-ce que je peux l'apprendre aussi ? s'enquit l'autre novice depuis la branche où elle s'était perchée.

— En cours particulier, c'est plus facile, mentit Pelage de Lion. Je te montrerai un autre jour.

— D'accord », miaula-t-elle en disparaissant entre les feuilles avec Cœur Cendré.

D'un mouvement de la queue, Pelage de Lion fit signe à Nuage de Colombe de le suivre.

« Qu'est-ce que tu as entendu ? l'interrogea-t-il dès qu'ils furent assez loin.

— Des chiens !

— Dans la forêt ?

— Non. Sur le territoire du Clan du Vent.

— Dans ce cas, ce n'est pas grave. Les Bipèdes s'en servent pour garder les moutons, là-bas.

— Ils ne gardent pas les moutons, ils pourchassent des chats ! le détrompa-t-elle. Nous devons les aider.

— Non, dit-il fermement. Le Clan du Vent est habitué aux chiens. N'oublie pas qu'ils courent plus vite que des lapins. Tout ira bien.

— Mais *Fleur d'Ajoncs* est l'un des chats pour-chassés, insista-t-elle, les yeux écarquillés. Un chien l'a rattrapée ! Et il est en train de la mordre !

— Où sont ses camarades ?

— Avec elle... » Elle parlait lentement, décrivant la scène au fur et à mesure qu'elle se produisait. « Ils repoussent le chien.

— Alors Fleur d'Ajoncs est tirée d'affaire, répondit-il, soulagé.

— Comment peux-tu en être certain ? » cracha l'apprentie.

Le cœur de Pelage de Lion se serra. Il l'avait senti venir. Nuage de Colombe s'accrochait aux liens d'amitié qu'ils avaient noués au cours de leur voyage. Nuage de Colombe devait comprendre qu'ils avaient tous réintégré leurs territoires respectifs.

« Nous sommes de retour chez nous, lui rappela-t-il. Ta loyauté, tu la dois à ton Clan. Tu ne peux plus être aussi proche de Fleur d'Ajoncs et des autres que tu l'as été.

— Et pourquoi pas ? le défia-t-elle.

— Parce que le code du guerrier nous enseigne de ne pas nous lier d'amitié avec des chats des autres Clans.

— Comment peux-tu te montrer si froid ?

— Je ne suis pas froid ! s'impatienta-t-il. Les choses ont changé, voilà tout.

— Moi, je n'ai pas changé, répliqua-t-elle. Je suis la même que celle que j'étais pendant ce voyage. » Elle griffait le sol avec ses pattes avant. « Quel intérêt de savoir ce qui se passe au loin si je ne peux rien y faire ?

— Tu devrais peut-être apprendre à limiter tes pouvoirs au Clan du Tonnerre », suggéra-t-il.

Nuage de Colombe le fixa comme si une deuxième tête lui avait poussé.

« La prophétie dépasse le code du guerrier, pas vrai ? »

Pelage de Lion acquiesça, un peu inquiet de voir où elle voulait en venir.

« Mes pouvoirs ne sont donc pas seulement pour le Clan du Tonnerre, n'est-ce pas ?

— Nous sommes des *guerriers du Clan du Tonnerre* ! lui rappela-t-il. Nous devons être loyaux.

— À quoi dois-je être loyale ? s'emporta-t-elle. À la prophétie ou au code du guerrier ? » Les poils se dressèrent sur la pointe de ses oreilles. « Œil de Geai et toi feriez mieux de vous décider avant que je le fasse moi-même. »

Sans attendre de réponse, elle fila vers le chêne, escalada le tronc et disparut dans le feuillage à la suite de Cœur Cendré et de Nuage de Lis.

Pelage de Lion la regarda partir, le cœur serré. Alors qu'il commençait à peine à comprendre les capacités d'Œil de Geai, voilà qu'il était confronté à un félin dont les pouvoirs dépassaient tout ce qu'il pouvait imaginer. L'oreille tendue, il se força à écouter le plus attentivement possible les bruits dans le lointain, mais il n'entendit que le crépitement de la pluie sur les feuilles mortes.

Le miaulement de Nuage de Lis lui parvint du sommet du chêne.

« Cette branche n'arrête pas d'osciller à cause du vent.

— Accroche-toi bien, lui conseilla Cœur Cendré.

— Ça me donne la nausée ! »

Le pouvoir de Pelage de Lion était bien plus simple. Plus fort que n'importe quel adversaire, il pouvait se jeter dans le combat tête baissée et s'en sortir toujours indemne. Est-ce que ça, ça semblait étrange et effrayant à ses camarades ? Il savait que Feuille de Houx avait toujours été mal à l'aise de le voir si prompt à se battre, comme si elle ne croyait pas tout à fait à son invulnérabilité.

Ce qui était compréhensible, car elle, elle n'avait eu aucun pouvoir. Elle n'avait jamais été l'une des Trois. Cela dit, il s'était bel et bien fait blesser. *Une* fois. Étoile du Tigre l'avait fait saigner lors de leur dernier affrontement nocturne. Pelage de Lion jeta un coup d'œil derrière lui, les poils dressés sur l'échine. Est-ce que le guerrier sombre l'observait, à cet instant ? Il pivota, les griffes sorties, quand les fougères frémirent près de lui.

« Poil de Châtaigne ! s'écria-t-il sans pouvoir dissimuler son soulagement. Tu cherches Cœur Cendré ?

— Non. Je vais rejoindre la patrouille de chasse de Plume Grise. Œil de Geai vient de me dire que mon épaule était guérie. » La guerrière au pelage blanc et écaille se l'était déboîtée quelques jours plus tôt en trébuchant dans un terrier de lapin. « Cœur Cendré est avec toi ? »

Elle leva la tête pour suivre le regard de Pelage de Lion et vit là-haut sa fille qui encourageait Nuage de Lis à s'avancer sur une branche. Cœur Cendré s'y maintenait gracieusement en équilibre tandis que la branche oscillait sous ses pattes.

La fierté illumina les prunelles de Poil de Châtaigne.

« Jamais je n'aurais cru qu'elle serait un jour assez forte pour grimper dans les arbres comme un écureuil. » Elle soupira doucement et observa sa fille encore un instant avant de détourner les yeux. « Feuille de Lune l'a merveilleusement soignée. C'était une guérisseuse formidable. »

Son ton était un peu sec. Reprochait-elle à Pelage de Lion la décision de sa mère de devenir une simple guerrière ? Il frémit. Ce n'était pas sa faute. Feuille de Lune avait tout gâché en enfreignant le code du guerrier ! En choisissant d'avoir des petits avec un membre d'un autre Clan et en mentant à tout le monde !

Il retint sa langue et laissa la guerrière s'éloigner. Il repensa soudain à Fleur d'Ajoncs et lança :

« Où vas-tu chasser ?

— Près de la frontière du Clan du Vent. »

Tant mieux. Si leurs voisins avaient vraiment des ennuis, la patrouille s'en rendrait compte. À Plume Grise de décider s'il fallait les aider ou non.

Tandis que Poil de Châtaigne disparaissait derrière un bouquet de fougères trempées, Pelage de Lion enfouit sa prise et s'approcha du pied de l'arbre.

« Comment ça se passe ? lança-t-il à ses camarades.

— Très bien, répondit Cœur Cendré en se laissant tomber près de lui, bientôt imitée par les deux jeunes chattes. Je crois qu'on peut essayer quelque chose de plus dur. »

Les oreilles de Nuage de Lis se dressèrent.

« Apprenons-leur à sauter d'arbre en arbre, suggéra Cœur Cendré.

— Comme des écureuils ! se réjouit Nuage de Lis.

— Oui, exactement. »

Pelage de Lion laissa retomber sa queue. Il n'était pas très doué pour ça.

« On pourrait leur enseigner quelques attaques, plutôt, répliqua-t-il. Il leur reste beaucoup à apprendre.

— Étoile de Feu veut que l'on s'entraîne à grimper dans les arbres », lui rappela Cœur Cendré.

On est des chats, pas des oiseaux ! Pelage de Lion se sentait toujours trop gros, et gauche, en hauteur. Il préférait de loin rester au sol pour se battre. À quoi bon se percher comme des chouettes pour observer l'ennemi de haut plutôt que de l'affronter face à face, comme des guerriers ?

«Venez. On va commencer par cet érable », déclara Cœur Cendré en lui décochant un regard déterminé. Elle savait bien qu'il n'aimait pas grimper aux arbres. «Longue Plume m'a juré que, dans notre ancien territoire, il avait traversé toute la forêt du Grand Sycomore sans toucher terre.

— Ça fait loin ? voulut savoir Nuage de Colombe, visiblement impressionnée.

— Aussi loin qu'entre ici et la combe. »

Qu'est-ce que tu en sais ? songea Pelage de Lion. Cœur Cendré était née sur les bords du lac, comme lui. Elle n'avait jamais vu l'ancien territoire !

«Je parie que je pourrais faire pareil», se vanta Nuage de Lis avant de se hisser sans mal sur le tronc de l'érable, les yeux mi-clos pour les protéger de la pluie. Cœur Cendré l'imita, suivie de Nuage de Colombe.

Pelage de Lion leva la tête vers les branches et pria pour que la pluie cesse. C'était déjà suffisamment dur lorsque l'écorce était sèche. Ravalant un soupir, il se hissa sur le tronc, les griffes plantées profondément dans l'écorce pour ne pas glisser.

Cœur Cendré attendait à la base de la branche la plus basse, tandis que Nuage de Lis et Nuage de Colombe étaient presque à son extrémité.

« Nous n'aurons même pas besoin de sauter, annonça Nuage de Colombe, voyant que la branche touchait le saule voisin.

— Nous devrions peut-être prendre un autre chemin, lança Pelage de Lion, vu que les branches des saules sont fines. Elles ne supporteront peut-être pas notre poids.

— *Ton* poids, tu veux dire ! » rétorqua sèchement Nuage de Colombe.

Elle était toujours fâchée parce qu'il avait refusé d'aider Fleur d'Ajoncs. Pelage de Lion ne releva pas, même s'il était contrarié.

« C'est un vieil arbre, miaula Cœur Cendré en regardant le saule, où Nuage de Colombe et Nuage de Lis s'étaient déjà engagées. Il sera suffisamment costaud. »

Elle avait raison. Pelage de Lion se faufila sans mal sur ses branches, surpris et soulagé par leur diamètre et leur robustesse.

« Ralentissez ! » cria-t-il en voyant les novices filer à toute allure vers l'arbre suivant comme si elles faisaient la course pour savoir qui arriverait la première au camp sans toucher terre.

Nuage de Colombe se tenait en équilibre au bout de la plus longue branche du saule. Un très vieux chêne poussait près de là, noueux et tordu par les saisons.

« Je vais essayer celui-là, dit-elle sans se retourner.

— L'écorce est très rugueuse, répondit Pelage de Lion. Il a l'air vieux. Il y a peut-être des fissures que tu ne peux pas voir. » Il accéléra et sauta par-dessus Cœur Cendré. « Attends que je vérifie… »

Trop tard !

Nuage de Colombe avait déjà sauté sur une branche du chêne, qui se brisa en deux comme une brindille sèche. Elle tomba en poussant un cri de surprise.

Comme elle n'était qu'à trois longueurs de queue du sol, elle atterrit sur ses pattes. Mais Pelage de Lion savait ce qui allait se passer ensuite.

«Attention !» Il sauta du saule, dérapa sur la terre mouillée et saisit Nuage de Colombe par la peau du cou.

«Qu'est-ce qu'il y a ?» s'écria-t-elle tandis qu'il la tirait en arrière.

Presque aussitôt, la branche s'écrasa au sol, là où ils se tenaient un instant plus tôt.

«Tu as beau croire que tu sais tout, parfois, c'est moi qui ai raison, d'accord ?» gronda-t-il.

Nuage de Colombe leva la truffe et renifla. Puis elle lui tourna le dos et partit.

Chapitre 5

❧

Nuage de Colombe étira ses pattes endolories et ses mouvements firent crisser son nid. Ses camarades étaient plongés dans un profond sommeil. Ils s'étaient endormis avant même que la lune se soit levée au-dessus du camp, fatigués par l'entraînement.

Mais Nuage de Colombe, elle, était encore parfaitement réveillée. Elle avait *vu* Fleur d'Ajoncs regagner son camp en boitant, aidée par ses camarades. Elle sentait encore l'odeur du sang séché sur sa blessure, elle percevait la douleur pulsatile dans sa patte chaude et enflée. Elle devait savoir si son amie du Clan du Vent était gravement blessée !

« Tout va bien ? s'inquiéta Nuage de Lis en lui jetant un coup d'œil par-dessus son nid, les yeux ronds. Tu t'es fait mal en tombant ?

— Non », répondit-elle.

Seule sa fierté avait été blessée. Pelage de Lion était si autoritaire ! Et maintenant, il se permettait de lui dire comment elle devait utiliser ses pouvoirs ! Il aurait dû la respecter, comme Œil de Geai, et pas la traiter comme une apprentie stupide.

« Tu n'es pas fatiguée ? demanda sa sœur en s'asseyant.

— Non, dit-elle encore avec un battement de queue.

— Viens, murmura Nuage de Lis avant de sauter de son nid. Allons dans la forêt. »

Le cœur de Nuage de Colombe bondit dans sa poitrine. Que manigançait-elle ?

Nuage d'Églantine roula sur le dos, les pattes repliées comme un lapin.

« Nous n'avons plus fait d'escapades dans la forêt depuis que tu es partie chercher les castors », déclara Nuage de Lis.

Les branches basses du roncier caressèrent la fourrure de Nuage de Colombe lorsqu'elle rejoignit sa sœur dehors. Au milieu de la combe bordée d'ombres, la clairière, illuminée par le clair de lune, luisait telle la surface d'un étang. Nuage de Colombe perçut aussitôt les parfums de la forêt : les notes rances de la saison des feuilles mortes et celles, plus humides, qu'avait laissées la rosée nocturne.

Elle projeta ses sens plus loin que la barrière de ronces et repéra Pétale de Rose, qui montait la garde en trépignant sur place. Son souffle formait des panaches blancs dans la nuit.

« Je connais un passage secret, dit-elle à Nuage de Lis.

— Le tunnel du petit coin ?

— Encore mieux que ça. »

À pas de velours, Nuage de Colombe longea la paroi de la combe, passa devant la tanière du guérisseur. Elle se glissa dans le roncier qui bordait celle-ci et avança jusqu'aux rochers. Dressée sur ses pattes arrière, elle tendit les pattes avant et se hissa hors des ronces sur un petit surplomb.

« Tu viens ? » chuchota-t-elle.

Le pelage blanc et argenté de sa sœur brillait en contrebas.

« J'arrive », murmura Nuage de Lis.

Nuage de Colombe sauta sur le surplomb suivant, puis le suivant encore, jusqu'à ce que les tanières du camp ne soient plus que de vagues touffes de broussailles. Frémissant d'impatience, elle parvint au sommet de la paroi, dans l'herbe douce.

Nuage de Lis la rejoignit d'un bond.

« Comment as-tu trouvé ce passage ?

— Pelage de Lion me l'a montré. »

Au cas où elle aurait besoin de quitter le camp discrètement. *Je parie qu'il ne pensait pas que je m'en servirais si vite,* se dit-elle avec une certaine satisfaction. *Maintenant, c'est moi qui décide !*

Le croissant de lune illuminait la cime des arbres, filtrait entre les branches nues et zébrait le sol de rayures argentées. Nuage de Colombe inspira l'odeur de l'humus avant de s'élancer entre les arbres.

« Je me demande si nous sommes seules dans la forêt », murmura Nuage de Lis.

Nuage de Colombe déploya ses sens dans la nuit, à l'affût du moindre mouvement. Le clapotis des vaguelettes sur la rive lui rappela les coups de langue rythmés de sa mère lorsqu'elle lui faisait sa toilette, jadis. Au-delà de la frontière, un chaton du Clan de l'Ombre gémissait, réveillé par un cauchemar, et, de l'autre côté du lac, au bout du territoire du Clan de la Rivière, des Bipèdes criaient dans leur nid.

« Où va-t-on ? demanda Nuage de Lis. Au nid de

Bipèdes abandonné ? Il est vraiment effrayant. Je parie que tu n'es pas cap d'y aller ! »

Non. Nuage de Colombe savait exactement où elle voulait aller. Elle percevait la silhouette de Fleur d'Ajoncs, qui remuait dans son nid comme si sa blessure à la patte l'empêchait de dormir.

« Allons dans la lande. »

Nuage de Lis s'arrêta net.

« Sur le territoire du Clan du Vent ?

— Jusqu'à leur camp. » Nuage de Colombe s'approcha de sa sœur.

Celle-ci la dévisagea, les moustaches aussi frémissantes que si elle avait flairé une proie.

« Jusqu'à leur *camp* ? répéta-t-elle, incrédule.

— Je n'ai pas revu Aile Rousse ni Fleur d'Ajoncs depuis notre retour de mission.

— Et pourquoi tu voudrais les voir ? s'étonna Nuage de Lis, la queue basse, comme si elle était blessée. Tu n'as pas besoin d'avoir des amis dans le Clan du Vent. Tu en as déjà ici. »

Elle tendit la queue vers la combe.

« Tu n'es pas curieuse de savoir si on en serait capables ? la défia Nuage de Colombe. Si on nous surprend, on pourra toujours dire qu'on s'est perdues. Nous ne sommes que des apprenties. Personne ne croira que nous sommes allées les envahir. » Elle devait s'assurer que Fleur d'Ajoncs allait bien. *Ce n'est pas parce que Pelage de Lion s'en fiche que je dois faire pareil.* « Allez…, implora-t-elle.

— Bon, d'accord », finit par miauler sa sœur. Elle se mit en route vers la frontière. « Si jamais on se fait prendre, ajouta-t-elle en se glissant sous un jeune if, on dira qu'on chassait un écureuil et qu'on n'avait pas vu qu'on avait franchi la frontière. »

Le ventre de Nuage de Colombe frôla le sol lorsqu'elle se glissa sous les branches basses du résineux.

« Ils penseront qu'on est vraiment bêtes de ne pas avoir remarqué qu'on avait atteint la lande, fit-elle remarquer.

— Dans ce cas, on dira qu'on est somnambules, répondit Nuage de Lis en se laissant glisser au pied d'un talus.

— Quoi ? Toutes les deux ? » s'écria Nuage de Colombe. Elle se demanda si sa sœur prenait la situation suffisamment au sérieux.

« On ne peut quand même pas leur dire qu'on est venues voir Aile Rousse et Fleur d'Ajoncs », rétorqua Nuage de Lis.

Et pourquoi pas ? Elles avaient toutes les trois participé à la mission, non ? « Mieux vaut éviter de se faire prendre », conclut-elle.

Avant même qu'elles atteignent la lisière de la forêt, Nuage de Colombe flaira le parfum de la lande. Elle laissa ses sens dériver plus loin, au-delà de la tourbe et de la bruyère, et fut soulagée de ne repérer que les douces respirations de chats endormis dans leurs tanières.

« Je me demande à quoi ressemble leur camp. »

Nuage de Lis sortit de la forêt et marqua une halte au sommet d'un talus. Le vent lui plaqua les moustaches contre le museau ; elle frémit.

« Je suis bien contente de ne pas vivre dans le Clan du Vent, dit-elle tandis que le torrent frontalier gazouillait en contrebas. Ça doit être bizarre de dormir dehors.

— Ils ont sûrement des tanières.

— Oui, mais pas d'arbres, insista Nuage de Lis. Leur camp est à ciel ouvert. » Elle descendit jusqu'à la rive, franchit le cours d'eau d'un bond puis se tourna vers sa sœur, toujours postée en haut du talus. « Imagine ce que ça doit être quand il y a de l'orage », ajouta-t-elle, secouée par un frisson.

Nuage de Colombe contemplait les collines qui s'élevaient devant elle : leur forme évoquait un chat géant endormi sous le ciel pâle de la nuit.

« Dépêche-toi, la pressa Nuage de Lis. Ça me fiche la trouille, de rester ici. »

Nuage de Colombe dévala la pente et franchit le torrent. Le vent qui soufflait sur la bruyère la fouetta. Elle frémit en se rappelant l'expédition vers le barrage et les territoires à découvert qu'ils avaient dû traverser.

« C'était comme ça quand… »

Elle laissa sa phrase en suspens.

« Quand quoi ?

— Non, rien. »

Nuage de Lis était toujours vexée de ne pas avoir été choisie pour la mission. Pas étonnant qu'elle ne voie pas l'intérêt d'aller rendre visite à Aile Rousse et Fleur d'Ajoncs !

Inquiète, Nuage de Lis scrutait la lande, les yeux écarquillés. Le marquage du Clan du Vent était puissant, à cet endroit.

« Tu crois qu'ils ont des patrouilles de nuit ? »

Nuage de Colombe dressa les oreilles pour en avoir le cœur net. Elle entendit un monstre rugir au loin et des moutons braire sur la colline. Elle reconnut leur odeur grasse et âcre pour l'avoir croisée pendant leur quête, lorsqu'ils avaient dû se cacher entre leurs pattes puantes et crotteuses.

Elle secoua la tête pour chasser ce souvenir. Aucun signe de chats dans les collines.

« Il n'y a personne », assura-t-elle à Nuage de Lis. Pour éviter que sa sœur ne se demande comment elle pouvait en être certaine, elle ajouta : « Le vent souffle face à nous, nous les sentirons venir de loin. »

Nuage de Lis avait entrouvert la gueule pour guetter la moindre odeur.

« Viens », miaula-t-elle en se lançant à l'assaut de la première colline, les yeux mi-clos pour se protéger du vent.

Le ventre noué, Nuage de Colombe suivit sa sœur, dont le pelage blanc et argent luisait sous le clair de lune. Elle n'osait plus parler maintenant qu'elle était sur le territoire de leurs voisins. Le vent forcissait à mesure qu'elles progressaient. Lorsqu'un mouton bêla tout près d'elles, elles sursautèrent et filèrent se cacher dans un bouquet d'ajoncs avant de poursuivre, le ventre plaqué au sol, entre les touffes de bruyère.

Nuage de Lis ralentit et murmura d'une voix tremblante :

« Tu es certaine de vouloir aller jusqu'à leur camp ? »

Nuage de Colombe savait que le camp n'était plus très loin, droit devant, juste derrière la colline. Elle entendait nettement la respiration apaisée des guerriers endormis dans leur tanière. L'image du camp prit forme dans son esprit : des buissons raides abritant des cavités creusées dans le sol sablonneux ; une clairière parsemée de traces de pattes ; un fossé abrité par des ajoncs qui diffusait le parfum capiteux des plantes médicinales.

« On avance encore un peu », implora-t-elle.

Elle distinguait clairement la présence de Fleur d'Ajoncs. La chatte tigrée était couchée dans une tanière près d'Aile Rousse. Les pelages de toutes les couleurs des camarades qui les entouraient leur tenaient chaud et les protégeaient du vent. Fleur d'Ajoncs était la seule à remuer. Elle reniflait sans cesse sa blessure.

Ça ne doit pas être trop grave si elle ne dort pas dans la tanière de leur guérisseur, se raisonna Nuage de Colombe.

Pourtant, l'angoisse lui nouait toujours le ventre. Elle devait en avoir le cœur net !

Mais comment attirer l'attention de Fleur d'Ajoncs sans réveiller le reste de la tanière ?

Je m'en inquiéterai une fois sur place.

Elles arrivèrent au sommet de la crête. La pente descendait à pic vers une combe au creux des collines verdoyantes, où poussait une ceinture de buissons rabougris. Une clairière sablonneuse brillait au centre, tout comme Nuage de Colombe l'avait imaginé.

« C'est là ! » souffla-t-elle en se retenant de justesse de crier.

Nuage de Lis plaqua sa queue sur la gueule de sa sœur et murmura :

« Je parie que ni Nuage de Bourdon ni Nuage d'Églantine ne seraient capables de faire un truc pareil ! Mais... tu ne comptes pas vraiment chercher Fleur d'Ajoncs et Aile Rousse, hein ?

— Bien sûr que si ! rétorqua Nuage de Colombe en commençant à se laisser glisser dans la descente.

— Tu plaisantes ! C'est trop dangereux.

— Tu peux rester là, si tu veux !

— Jamais de la vie ! riposta Nuage de Lis, qui se lança à sa poursuite. Si tu y vas, alors moi aussi ! »

Nuage de Colombe savait précisément où se trouvait la tanière des guerriers et s'y dirigea en rampant dans l'herbe glissante de la lande.

Nuage de Lis se pressa derrière elle et lui chuchota à l'oreille :

« Est-ce que tout le monde dort ?

— Presque tout le monde.

— Comment ça ?

— Ne t'inquiète pas. Ce n'est qu'un garde. Il ne nous verra pas. »

Elle distinguait dans la clairière la silhouette d'un unique guerrier qui leur tournait le dos, l'échine courbée par la fatigue.

Nuage de Lis se crispa lorsqu'elle l'aperçut à son tour et se tapit plus près du sol tandis qu'elles longeaient les buissons chétifs qui ceignaient le camp. Elles se glissèrent dans une trouée et avancèrent discrètement vers un massif d'arbustes entrelacés. *La tanière des guerriers.*

« Et qu'est-ce qu'on fait, maintenant ? demanda Nuage de Lis en tremblant près d'elle.

— Fleur d'Ajoncs dort juste là, derrière cette paroi », expliqua-t-elle en posant le bout de sa queue sur les branches épineuses, consciente de la présence toute proche de son amie.

« Fleur d'Ajoncs ! murmura-t-elle.

— Qu'est-ce que tu fais ? s'étrangla Nuage de Lis.

— Fleur d'Ajoncs ! » répéta Nuage de Colombe plus fort.

Des feuilles frémirent à l'intérieur du gîte. Fleur d'Ajoncs s'était redressée.

« Elle arrive ! » annonça Nuage de Colombe. Elle entendait la blessée avancer entre les nids de ses camarades, sa patte meurtrie repliée sous elle.

La guerrière au poil clair et tigré apparut près d'elles tel un rayon de lune dans les ténèbres.

« Par le Clan des Étoiles, Nuage de Colombe ! Que fais-tu ici ? »

La novice inclina la tête de côté. Son amie semblait contrariée.

« Suivez-moi ! » cracha Fleur d'Ajoncs avant de s'éloigner du camp d'un pas claudiquant et de grimper sur le versant d'une colline. Elle se hissa tant bien que mal au sommet et se tapit de l'autre côté de la crête en grimaçant de douleur.

Les deux visiteuses se hâtèrent de la rejoindre.

« Tout va bien ? » s'inquiéta Nuage de Colombe en fixant la patte arrière de son amie.

Sa blessure, enveloppée de toiles d'araignées, empestait les remèdes.

« Pourquoi es-tu venue ici ? » demanda Fleur d'Ajoncs, éludant sa question.

Le cœur de Nuage de Colombe se serra. Son amie n'était-elle pas contente de la voir ?

« Je… je m'inquiétais, balbutia-t-elle. J'ai entendu un chien qui te poursuivait. »

Elle n'osa rien ajouter, de peur de dévoiler son secret, mais elle en avait visiblement déjà trop dit. Un grognement monta de la gorge de Fleur d'Ajoncs.

« Tu m'espionnes ? » lança la guerrière du Clan du Vent.

Au même instant, Nuage de Lis se tourna brusquement vers sa sœur pour la dévisager.

« Tu ne m'avais pas parlé d'un chien !

— Comment peux-tu le savoir ? renchérit Fleur d'Ajoncs.

— Je... je l'ai entendu pendant l'entraînement, gémit Nuage de Colombe en reculant d'un pas.

— Quand ? s'étonna Nuage de Lis. Tu ne m'as rien dit ! »

Fleur d'Ajoncs les observait avec méfiance.

« J'avais peur que tu ne sois gravement blessée, c'est tout, avoua Nuage de Colombe, déçue.

— Nous pouvons nous débrouiller seuls, tu sais. Nous n'avons pas besoin qu'une apprentie du Clan du Tonnerre veille sur nous ! »

Un miaulement grave retentit dans l'ombre, non loin :

« Qu'est-ce qui se passe ? À qui parles-tu, Fleur d'Ajoncs ? »

Les deux intruses se figèrent. Il n'y avait nulle part où se cacher ! Des pas se rapprochèrent. Nuage de Lis sortit ses griffes tandis que Nuage de Colombe s'efforçait de contrôler sa respiration. Tout allait de travers !

Un félin souple au pelage fauve apparut au sommet de la crête.

Poil de Belette.

Il considéra les deux apprenties du Clan du Tonnerre avant de fixer Fleur d'Ajoncs.

« Qu'est-ce que tu fabriques ? Tu crois que tu ne nous as pas causé suffisamment de souci pour aujourd'hui, à envoyer ta patrouille dans les pattes de ce chien ?

— Moi seule ai été blessée ! » protesta la guerrière.

Le rouquin se tourna vers son camp et lança sans grande conviction :

« Il y a eu une intrusion ! » Il se retourna vers sa camarade pour l'interroger sans prêter attention aux deux novices : « Pourquoi n'as-tu pas alerté le Clan ?

— Je gérais la situation, gronda la guerrière.

— On n'a besoin de personne pour nous gérer, protesta Nuage de Lis en se redressant.

— Tais-toi ! » cracha Poil de Belette, la fourrure en bataille.

Des guerriers du Clan du Vent apparaissaient dans les trouées entre les buissons et grimpaient en masse vers eux.

Une chatte brun clair aux yeux bleus leur tourna autour, la truffe en l'air.

« Elles viennent du Clan du Tonnerre !

— C'est une invasion ? miaula un matou brun et blanc, les canines découvertes.

— Je n'en sens pas d'autres, répondit un mâle tigré.

— Ils ont pu masquer leur odeur, feula une femelle noire.

— Tu crois vraiment qu'ils sont assez intelligents pour ça, Belle-de-Nuit ? »

Pelage de Brume apparut alors sur la crête, le pelage hirsute.

« Qu'est-ce que vous faites ici ? » feula-t-il avec haine.

Nuage de Colombe reprit espoir lorsque Étoile Solitaire arriva à son tour et se plaça devant le jeune guerrier.

« Poil de Lièvre ! lança le meneur, les yeux rivés

au matou brun et blanc. Avec Plume de Feuilles et
Plume de Hibou, tu fouilleras les environs.

— Je peux les accompagner ? demanda la chatte
aux yeux bleus, qui griffait le sol en regardant ses
deux camarades s'éloigner.

— Calme-toi, Œil de Myosotis, ordonna Étoile
Solitaire. S'ils ont besoin de renforts, ils appelleront.

— Nous sommes venues seules, expliqua Nuage
de Colombe, le cœur battant, le menton relevé et la
queue enroulée autour de sa sœur.

— Et pourquoi êtes-vous venues ? voulut savoir le
meneur en les fixant d'un œil dur. Est-ce Étoile de
Feu qui vous envoie ? »

Nuage de Colombe fit non de la tête.

« Elle est au courant, pour le chien, dit Fleur
d'Ajoncs à ses camarades. Elle sait qu'il nous a pour-
suivis. » Elle décocha à Nuage de Colombe une œillade noire avant d'ajouter : « Bien que ce ne soit qu'un
incident sans importance.

— Et comment le sais-tu ? demanda Étoile Solitaire
à Nuage de Colombe, les yeux écarquillés.

— J'ai entendu ses aboiements pendant que je
m'entraînais dans la forêt, mentit l'accusée, qui avait
préparé sa réponse.

— Mais comment pouvais-tu savoir qu'il pourchassait nos guerriers ? gronda Œil de Myosotis.

— Je… euh… je l'ai deviné, balbutia-t-elle.

— Tu l'as *deviné* ? »

Le chef du Clan du Vent n'était visiblement pas
convaincu. Ses guerriers non plus : ils échangeaient
des coups d'œil sceptiques.

Pelage de Brume contourna son chef et foudroya
les deux apprenties du regard.

« Et qu'as-tu *deviné* d'autre à propos de notre Clan ? »

Une petite chatte blanche surgit sur la crête. *Aile Rousse !* Ses poils se dressèrent sur son dos lorsqu'elle reconnut Nuage de Colombe.

Celle-ci baissa la tête. Elle ne voulait pas subir les foudres d'Aile Rousse en plus de celles de Fleur d'Ajoncs. L'amitié qu'elles avaient nouée avait-elle si peu de valeur ?

La guerrière blanche s'approcha d'elles.

« Notre mission est terminée, rappela-t-elle à Nuage de Colombe. Tu dois respecter les frontières. Ta loyauté, tu la dois à ton propre Clan. »

Son ton était compatissant, comme si, elle au moins, elle comprenait sa déception.

« Vous n'apprenez donc pas à respecter les marquages, dans le Clan du Tonnerre ? lança un jeune apprenti qui allait et venait derrière Aile Rousse.

— Bien sûr que si », rétorqua Nuage de Lis.

La queue d'Étoile Solitaire balaya la bruyère.

« Regagnez vos tanières, ordonna-t-il à ses guerriers. Œil de Myosotis et Pelage de Brume vont raccompagner ces petites idiotes chez elle.

— Nous ne sommes pas des idiotes ! se défendit Nuage de Colombe, piquée au vif.

— Alors pourquoi êtes-vous venues ici au beau milieu de la nuit au lieu de rester au chaud dans vos nids ? »

Nuage de Colombe ne put soutenir son regard. *Je m'inquiétais juste pour mes amies !* La colère et la tristesse lui nouaient le ventre. C'était la faute de son stupide pouvoir si elle avait entendu le chien attaquer Fleur d'Ajoncs ! Elle essayait simplement d'être une bonne guerrière. *Et* une bonne amie. Sauf que l'amitié ne comptait pas. Elle se laissa entraîner dans la descente sans relever la tête.

« On vous ramène chez vous », miaula Œil de Myosotis en la poussant du bout du museau.

Nuage de Colombe s'écarta d'elle et s'élança dans la bruyère.

« Au moins, ils ne nous ont pas réduites en miettes, murmura Nuage de Lis en courant à ses côtés.

— Je suis désolée de t'avoir forcée à venir, miaula Nuage de Colombe, pleine de remords.

— Tu ne m'as pas forcée ! »

Elles traversèrent la lande, encadrées par leur escorte. Nul ne parlait mais un grognement grave résonnait de temps en temps dans la gorge de Pelage de Brume.

« Tu vas bientôt arrêter de faire ce bruit ? gronda Œil de Myosotis.

— Tu veux qu'elles se croient les bienvenues chez nous ? rétorqua-t-il.

— Je pense qu'Étoile Solitaire leur a bien fait comprendre le message. Inutile de leur grogner dessus jusqu'à leur combe. Ce ne sont que des apprenties.

— Je vais leur apprendre à ne pas recommencer.

— Contente-toi de te taire ! répliqua sa camarade. À ce que je sache, c'est Étoile Solitaire, notre chef, pas toi. »

Pelage de Brume cracha puis se tut.

Les quatre félins se faufilèrent dans la bruyère jusqu'au marquage du Clan du Tonnerre, là où les eaux chantantes du torrent séparaient les deux territoires.

« À partir d'ici, nous connaissons le chemin, dit Nuage de Colombe aux deux guerriers du Clan du Vent.

— Nous vous raccompagnons jusqu'à votre camp, déclara Œil de Myosotis.

— Vous ne pouvez pas faire ça ! » protesta Nuage de Lis.

Que dirait Étoile de Feu si elles laissaient des guerriers adverses pénétrer au cœur de leur territoire ? Nuage de Colombe frémit. Mais les félins semblaient déterminés. Nuage de Lis et elle n'étaient pas de taille à les affronter et la situation était suffisamment embarrassante pour qu'elles s'abaissent en plus à les supplier de ne pas les accompagner plus loin.

Pelage de Brume avait déjà franchi le torrent. À contrecœur, Nuage de Colombe entraîna sa sœur au bord de l'eau et sauta par-dessus. Œil de Myosotis les imita aussitôt. Les pattes lourdes, Nuage de Colombe prit la direction du camp.

« Étoile de Feu va nous tuer », lui murmura Nuage de Lis à l'oreille.

Nuage de Colombe préférait ne pas y penser. Elle ne pourrait pas expliquer à son chef les raisons qui l'avaient poussée à emmener Nuage de Lis au camp du Clan du Vent sans révéler ses pouvoirs. Tout le Clan allait penser qu'elles n'étaient que des cervelles de souris inconscientes.

Leurs deux gardes avançaient devant elles le long des chemins et se faufilaient entre les fougères comme s'ils connaissaient bien la forêt. Œil de Myosotis s'engagea dans une sente de renard qui contournait une grande roncière.

« Comment pouvez-vous connaître le chemin ? s'étonna Nuage de Lis.

— Nous sommes déjà venus, expliqua Œil de Myosotis sans se retourner.

— Mais...

— Elle t'a dit qu'on était déjà venus », la coupa Pelage de Brume d'un ton sans appel.

Lorsqu'ils s'approchèrent de la barrière de ronces, Nuage de Colombe flaira l'odeur de Pétale de Rose : la guerrière les avait repérés et venait à leur rencontre.

« Qu'est-ce que vous faites ici ? feula-t-elle, les poils en bataille.

— Nous ne sommes pas venus pour vous attaquer, répondit Pelage de Brume en s'arrêtant.

— Nous vous ramenons juste deux novices égarées », compléta Œil de Myosotis.

Pétale de Rose fixa les deux sœurs d'un air incrédule.

« Que faisiez-vous hors de la combe ? Et avec *eux*, qui plus est ? » leur demanda-t-elle, la queue tendue vers les guerriers du Vent.

Un nuage voila la lune. Nuage de Colombe fut soulagée par l'obscurité soudaine. Elle contempla ses pattes, honteuse.

« Nous les avons surprises à l'entrée de notre camp », apprit Œil de Myosotis à la guerrière du Clan du Tonnerre.

Visiblement choquée, celle-ci soutint tout de même le regard de la chatte aux yeux bleus.

« Merci de les avoir ramenées, miaula-t-elle. Je vais les reconduire à leur tanière. »

Pelage de Brume fit un pas en avant.

99

« Nous les accompagnons. Je veux parler à Étoile de Feu.

— Il dort, rétorqua Pétale de Rose, outrée.

— Nos camarades et nous dormions aussi, avant que ces deux-là nous réveillent ! » s'indigna Œil de Myosotis.

Nuage de Colombe eut l'impression de se ratatiner sur place. Nuage de Lis laissa sa queue retomber au sol.

« Quel cauchemar, gémit-elle.

— Je ne veux pas qu'on nous accuse d'avoir fait prisonnières deux apprenties du Clan du Tonnerre ! s'emporta Pelage de Brume en la regardant.

— Jamais nous ne mentirions ! » protesta Nuage de Lis.

Après avoir soupiré, Pétale de Rose s'inclina.

« Très bien », miaula-t-elle.

Elle tourna les talons et entraîna leurs deux visiteurs de l'autre côté de la barrière de ronces.

Nuage de Colombe suivit en traînant la patte. Son cœur s'emballa lorsqu'elle entendit les pas de sa camarade sur l'éboulis. *Elle va réveiller Étoile de Feu !*

Des guerriers remuaient dans leur tanière, les fougères et les ronces frémissaient tandis qu'ils se glissaient dans la clairière pour voir ce qui se passait. L'entrée de la pouponnière crissa et de tout petits bruits de pas résonnèrent.

« Qu'est-ce qui se passe ? » gémit Petite Cerise, bientôt rattrapée par sa mère, Pavot Gelé.

Nuage de Colombe s'efforça de ne pas entendre les commentaires de ses camarades. Ils se réunissaient tous pour assister à son humiliation.

Comment allait-elle pouvoir s'expliquer ? À cet instant, l'amertume lui nouait tant la gorge qu'elle aurait tout donné pour qu'il n'y ait jamais eu ni prophétie ni pouvoirs.

Pourquoi ne puis-je pas être une apprentie ordinaire ?

CHAPITRE 6

ŒIL DE GEAI se réveilla en sursaut. En flairant l'air humide, il comprit qu'il faisait encore nuit. Pourtant, il entendait des murmures dans la clairière. Des pierres roulaient dans l'éboulis, signe que quelqu'un en descendait.

Étoile de Feu est réveillé.

Le guérisseur se redressa, leva la truffe.

Le Clan du Vent.

Il bondit hors de son nid et sortit des ronces au moment même où Pelage de Lion et Cœur Cendré émergeaient du gîte des guerriers.

« Que se passe-t-il ? » demanda Pelage de Lion en tournant autour de son apprentie.

Nuage de Colombe ne répondit pas. Elle remuait nerveusement, assise près de sa sœur ; toutes les deux étaient aussi mal à l'aise que des bébés chouettes surpris par la lumière du jour.

« Que font-ils ici ? » tonna Pelage de Poussière en foudroyant du regard les deux visiteurs.

Pelage de Brume et Œil de Myosotis ne bronchèrent pas.

« Baisse d'un ton, Pelage de Poussière, ordonna Étoile de Feu. Inutile de réveiller tout le monde.

— Et pourquoi pas ? s'indigna Chipie en sortant de la pouponnière. Il y a des intrus dans le camp !

— Ils ne sont pas venus nous attaquer, la rassura Aile Blanche.

— Visiblement, vous aviez perdu deux de vos apprentis, déclara Œil de Myosotis. Nous vous les ramenons. »

La honte de Nuage de Colombe et de Nuage de Lis était si forte qu'elle frappa Œil de Geai comme la foudre.

« Moi seul vais régler cela, annonça Étoile de Feu en passant ses guerriers en revue. Tous ceux qui ne sont pas directement concernés par cette histoire peuvent regagner leur tanière. »

Tandis que la foule se dispersait, Étoile de Feu ajouta :

« Pelage de Lion, Cœur Cendré, vous restez. Toi aussi, Œil de Geai.

— Et moi ? s'enquit Griffe de Ronce.

— Veille à ce que tout le monde se recouche et va rassurer les reines. » Le meneur se dirigea vers la sortie tout en lançant par-dessus son épaule : « Venez. Je ne veux pas que le camp soit davantage dérangé. »

Œil de Geai ferma la marche derrière Nuage de Colombe, Nuage de Lis, Pelage de Lion, Cœur Cendré et les deux guerriers du Clan du Vent qui suivaient le chef du Clan du Tonnerre dans la forêt. Le guérisseur était assommé par la moiteur de la nuit et les tensions palpables dans l'air mettaient son esprit à rude épreuve.

Étoile de Feu s'assit à l'extérieur du camp. Pelage

de Lion se plaça près de lui en grattant les feuilles mortes. Un hibou hulula au-dessus de leurs têtes avant de s'envoler dans les arbres. Pelage de Brume et Œil de Myosotis se tenaient droit, côte à côte, tandis que Nuage de Colombe et Nuage de Lis se dandinaient sur place, gênées. Cœur Cendré était crispée et malheureuse. Œil de Geai devinait que la guerrière avait l'estomac noué. Il frémit quand une bourrasque fraîche souffla sur eux.

Étoile de Feu s'éclaircit la gorge.

« Alors, qu'est-ce qui se passe ?

— Nous avons découvert ces deux-là devant notre camp. »

Les deux sœurs se rapprochèrent un peu plus l'une de l'autre.

« Nuage de Lis ? miaula Étoile de Feu. C'est vrai ?

— Nous... nous ne faisions qu'un peu d'exploration.

— Au beau milieu du territoire du Clan du Vent ? s'étonna le meneur d'un ton calme qui ne laissait rien présager de bon.

— Tout est ma faute ! intervint Nuage de Colombe. J'ai... j'ai entendu un chien aboyer dans la lande pendant l'entraînement, alors je m'inquiétais... »

Œil de Geai se crispa. *Oh, non ! Nuage de Colombe ! Cervelle de souris !* Pelage de Lion se raidit près de lui.

« Tu t'inquiétais ? grogna Pelage de Brume, dont la queue battait l'humus. Pour le *Clan du Vent* ? Étoile de Feu, n'apprends-tu donc pas le code du guerrier à tes apprentis ? »

Après avoir réfléchi un instant, le chef du Clan du Tonnerre s'adressa calmement aux guerriers des collines :

« Merci de les avoir raccompagnées. Je suis désolé qu'elles vous aient dérangés, vous et vos camarades. Cela n'arrivera plus. Nous respectons *tous* le code du guerrier, ajouta le rouquin à l'intention de Pelage de Brume d'un ton sec. Et nous ferons en sorte que ces deux jeunes novices comprennent à quel point c'est important. »

Si le meneur fulminait, embarrassé à cause de ses apprenties, Œil de Geai sentait aussi que mille questions tournoyaient dans son esprit. Qu'étaient-elles vraiment parties faire sur le territoire du Clan du Vent ?

Œil de Myosotis soupira doucement et dit :

« Nous y comptons bien. » Alors que la chatte aux yeux bleus allait rebrousser chemin, Œil de Geai distingua un flot de tension se déverser entre elle et Pelage de Lion, et elle décocha sa dernière saillie au guerrier doré. « T'as intérêt à mieux surveiller ton apprentie. »

Pelage de Brume s'élança derrière sa camarade.

« Le Clan du Vent n'a pas besoin de vous pour prospérer ! » miaula-t-il tandis que les fougères se refermaient sur lui.

Étoile de Feu attendit que le bruit de leurs pas s'évanouisse.

« Au nom du Clan des Étoiles, qu'est-ce qui vous est passé par la tête ? s'emporta-t-il en foudroyant du regard les deux novices.

— C'était mon idée ! déclara Nuage de Colombe.

— Nuage de Lis n'est pas collée à toi comme une toile d'araignée ! rétorqua Étoile de Feu. Elle aurait pu changer d'avis n'importe quand.

— Je ne pouvais pas laisser ma sœur y aller seule ! protesta Nuage de Lis.

— Ça ne m'explique pas ce que vous faisiez là-bas ! Qu'est-ce que c'est que cette histoire de chien ? »

Comme ni l'une ni l'autre ne lui répondait, il soupira :

«Très bien. Peu importe la raison, c'était une idée stupide ! »

Allait-il vraiment laisser tomber si vite ? Œil de Geai pencha la tête de côté, curieux d'entendre la suite.

« Je laisse votre punition au bon jugement de vos mentors, mais j'espère qu'ils trouveront un moyen de vous faire comprendre qu'il est crucial de respecter le code du guerrier. Jusque-là, votre entraînement n'a rien de brillant. » Les feuilles crissèrent sous ses pattes. « Si vous vous conduisez comme des chatons, attendez-vous à être traitées comme tels. Maintenant, filez ! »

Nuage de Colombe et Nuage de Lis firent volte-face pour s'éloigner.

« Nuage de Colombe, appela Étoile de Feu. J'ai encore une chose à te dire. »

Nuage de Lis s'arrêta, déroutée.

« Et pourquoi pas moi ? voulut-elle savoir.

— Peu importe, répondit Cœur Cendré en la poussant du museau. Fais ce qu'on te dit ! »

Nuage de Lis suivit son mentor en traînant les pattes.

Lorsque Œil de Geai fit mine de partir, Étoile de Feu le rappela lui aussi.

« Je veux que Pelage de Lion et toi restiez aussi. »

Il se mit à tourner autour de Nuage de Colombe, l'esprit en ébullition.

« Comment as-tu su, pour ce chien ? demanda-t-il.

— C-Comment ça ? » balbutia la novice.

Le meneur se tourna vers Œil de Geai, méfiant.

« Et toi ? Est-ce que le Clan des Étoiles t'a envoyé un signe ou un rêve à propos de ce chien ? »

Œil de Geai fit non de la tête. Il aurait aimé pouvoir mentir pour couvrir l'erreur stupide de Nuage de Colombe, mais il savait qu'Étoile de Feu ne s'y laisserait pas prendre.

« Il m'est déjà arrivé de rêver de chiens dans la lande, mais pas récemment. »

Étoile de Feu reporta son attention sur Nuage de Colombe.

« Alors ? Comment l'as-tu su ? Tu en as rêvé ?

— Je te l'ai dit, insista l'apprentie. Je l'ai entendu ! »

Un grondement irrité monta de la gorge du meneur.

« Et toi, Pelage de Lion ? Tu t'entraînais avec elle. Tu l'as entendu aussi, ce chien ?

— J'étais au sol, marmonna le matou, mal à l'aise. Il y avait du vent. Je n'entendais rien.

— Alors il n'y a que toi, Nuage de Colombe », conclut le rouquin.

La gorge d'Œil de Geai se serra. Où leur meneur voulait-il en venir ?

« As-tu entendu d'autres choses que tes camarades ne pouvaient pas distinguer ? lança-t-il sans crier gare. Comme des castors bloquant une rivière, par exemple ? Ce n'était pas un rêve, n'est-ce pas ? »

Œil de Geai se figea. Il ressentit la stupéfaction de son frère, près de lui.

Le chef du Clan soupira.

« Nuage de Colombe, j'ai compris que tu savais des choses que les autres ne peuvent savoir, et je ne pense pas que ce soit grâce à des visions. Alors comment sais-tu tout ça ? » Le bout de sa queue tapotait le sol. « J'ai besoin de savoir. C'est important. Cela nous a aidés à sauver le lac mais cela t'a aussi attiré des ennuis. Pire, cela aurait pu provoquer une guerre entre le Clan du Vent et nous. En tant que chef, il est donc de ma responsabilité de connaître la vérité. »

Œil de Geai devinait le désarroi de Nuage de Colombe. Elle cherchait désespérément une réponse satisfaisante.

Étoile de Feu renifla bruyamment avant de se tourner de nouveau vers Œil de Geai et Pelage de Lion.

« Bon, on dirait que c'est à moi de le dire tout haut, n'est-ce pas ? »

Pelage de Lion retint son souffle lorsque Étoile de Feu poursuivit :

« Je crois que vous avez un point commun, tous les trois. Quelque chose dont nous aurions peut-être dû parler plus tôt. »

Œil de Geai sentit ses poils se hérisser le long de sa colonne vertébrale.

« Tu ne t'es jamais demandé pourquoi tu pouvais te glisser si facilement dans les rêves des autres, Œil de Geai ? Tous les guérisseurs n'en sont pas capables. Et toi, Pelage de Lion, tu crois que je n'ai pas remarqué la manière dont tu te bats ? Tu es courageux et tu n'éprouves pas la moindre peur. Tu dois donc *savoir* que tu ne crains rien. Qu'aucun chat ici-bas n'est capable de te blesser. Et ensuite, nous avons Nuage de Colombe, qui sait ce qui se passe bien plus loin que ne portent le regard ou l'ouïe ordinaires. »

Étoile de Feu s'interrompit pour reprendre son souffle.

Il sait tout ! songea Œil de Geai, le cœur battant. *Il sait que nous sommes les Trois !*

CHAPITRE 7

« IL Y A BIEN LONGTEMPS, on m'a révélé une prophétie…, déclara le meneur du Clan du Tonnerre.

— Nous sommes au courant ! le coupa Œil de
Geai. Nous sommes les Trois. Parents de tes parents,
à détenir le pouvoir des étoiles entre nos pattes. »

La stupéfaction du rouquin frappa le guérisseur de
plein fouet, puis il sembla assimiler cette nouvelle,
non sans inquiétude.

« Alors comme ça, vous savez déjà tout… » Il soupira. « Je vous attends depuis longtemps, avant même
la naissance de Feuille de Lune et Poil d'Écureuil. »

Les souvenirs de son chef n'intéressaient guère Œil
de Geai.

« Mais que signifie cette prophétie ? le pressa-t-il.

— Qu'est-ce qu'elle *signifie* ? » reprit Étoile de Feu,
surpris.

Ne le sait-il pas ?

Avant qu'Œil de Geai puisse parler, Nuage de
Colombe retrouva la parole.

« As-tu pensé que cette prophétie concernait Feuille
de Lune et Poil d'Écureuil ?

— Pendant longtemps, oui, répondit doucement le rouquin. Je croyais qu'il s'agissait d'elles et de Flocon de Neige. Sauf que rien de spécial ne s'est produit. Ensuite, Petit Geai, Petit Lion et Petit Houx ont vu le jour. » Il marqua une pause. Lorsqu'il reprit, son ton trahissait sa curiosité. « Depuis combien de temps connaissez-vous la prophétie ?

— Depuis notre apprentissage, admit Œil de Geai avec un haussement d'épaules.

— Est-ce que le Clan des Étoiles vous a avertis ?

— Pas exactement. » Œil de Geai aurait voulu plonger dans l'esprit d'Étoile de Feu pour découvrir tout ce que leur meneur connaissait de la prophétie, mais il n'était que l'un des Trois. Pelage de Lion et Nuage de Colombe avaient le droit de le savoir, eux aussi. « Ce n'est pas important, pas vrai ? Ce n'est pas *leur* prophétie.

— En effet. » Étoile de Feu semblait perplexe. Il piétina sur place. « Savez-vous quelle est votre destinée ?

— Pourquoi, tu ne le sais pas toi-même ? s'étrangla Nuage de Colombe. Si tu connais la prophétie, comment se fait-il que tu ne saches pas ce qu'elle veut dire ?

— Le vieux chat ne te l'a pas expliquée ? » miaula Pelage de Lion.

Étoile de Feu ne répondit pas tout de suite. Il devait d'abord digérer le fait que les trois élus savaient qui lui avait révélé cette prophétie.

« Je ne pense pas qu'il la comprenait lui-même, avoua Étoile de Feu. Il ne faisait que transmettre le message. »

Cette révélation glaça le sang d'Œil de Geai.

Personne ne sait ! Ils avançaient en tâtonnant dans les ténèbres, mais vers quoi ?

Étoile de Feu lui posa le museau sur la tête.

«Veilleur du Ciel avait promis que vous viendriez, et vous êtes venus. Nous devons garder la foi. Il ne nous reste plus qu'à attendre », murmura le meneur.

La rage monta en Œil de Geai. Étoile de Feu ne s'inquiétait-il donc pas des dangers qui pouvaient menacer son Clan ?

« Dis-moi, reprit Étoile de Feu en fixant Nuage de Colombe. En quoi consiste exactement ton pouvoir ? »

Elle hésita un instant avant de se lancer : « Je perçois des choses… lointaines.

— Comment les perçois-tu ? insista Étoile de Feu.

— Je… je les entends et je les flaire aussi, et j'ai comme des flashes.

— Est-ce que tu entends tout, tout le temps ?

— Oui, c'est là, autour de moi… en arrière-plan, expliqua-t-elle en s'agitant un peu. J'ai l'habitude. C'est comme… comme une forêt : si on ne voit pas tous les arbres en même temps, on sait qu'ils sont là. On sait à quoi ils ressemblent. On peut se concentrer sur l'un d'eux en particulier et, s'il y a quelque chose d'inhabituel ou de changé, on s'en rend compte, et on regarde de plus près.

— Je comprends, répondit Étoile de Feu d'un ton chaleureux. Maintenant, je sais pourquoi tu es une si bonne chasseuse. » Sa queue se balança. Il semblait satisfait. « Les Trois sont enfin venus. Je dormirai un peu mieux, à présent. Quant à vous, prenez garde : vos pouvoirs vous mettent à l'écart des autres. Cependant, vous êtes toujours des membres de notre

113

Clan. Vous serez toujours liés au code du guerrier, tant qu'il existera.

— Nous ne savons toujours pas pourquoi nous sommes là ! insista Œil de Geai en se penchant vers son chef, le cœur battant.

— Et nous ne pourrons rien faire tant que nous ne le saurons pas. » Étoile de Feu reprit le chemin de la combe. « Le Clan du Tonnerre a déjà de la chance que vous soyez venus. Il ne faut pas en plus demander la lune. Avertissez-moi au moindre changement, lança-t-il par-dessus son épaule. Vous aurez mon soutien total. »

Les ronces frémirent lorsque le chef disparut dans le camp.

Pelage de Lion souffla doucement.

« Comment se fait-il qu'il n'en ait jamais parlé avant ?

— J'imagine qu'il attendait d'être sûr de lui, répondit Œil de Geai en s'asseyant.

— Je nous ai trahis, déclara Nuage de Colombe d'une voix contrite. Je n'aurais jamais dû me rendre sur le territoire du Clan du Vent.

— C'est peut-être mieux ainsi, la rassura l'aveugle.

— Oui, confirma Pelage de Lion. Maintenant, il nous sera plus facile d'obtenir des sessions d'entraînement à l'écart des autres apprentis.

— Sauf que nous ne savons toujours pas pour quoi nous nous entraînons », leur rappela Nuage de Colombe, qui bâilla à s'en décrocher la mâchoire.

Œil de Geai perçut l'épuisement de la jeune chatte. Il se tourna vers Pelage de Lion, mais le guerrier doré s'approchait déjà de la novice.

« Viens, miaula ce dernier en la frôlant. Je te

raccompagne à ta tanière. Tu as besoin de repos avant l'entraînement de demain matin. Tu restes là, Œil de Geai ?

— Oui, j'ai besoin de réfléchir.

— Et tu ne peux pas le faire dans ton nid ? s'étonna Pelage de Lion en bâillant à son tour.

— Je ne serai pas long, promit Œil de Geai.

— Comme tu veux. »

Trop fatigué pour insister, le guerrier suivit Nuage de Colombe vers la barrière de ronces, laissant Œil de Geai seul sous les arbres.

Étoile de Feu n'en sait pas plus que nous. Le guérisseur soupira. Il descendit jusqu'au lac en suivant l'odeur de l'eau portée par le vent. Lorsqu'il arriva sur la berge, une rafale lui plaqua les moustaches contre le museau.

Œil de Geai s'imagina l'énorme masse noire et silencieuse du lac qui dissimulait les restes du bâton dans ses profondeurs. *Pourquoi l'ai-je détruit ?*

Les galets roulèrent sous ses pattes lorsqu'il s'approcha du bord de l'eau. Une plainte montée du fond de son cœur résonna alors :

« Je suis désolé, Pierre ! Ce n'est pas ce que je voulais faire ! »

Il inspira l'air humide de la nuit en espérant y découvrir une trace de l'odeur du chat des temps révolus ; il ne goûta sur sa langue que les saveurs rances des feuilles mortes et de l'eau. Un abîme de peur s'ouvrit en lui. Pierre avait eu connaissance de la prophétie bien avant que le Clan des Étoiles ne commence à peupler la Toison Argentée, et Œil de Geai avait brisé le seul lien qui l'unissait au vieil aveugle.

« Oh, Pierre ! Je t'en supplie ! J'ai besoin de savoir ! »

Une bourrasque lui renvoya sa plainte en pleine face. Pourtant, il savait que Pierre l'entendait, qu'il pouvait lui répondre s'il le voulait.

Furieux, le guérisseur longea le lac jusqu'à l'embouchure de la rivière. Il en remonta le cours en avançant prudemment dans l'écheveau de racines et pénétra dans la forêt.

Il accueillit avec bonheur la sensation de la terre sous ses pattes et pressa l'allure. Les sens aux aguets, il restait concentré pour pouvoir courir sous les arbres. Il se représentait nettement l'espace autour de lui : ses vibrisses et son odorat l'aidaient à visualiser les obstacles, ses oreilles dressées guettaient l'assourdissement des bruits nocturnes, signe que les sous-bois s'épaississaient devant lui.

Tout à coup, une feuille craqua. Un remugle âcre lui fit froncer la truffe.

Le Clan de l'Ombre !

Était-il déjà si proche de la frontière ? Il ralentit et poursuivit d'un pas prudent, la truffe frémissante. Le marquage frontalier de leurs voisins suivait la ligne d'arbres devant lui. Il avait été renouvelé tout récemment. Est-ce que le Clan de l'Ombre s'était mis à faire des patrouilles nocturnes ? Il huma de nouveau l'air des sous-bois. Il ne sentait qu'un seul matou. Pourquoi enverrait-on un seul guerrier renouveler un marquage ?

Un cri déchira la nuit. Des griffes se plantèrent dans ses épaules et le projetèrent sur le sol parsemé de feuilles mortes. Le guérisseur en recracha un paquet et se redressa d'un bond, les muscles bandés par la rage. Il reconnut alors son agresseur.

« Cœur de Tigre ! »

C'était le fils de Pelage d'Or.

« D-désolé, balbutia le jeune guerrier en se relevant, honteux d'avoir attaqué un guérisseur. Je n'avais pas vu que c'était toi… Je pensais que tu étais un intrus.

— Les guérisseurs peuvent aller là où ils le doivent, lui rappela Œil de Geai.

— Je… je sais. Que fais-tu ici ? En pleine nuit, je veux dire. Tu as besoin de nous demander quelque chose ? Je peux te conduire à Étoile de Jais. »

Tandis que Cœur de Tigre jacassait, Œil de Geai lissa sa fourrure ébouriffée et leva la truffe, guettant le bruit des vagues sur la rive et le murmure du vent dans les arbres pour déterminer où il se trouvait précisément. Loin du lac, près de la frontière du Clan de l'Ombre, si près qu'un guerrier maladroit l'attaquant par erreur avait pu le faire tomber du mauvais côté. Comprenant que le marquage se trouvait derrière lui, Œil de Geai recula prudemment jusqu'à ce qu'il soit sûr que ses pattes soient sur son propre territoire. Un guérisseur pouvait allait où il le voulait, encore fallait-il qu'il ait une bonne raison pour cela.

« Et toi, que fais-tu là à cette heure de la nuit ? fit Œil de Geai pour masquer son propre malaise. Tu es en patrouille ?

— En… quelque sorte. » Cœur de Tigre piétina sur place. « De toute façon, ça ne te regarde pas. »

Son ton s'était durci.

Il est sur la défensive. Œil de Geai se pencha vers le jeune félin.

« Le Clan de l'Ombre n'a pas pour habitude d'envoyer des guerriers seuls au milieu de la nuit.

— Et le Clan du Tonnerre n'envoie pas non plus

de guérisseur tout seul à cette heure-ci », répliqua le jeune matou.

Quel culot !

« Tu ferais mieux de rejoindre ta tanière, gronda Œil de Geai. Tu as sûrement un entraînement, demain. »

À sa grande surprise, Cœur de Tigre s'exécuta.

« D'accord. »

Sans un mot de plus, il disparut entre les arbres.

Tandis qu'Œil de Geai humait son odeur qui s'éventait, une autre vint lui chatouiller la truffe. Elle lui sembla étrangement familière sans qu'il puisse l'identifier.

Ses poils se hérissèrent sur son échine. Il se raidit, persuadé qu'on l'observait. Il fit volte-face en reniflant l'air, les oreilles dressées, furieux plus que jamais d'être aveugle. Est-ce qu'un chat l'épiait dans l'ombre ? Pas de bruit. Pas d'odeur, à part celle laissée par Cœur de Tigre.

Œil de Geai s'ébroua. *Ne fais pas ta cervelle de souris !* Devinant que l'aube approchait, il plongea dans les branches basses d'un noisetier et prit la direction du camp.

Qui pourrait bien m'observer, au beau milieu de la nuit ?

CHAPITRE 8

✿

DES GOUTTES DE PLUIE GLACIALES dégoulinaient de la voûte de la tanière des apprentis lorsque Nuage de Lis y pénétra. Elle se jeta dans son nid si brusquement que tout le roncier trembla.

« Hé ! » protesta Nuage de Pétales en se secouant.

Nuage de Colombe ouvrit les yeux. Déjà l'aube ? Elle se sentait encore épuisée après la longue séance d'entraînement de la veille. Pelage de Lion lui avait demandé de pousser ses sens à leurs limites en insistant pour qu'elle maintienne son attention aux confins de leur territoire.

Une lumière grisâtre filtrait entre les branches. Au-dessus de la combe, la forêt grondait sous les assauts du vent. La fourrure détrempée de Nuage de Lis était collée à sa frêle silhouette.

Encore une nuit d'orage.

Nuage de Colombe s'étira en bâillant.

« Tu es déjà sortie ? s'étonna-t-elle.

— Patrouille de l'aube, souffla sa sœur. Je ne vois pas pourquoi Griffe de Ronce m'y a envoyée pendant que toi tu continuais à dormir. »

Nuage de Colombe dressa les oreilles. Est-ce qu'Étoile de Feu avait prévenu Griffe de Ronce qu'elle avait des pouvoirs pour que lui aussi lui réserve un traitement de faveur ? Pourquoi ne pouvaient-ils pas la considérer comme une apprentie ordinaire ? Elle se crispa quand Nuage de Lis reprit en marmonnant :

« Qu'as-tu de si spécial ? J'ai vu Étoile de Feu t'observer quand il croit que personne ne le regarde. Et maintenant Griffe de Ronce se comporte comme si tu venais de descendre de la Toison Argentée.

— J'imagine qu'ils me surveillent pour s'assurer que je ne fais plus de bêtises et que je suis les règles, suggéra Nuage de Colombe en priant pour que sa sœur la croie.

— Et les règles, c'est que toi tu as le droit de dormir pendant que je m'échine sous la pluie ? » répliqua Nuage de Lis.

Nuage de Pétales, qui léchait les gouttes de pluie tombées sur son pelage, intervint :

« Nous devons tous participer à la patrouille de l'aube de temps en temps.

— Certains y participent plus souvent que d'autres, gronda la novice mouillée.

— Peut-être que Griffe de Ronce me prépare quelque chose, hasarda Nuage de Colombe.

— Comme quoi ? Un lapin en rab pour le petit déjeuner ? »

Sur ces mots, Nuage de Lis se roula en boule dans son nid, le dos tourné.

« Je suis désolée que tu aies dû sortir par ce temps et pas moi », miaula Nuage de Colombe avant de commencer à lécher les gouttelettes prises dans la fourrure de sa sœur.

Si seulement ils pouvaient m'envoyer en patrouille en même temps que Nuage de Lis, ce serait plus juste...

«Au moins, nous avons de nouveau le droit de sortir du camp.

— Encore heureux !»

Malgré sa mauvaise humeur, Nuage de Lis se détendait peu à peu sous ses coups de langue.

«Ils ne pouvaient pas vous punir pour toujours», miaula Nuage de Pétales.

Les deux apprenties avaient été consignées au camp durant un quart de lune après leur expédition sur le territoire du Clan du Vent. Pendant ce temps-là, la tanière des anciens et la pouponnière n'avaient jamais été aussi propres.

L'appel de Pelage de Lion résonna dans la clairière :

«Nuage de Colombe !

— Super, fulmina Nuage de Lis. Tu allais enfin atteindre le coin qui me gratte.

— Désolée, répéta Nuage de Colombe. Je dois y aller.» D'un bond, elle sauta de son nid et se glissa dehors, sous la pluie battante. «Qu'est-ce qu'il y a ?»

Pelage de Lion était assis, les moustaches dégoulinantes, dans la clairière boueuse.

«Tu as entendu quelque chose ?»

Nuage de Colombe soupira. Tous les matins, au lieu de la saluer, il lui posait cette question. Ne la voyait-il donc que comme une paire d'oreilles géantes sur pattes ?

«Non», cracha-t-elle.

Son irritation s'accentua lorsque Étoile de Feu sortit de son antre et braqua aussitôt son regard sur elle.

Du coin de l'œil, elle vit une silhouette sombre

approcher. Nuage d'Églantine fonçait vers elle, son poil brun plaqué à son corps par la pluie. Cœur d'Épines, son mentor, la suivait d'un pas plus lent.

« Nous partons pour la patrouille frontalière ! » s'écria la novice.

Elle dérapa dans la boue en éclaboussant Nuage de Colombe. Le vent qui tourbillonnait dans la combe malmenait ses moustaches. Nuage de Colombe ronronna, déridée par l'enthousiasme de sa camarade. À croire que la jeune chatte n'avait pas remarqué qu'il pleuvait !

Cœur d'Épines, lui, en avait bien conscience. Il secoua la tête, agacé, et projeta des gouttelettes partout autour de lui.

« Tu es prêt ? demanda-t-il à Pelage de Lion en jetant un coup d'œil vers Nuage de Colombe. Griffe de Ronce veut que nous allions inspecter la frontière du Clan de l'Ombre. »

Cette nouvelle réjouit Nuage de Colombe. Une course à travers la forêt la réchaufferait.

« Viens ! »

Elle s'élança vers la barrière de ronces en faisant signe à Nuage d'Églantine de la suivre, trop contente d'échapper au regard insistant d'Étoile de Feu.

Un peu plus tard, un miaulement retentit derrière eux :

« Attendez-moi ! » C'était Plume Grise, qui tentait de les rattraper. « Étoile de Feu m'a dit de me joindre à vous. »

Le guerrier gris était à bout de souffle. Comme la pluie plaquait son épais pelage à son corps, il paraissait étrangement amaigri.

« Est-ce que le Clan de l'Ombre a encore franchi la frontière ? s'informa-t-il.

— Oui, mais ils n'ont pas volé de gibier, précisa Pelage de Lion. Nous n'avons trouvé que de vagues traces de notre côté de la frontière.

— Vous croyez qu'Étoile de Feu le mentionnera demain lors de l'Assemblée ? voulut savoir Nuage d'Églantine.

— Je ne vois pas pourquoi il le tairait », répondit Plume Grise.

Cœur d'Épines leva la tête pour scruter le ciel entre les branches.

« Encore faudrait-il que l'Assemblée puisse avoir lieu. »

Des nuages noirs s'accumulaient là-haut, chargés de nouvelles averses.

« Le vent est puissant, lui fit remarquer Plume Grise. Tu verras, il aura sans doute chassé tout ça d'ici à demain matin. » Une bourrasque violente pénétra entre les branches et balaya les sous-bois. Plume Grise planta ses griffes dans la terre tandis que le vent se glissait entre ses vibrisses. « Enfin, s'il ne nous a pas emportés, nous aussi. »

Tout à coup, Pelage de Lion voulut sauter sur un arbre couché. L'écorce recouverte de mousse humide brillait dans la pénombre et, lorsqu'il se réceptionna, il dérapa et tomba de l'autre côté.

Nuage de Colombe l'entendit grogner quand il s'écrasa dans l'herbe trempée. Une odeur d'ail sauvage s'éleva dans l'air. Dressée sur ses pattes arrière, l'apprentie jeta un coup d'œil par-dessus le tronc.

« Tout va bien ? »

Pelage de Lion se débattait dans un carré de feuilles

vert sombre. Plus il en écrasait, plus leur parfum âcre devenait puissant.

Nuage de Colombe ravala un ronron amusé. Le guerrier doré finit par se relever, la fourrure en bataille.

« Oui, ça va, répliqua-t-il.

— Est-ce qu'on doit tous masquer notre odeur ? demanda l'apprentie en feignant l'innocence.

— Ce n'était pas mon intention, et tu le sais très bien ! »

Avec un battement de queue, Pelage de Lion reprit son chemin pendant que Cœur d'Épines et Plume Grise sautaient par-dessus le tronc.

« Attention, miaula Nuage d'Églantine avec malice quand Nuage de Colombe sauta à son tour. C'est un peu glissant. »

L'apprentie grise pouffa. Nuage d'Églantine ronronna si fort que, lorsqu'elles rattrapèrent leurs mentors, Cœur d'Épines la fit taire d'un regard sévère. Elle se tourna vers Nuage de Colombe, la truffe froncée.

« Au moins, nous ne risquons pas de le perdre », murmura-t-elle.

Le matou doré avait beau empester l'ail, il fendait la forêt comme si de rien n'était.

Nuage de Colombe flaira de loin le marquage du Clan de l'Ombre, si puissant que même la puanteur de Pelage de Lion ne pouvait le masquer.

Un cercle de lumière apparut bientôt droit devant eux, entre les arbres. Nuage de Colombe reconnut la clairière aux Bipèdes où elle avait foncé involontairement dans un nid de peaux pendant leur mission vers le barrage. Heureusement, l'endroit était désert, à présent.

Pelage de Lion s'arrêta à l'orée de la forêt, où chaque arbre portait l'odeur du Clan de l'Ombre. Cœur d'Épines et Plume Grise se mirent à zigzaguer entre les taillis pour renifler le moindre buisson et la moindre touffe de fougères.

« Alors ? » lança Pelage de Lion.

Plume Grise secoua la tête mais Cœur d'Épines s'était arrêté devant un petit noisetier à quelques longueurs de queue de la frontière.

Nuage d'Églantine se précipita vers lui.

« C'est le Clan de l'Ombre ? » demanda-t-elle avant de renifler le buisson. Aussitôt ses poils se hérissèrent sur son dos. « Ils ont franchi la frontière ! »

Pelage de Lion et Plume Grise se pressèrent autour d'eux. Nuage de Colombe resta en retrait : de là où elle était, elle reconnaissait parfaitement cette odeur.

Cœur de Tigre !

Depuis la quête, son parfum lui était aussi familier que celui de ses camarades.

« Recule, Pelage de Lion, ordonna Cœur d'Épines. Tes relents d'ail masquent tout le reste. »

Plume Grise approcha de la frontière.

« Patrouille ! » prévint-il.

Quatre guerriers du Clan de l'Ombre avançaient vers eux, le pelage dégoulinant de pluie. Cœur d'Épines et Pelage de Lion allèrent se placer aux côtés de Plume Grise. S'ils prirent garde à maintenir leurs pattes du bon côté de la frontière, ils montraient les crocs.

Tandis que Nuage d'Églantine se hâtait de les rejoindre, Nuage de Colombe alla renifler à son tour le noisetier. C'était bien Cœur de Tigre. Au nom du Clan des Étoiles, pourquoi avait-il franchi la frontière ?

Était-ce accidentel ? Il avait peut-être poursuivi du gibier sans prendre garde à la frontière.

« Que faites-vous ici ? » feula un matou noir et blanc avec un air de défi.

Nuage de Colombe reconnut Corbeau Givré pour l'avoir vu à une Assemblée. Il s'était arrêté à quelques pas des guerriers du Tonnerre. Dos Balafré, Nuage de Pin et Cœur de Tigre l'accompagnaient.

« Nous relevons le marquage que le Clan de l'Ombre a laissé sur *notre* territoire, lâcha froidement Plume Grise.

— Quoi ? s'étrangla Corbeau Givré.

— Ce noisetier, là-bas, est couvert de votre odeur, grogna Pelage de Lion.

— Et pourquoi serions-nous intéressés par quelques vieux arbres détrempés ? gronda Cœur de Tigre.

— À vous de nous le dire ! Pourquoi avez-vous franchi la frontière ? cracha Plume Grise.

— Aucun de nos guerriers n'a franchi votre frontière », rétorqua Dos Balafré.

Nuage de Colombe observait Cœur de Tigre. Ses yeux ambrés ne laissaient rien paraître.

Cœur d'Épines s'écarta en miaulant :

« Venez donc le constater par vous-mêmes !

— Ne dis pas n'importe quoi ! s'emporta Corbeau Givré. Si nous le faisons, alors notre odeur sera bel et bien sur votre territoire.

— Vous essayez de nous piéger pour avoir une bonne raison de nous attaquer ? fit Dos Balafré.

— Pourquoi ferait-on une chose pareille ? s'indigna Pelage de Lion.

— D'accord, déclara Cœur de Tigre. Moi, je vais

aller vérifier. Mais rappelez-vous que c'est *vous* qui m'avez dit d'entrer sur votre territoire ! » Il franchit le marquage, la queue bien haute. « Alors, où il est, ce buisson ? »

Nuage de Colombe plissa les yeux. Cœur de Tigre allait camoufler son ancienne trace avec une nouvelle. La preuve serait effacée. *Malin !* Elle ne put s'empêcher de l'admirer. Que manigançait-il ? Elle l'attendit près du noisetier.

« Par là ? dit-il en plongeant le museau dans les feuilles brunies. Il y a bien une odeur, mais elle est trop ancienne pour qu'on puisse dire à quel Clan elle appartient. » En se tournant, il se frotta au buisson et laissa quelques touffes de poils sur les branches pointues. « Des abeilles vous bourdonnent dans la tête, comme d'habitude. »

Il revint sur ses pas. Les deux patrouilles se faisaient toujours face, comme si chacune mettait l'autre au défi d'attaquer en premier.

Lorsque Cœur de Tigre passa devant Nuage de Colombe, elle cracha :

« C'était toi, n'est-ce pas ? »

Cœur de Tigre tourna brusquement la tête vers elle, les yeux ronds.

« Ne dis pas le contraire ! » murmura-t-elle, un œil sur ses propres camarades. Ceux-ci étaient toujours absorbés par leur bataille de regards avec le Clan de l'Ombre. « J'ai reconnu ton odeur *avant* que tu franchisses la frontière.

— Ne dis rien, pitié ! souffla le jeune guerrier, la queue tombante. Je te dirai tout demain lors de l'Assemblée. »

Il se dandina sur place, mal à l'aise, en jetant un coup d'œil inquiet vers ses camarades.

Nuage de Colombe éprouva soudain une bouffée de sympathie pour lui. Elle ne voulait pas lui attirer d'ennuis. Il l'avait aidée à vaincre les castors. Elle devait au moins lui donner une chance de s'expliquer.

« D'accord, dit-elle.

— Merci. » Après avoir lissé sa fourrure, Cœur de Tigre rejoignit les siens. « Ils ont tout imaginé, annonça-t-il à Corbeau Givré.

— Vous voyez ? renifla Dos Balafré. Ce n'était sans doute qu'un fumet porté jusqu'à vous par le vent.

— Je te dis que j'ai bel et bien reconnu votre trace sur ce buisson ! » s'indigna Plume Grise.

Corbeau Givré se pencha vers lui, si près que leurs vibrisses se touchèrent presque. Seule la frontière invisible les séparait.

« Pourquoi avoir si peur d'une simple *odeur* ?

— Nous n'avons pas peur ! » protesta Nuage d'Églantine, le poitrail bombé.

Nul ne bougea.

« Alors, vous partez ? finit par lancer Cœur d'Épines.

— Et pourquoi on partirait ? rétorqua Dos Balafré. Nous sommes sur notre territoire.

— Venez, ordonna Plume Grise à la patrouille. S'ils veulent que leurs pattes pourrissent à force de rester plantées dans la boue, grand bien leur fasse ! »

Il fit volte-face en laissant le bout de sa queue dépasser légèrement la frontière, juste assez pour frôler la truffe de Corbeau Givré.

Ce dernier feula, le poil hérissé, mais il resta immobile tandis que la patrouille du Clan du Tonnerre suivait le guerrier gris dans la forêt.

Nuage de Colombe jeta un coup d'œil en arrière. Dos Balafré et Corbeau Givré conversaient à voix basse, leurs têtes penchées l'une contre l'autre. Alors que Nuage de Pin allait et venait rageusement le long du marquage, Cœur de Tigre les regardait partir d'un air calme.

Nuage de Colombe se détourna, soudain mal à l'aise.

Quel est son problème ? Il s'était montré si ouvert et si franc lors de leur mission. Elle ne se serait jamais doutée qu'il pouvait être sournois. Au moins, il avait promis de s'expliquer le lendemain, lors de l'Assemblée.

Alors qu'ils approchaient de la combe, Nuage de Colombe déploya par habitude ses sens vers Nuage de Lis. Sa sœur n'était pas au camp. Elle tendit l'oreille jusqu'à ce qu'elle repère son miaulement :

« Je te l'avais bien dit ! » Nuage de Lis était sur le terrain d'entraînement avec Nuage de Pétales. « Tu ne m'as pas eue, cette fois-ci. »

Rassurée, Nuage de Colombe suivit ses camarades à travers les ronces. Étoile de Feu allait et venait dans la clairière, trempé par la pluie.

« Alors ? » s'enquit-il en venant directement vers Plume Grise.

Ce dernier secoua la tête pour faire tomber des gouttes de pluie de ses moustaches.

« Nous avons repéré d'autres traces sur notre territoire », rapporta-t-il.

Étoile de Feu se renfrogna. Pelage de Poussière, qui s'était abrité de l'averse sous les fougères au bord de la clairière, s'avança vers eux.

« Est-ce que c'est encore le Clan de l'Ombre ? voulut savoir le guerrier.

— Oui, mais je crois que c'est toujours le même chat », répondit Plume Grise pour rassurer ses camarades.

Millie et Tempête de Sable s'approchaient du groupe pour prendre part à la discussion.

« Tant que nous ne saurons pas de qui il s'agit, nous ne pourrons rien faire », dit Étoile de Feu.

Cœur d'Épines poussa un grondement grave.

« Cela dit, reprit le meneur, nous renforcerons les patrouilles sur cette frontière et, avec un peu de chance, nous prendrons le contrevenant sur le fait.

— J'espère que ce sera moi qui l'attraperai, cracha Pelage de Lion.

— Pour l'instant, nous ne savons pas s'il agit de lui-même ou pour le compte de son Clan. Notre réaction ne doit donc pas être démesurée.

— Tu en parleras à l'Assemblée, n'est-ce pas ? voulut savoir Tempête de Sable.

— Si nécessaire.

— Quoi ! » s'étrangla Pelage de Poussière.

Plume Grise vint se glisser entre le matou brun et le meneur.

« Pourquoi semer la discorde s'il n'y a pas lieu de le faire ? argumenta le guerrier ardoise.

— Parce que le Clan de l'Ombre croira que nous sommes faibles ! » s'insurgea Pelage de Lion.

Étoile de Feu s'assit, la queue enroulée autour des pattes.

« Nous n'avons pas besoin de prouver notre force. » Il fixa intensément le guerrier doré. « N'oublie pas qu'il s'agit peut-être d'un acte isolé et non de la volonté de tout un Clan.

— Dans ce cas, nous devrions le leur dire ! insista Cœur d'Épines. Si Étoile de Jais n'arrive pas à contrôler ses guerriers, alors tous les autres Clans doivent être au courant.

— Je sais, Cœur d'Épines. Mais, parfois, il vaut mieux attendre avant d'exposer les problèmes. Je ne veux pas que les autres Clans pensent que nous sommes incapables de protéger nos frontières.

— Si tu le dis », marmonna Cœur d'Épines de mauvaise grâce.

Le meneur et sa compagne grimpèrent l'éboulis pour se mettre à l'abri dans l'antre du chef. Pelage de Poussière suivit Cœur d'Épines sous la Corniche tandis que Plume Grise, Millie et Nuage d'Églantine allaient renifler les restes de gibier trempés dans la réserve.

« Tu as faim ? » demanda Pelage de Lion à Nuage de Colombe.

Avant qu'elle puisse répondre, Œil de Geai les appela de l'autre bout de la clairière puis se hâta de les rejoindre.

« Alors ? fit-il. Vous savez qui c'est ? » Son regard inquiet se tourna vers Pelage de Lion lorsqu'il ajouta : « J'ai surpris Cœur de Tigre en train de traîner sur notre frontière, il y a plusieurs nuits.

— Vraiment ? » s'étonna Nuage de Colombe.

Le guerrier du Clan de l'Ombre manigançait bel et bien quelque chose. Malgré tout, elle tint sa langue. Elle lui avait promis de le laisser s'expliquer et elle comptait tenir parole. Après tout, l'Assemblée avait lieu le lendemain. Elle n'aurait pas besoin de garder ce secret très longtemps.

« Cœur de Tigre ? miaula Pelage de Lion. Pourquoi en voudrait-il à nos frontières ? Il était notre allié il y a une demi-lune de cela ! Il nous a aidés à libérer la rivière.

— C'était il y a une demi-lune, le cita Œil de Geai, la mine sombre. Tu ne crois tout de même pas qu'une petite aventure suffit à forger des amitiés éternelles ? »

Nuage de Colombe sentit ses poils se dresser. Est-ce qu'il lui reprochait encore d'avoir été voir Fleur d'Ajoncs ? Elle était mortifiée. Et, à présent, elle avait accepté de garder le secret de Cœur de Tigre. Peut-être qu'Œil de Geai avait raison de lui rappeler à qui elle devait sa loyauté.

CHAPITRE 9

NUAGE DE COLOMBE allait et venait devant la barrière de ronces, impatiente de partir.

« Tu me raconteras tout ? lui demanda Nuage de Lis qui l'observait en agitant le bout de la queue.

— Bien sûr. Dès mon retour. »

Sa sœur s'était radoucie vis-à-vis de Nuage de Colombe… jusqu'à ce que Griffe de Ronce annonce qu'elle irait seule à l'Assemblée ce soir-là.

Nuage de Lis foudroya du regard le lieutenant du Clan du Tonnerre lorsqu'il passa devant elle.

« Arrête de bouder, miaula-t-il. Tu n'es plus un chaton. Tu n'as pas besoin de ta sœur près de toi à tout instant de la journée. »

Aile Blanche, qui somnolait après son dîner, se redressa.

« Aussi loin que je me rappelle, Griffe de Ronce, tu n'étais jamais content de manquer une Assemblée. »

Elle couva ses filles d'un regard affectueux.

Griffe de Ronce gratifia la guerrière blanche d'une œillade sévère, qui céda bientôt la place à l'amusement.

« Eh bien, moi, au moins, j'avais la décence de bouder dans ma tanière. »

Nuage de Lis baissa la tête. Sa queue s'agitait toujours.

« Ne t'inquiète pas, miaula Nuage de Colombe en tournant autour d'elle lorsque le lieutenant s'en fut rejoindre Plume Grise. Quand nous serons des guerrières, nous assisterons à toutes les Assemblées ensemble. »

Poil d'Écureuil émergea du gîte des guerriers et traversa la clairière. Elle glissa un coup d'œil vers Griffe de Ronce avant de rejoindre Feuille de Lune près du tas de gibier.

« Tu crois que Griffe de Ronce leur pardonnera un jour ? » murmura Nuage de Colombe en fixant les deux sœurs.

Comment Griffe de Ronce pouvait-il se montrer si froid envers son ancienne compagne ? Elle se demanda en frémissant comment deux chats qui avaient été si proches pouvaient tout à coup se comporter comme s'ils appartenaient à des Clans différents. Ça, ça n'arriverait jamais à Nuage de Lis et elle.

Au moins, Poil d'Écureuil et Feuille de Lune sont toujours aussi proches. Nuage de Colombe les observa, collées l'une contre l'autre comme dès chatons à peine sortis de la pouponnière.

« Je vais essayer de convaincre Bouton de Rose de me raconter des anecdotes croustillantes », miaula-t-elle en donnant un petit coup de museau à Nuage de Lis.

Elle espérait que la guerrière timide du Clan de la Rivière ne se comporterait pas comme si elles n'avaient rien vécu ensemble.

Étoile de Feu apparut sur la Corniche. Il n'avait pas fini de descendre l'éboulis que certains se pressaient déjà vers la sortie.

« Je veux que vous me racontiez tout à votre retour ! » lança Nuage de Bourdon, qui restait lui aussi au camp.

Lorsque Poil d'Écureuil s'écarta de Feuille de Lune pour rejoindre la patrouille, Étoile de Feu leva la queue pour donner le signal du départ et sortit du camp. Ses camarades le suivirent aussitôt. Le vent avait dégagé le ciel et la Toison Argentée scintillait autour de la pleine lune. Mais la forêt était toujours détrempée après les pluies battantes et Nuage de Colombe fut bientôt mouillée.

Le temps froid et humide mit tout le monde de mauvaise humeur.

« Le Clan de l'Ombre n'a pas intérêt à ce qu'on trouve un de ses guerriers sur nos terres ! feula Patte de Renard.

— Nous ne risquons pas d'en croiser ici, répliqua Griffe de Ronce. Nous approchons du territoire du Clan du Vent. Même le Clan de l'Ombre ne serait pas assez stupide pour s'aventurer si loin !

— Venant d'eux, moi, je m'attends à tout, riposta Cœur d'Épines en reniflant l'air.

— Nous devrions empiéter sur *leur* territoire et y laisser notre marquage, histoire de voir comment *eux* le prendraient ! insista Patte de Renard.

— Ouais ! le soutint Pétale de Rose. Je parie qu'ils seraient loin d'être contents. »

Ces derniers temps, la guerrière au poil crème foncé semblait toujours soutenir son camarade de tanière, quoi qu'il dise.

Cervelle de souris. Nuage de Colombe se sentit aussitôt coupable. Pétale de Rose était une excellente guerrière. Nuage de Colombe pria pour ne jamais être impressionnée par un matou au point de ne plus penser par elle-même.

« On devrait vraiment le faire, gronda Pelage de Lion. Juste pour leur montrer. Même si leurs truffes sont sans doute trop pleines de l'odeur des pins pour le remarquer. »

Poil d'Écureuil doubla le guerrier doré.

« Arrête de leur monter la tête, lui reprocha-t-elle.

— Parfois, la violence est nécessaire, rétorqua Griffe de Ronce, qui la toisait du haut de la colline. Ce n'est pas pour rien que le Clan des Étoiles nous a donné des crocs. »

La rouquine parut blessée par les paroles du matou. Pelage de Lion grimaça. La patrouille se regroupa sur la berge et longea le lac à trois longueurs de queue de l'eau.

Nuage de Colombe scruta la lande. Aucun signe des autres Clans, et aucune odeur fraîche ne souillait l'arbre-pont. Lorsqu'elle le traversa, les griffes sorties pour agripper l'écorce glissante, elle tendit l'oreille pour percevoir les sons par-delà le gargouillis de l'eau et le murmure du vent dans les arbres.

La clairière était déserte. Quand elle descendit du tronc, les galets crissèrent sous ses pattes et l'eau s'infiltra entre ses coussinets.

« Viens, murmura-t-elle à Nuage de Pétales. Explorons les alentours.

— Mais… »

Sans écouter la réponse de son amie, elle fila à travers les arbres.

«Tout va bien, lança-t-elle par-dessus son épaule. Nous sommes les premiers arrivés. »

Nuage de Pétales surgit des fougères au moment où Nuage de Colombe arrivait au centre de la clairière. La puanteur des végétaux qui pourrissaient sur la berge imprégnait l'air. Nuage de Colombe fronça la truffe. Comment le Clan de la Rivière faisait-il pour la supporter ?

« Attendez-moi ! »

Nuage d'Églantine émergea à son tour des sous-bois. Elle s'assit et inspecta l'endroit désert. Leurs camarades peinaient toujours, loin derrière.

« Et si on grimpait à l'arbre ? » suggéra Nuage de Pétales.

Aussitôt dit, aussitôt fait : elle fila vers le Grand Chêne qui dominait la clairière. En un clin d'œil, elle atteignit la branche la plus basse. Elle s'y assit, la queue enroulée royalement sur ses pattes avant et le poitrail gonflé comme si elle était sur le point de s'adresser à tous les Clans.

« Moi, Étoile de Pétales, je vous souhaite la bienvenue...

— Descends tout de suite ! »

En entendant le cri perçant de Poil d'Écureuil, Nuage de Pétales tomba de la branche et atterrit lourdement sur le sol.

Nuage de Colombe pivota, surprise. Les yeux de la guerrière rousse lançaient des éclairs.

« Comment oses-tu ? gronda-t-elle tandis que Nuage de Pétales revenait en claudiquant, honteuse. Que va penser le Clan des Étoiles ? »

D'un bond, Millie jaillit des fougères et regarda

tour à tour Poil d'Écureuil et Nuage de Pétales qui boitillait.

Sa mère se précipita vers elle.

« Tout va bien ? s'inquiéta-t-elle en lui reniflant la patte.

— Mais oui. Je me suis juste mal réceptionnée.

— Et que faisais-tu ?

— Je voulais savoir ce que ça faisait d'être dans le Grand Chêne. Poil d'Écureuil m'a fait sursauter en me criant dessus et je suis tombée.

— Il était inutile de l'effrayer ! lança Millie à la rouquine. Elle aurait pu se blesser gravement.

— Elle n'aurait jamais dû grimper là-haut, rétorqua Poil d'Écureuil.

— Ce n'est qu'une apprentie.

— Elle est assez âgée pour ne plus faire de bêtises ! » La guerrière se tourna vers Œil de Geai, qui arrivait à son tour. « Tu veux bien examiner la patte de Nuage de Pétales ? Elle est tombée.

— Qui est tombé ? s'enquit Étoile de Feu en sortant des sous-bois.

— Ce n'est rien, protesta l'apprentie tandis que le guérisseur vérifiait l'état de sa patte. Je vais bien. »

Le regard du meneur glissa de Poil d'Écureuil à Millie, qui avaient toutes les deux la fourrure en bataille.

Plume Grise lui passa devant et leva la truffe.

« Berk ! fit-il. Je ne sais pas quand cet endroit pue le plus : quand il est désert, ou quand tous les relents des autres Clans s'y mélangent. »

Après toutes ces chamailleries, Nuage de Colombe apprécia le trait d'humour de Plume Grise. Poil d'Écureuil et Millie partirent à l'opposé l'une de l'autre. Griffe de Ronce se mit à l'écart sous un hêtre, loin des deux chattes. Aile Blanche s'avança dans la clairière et jeta un coup d'œil vers Poil d'Écureuil puis vers Millie, d'un air hésitant, avant de choisir un coin près d'un bouquet de fougères, à mi-chemin entre les deux chattes. Œil de Geai alla se placer sur les racines du Grand Chêne, où les autres guérisseurs le rejoindraient. Bois de Frêne longeait l'orée de la clairière en reniflant prudemment le sol, tandis que les derniers arrivés s'installaient côte à côte en remuant silencieusement la queue.

Malgré le ciel dégagé, une odeur de pluie imprégnait l'air. Nuage de Colombe frémit lorsqu'une bourrasque déclencha une averse de feuilles dans la clairière. Elle fut presque soulagée d'entendre les sous-bois frémir à l'autre bout de l'île et de flairer l'odeur de poisson du Clan de la Rivière.

Elle remarqua qu'Étoile de Feu avait suivi son regard vers les roselières derrière les arbres et fixait à présent les silhouettes lustrées des guerriers de la Rivière qui arrivaient peu à peu. Il leva la queue pour accueillir Étoile de Brume quand elle pénétra dans la clairière à la tête de son Clan. Bouton de Rose sortit aussitôt du rang pour foncer vers Nuage de Colombe pendant que ses camarades se mêlaient aux guerriers du Tonnerre afin d'accomplir la cérémonie du Partage.

« Salut ! » lança la jeune guerrière au poil gris et blanc, tête haute, poitrail bombé. Elle semblait avoir grandi d'au moins une hauteur de souris depuis leur retour de mission. « Comment se passe l'entraînement, chez vous ?

— Super bien ! »

Nuage de Colombe était contente de la voir, et plus encore de constater qu'au moins l'un de ses anciens compagnons de voyage la considérait toujours comme une amie. Elle repensa aux paroles d'Œil de Geai. *Tu ne crois tout de même pas qu'une petite aventure suffit à forger des amitiés éternelles ?* Elle repoussa cette idée. Elle pouvait très bien se montrer amicale sans trahir son Clan pour autant !

«Tu ne trouves pas tout ennuyeux, après notre quête ?» s'enquit Bouton de Rose, les yeux brillants.

Si seulement ! Pelage de Lion la poussait tant pour améliorer ses pouvoirs qu'elle n'avait guère l'occasion de s'ennuyer.

« J'ai un très bon mentor», répondit-elle, consciente que le guerrier doré la surveillait du coin de l'œil.

Craignait-il qu'elle ne révèle quelque chose ?

Sa gêne s'aggrava encore lorsqu'elle reconnut l'odeur du Clan du Vent : il traversait l'arbre-pont et se dirigeait vers la clairière.

«Tout va bien ? s'inquiéta Bouton de Rose, les yeux ronds.

— Hein ?»

Elle jetait sans cesse des coups d'œil anxieux en arrière, peu pressée de revoir ceux qui l'avaient chassée sans cérémonie de leur camp.

« Ce n'est que le Clan du Vent ! dit Bouton de Rose, croyant la rassurer. Salut, Fleur d'Ajoncs ! »

Mais la chatte au pelage brun clair tigré se détourna ostensiblement.

« Qu'est-ce qu'elle a reniflé ?» s'indigna la jeune guerrière du Clan de la Rivière, vexée.

Nuage de Colombe aurait voulu lui expliquer

la cause de cette froideur, mais elle ne pouvait se résoudre à lui confesser son expédition désastreuse. Sans compter que Griffe de Ronce la fixait, les yeux plissés. *Je parie qu'il se demande ce qu'Étoile Solitaire révélera de ma mésaventure.* Nuage de Lis lui manquait cruellement.

Le miaulement de Bouton de Rose la fit sursauter : « Ne fais pas la tête. Le Clan du Vent a toujours été susceptible. S'ils ne veulent plus nous parler, nous n'y pouvons pas grand-chose. »

Nuage de Colombe soupira. Son amie avait raison. Et elle n'oubliait pas que Cœur de Tigre avait promis de lui dire ce qu'il fabriquait sur le territoire du Clan du Tonnerre. Elle traqua son odeur et fut surprise de la trouver tout près, portée par la brise. Le Clan de l'Ombre venait d'atteindre l'île.

Tandis que les guerriers de la pinède s'avançaient dans la clairière, emmenés par Étoile de Jais, Étoile de Feu leva la tête vers la lune. Des nuages se massaient à l'horizon. Le chef du Clan du Tonnerre grimpa dans le Grand Chêne et prit place sur la branche basse d'où Nuage de Pétales était tombée. Alors qu'Étoile Solitaire et Étoile de Jais l'imitaient sans attendre, Étoile de Brume fixa le tronc épais, comme pour y guetter des prises, puis s'y hissa avant de s'installer près des autres chefs.

Nuage de Colombe observait les chats qui se rassemblaient au pied de l'arbre, guettant le pelage sombre et tacheté de Cœur de Tigre. Elle l'aperçut un instant, au milieu de ses camarades, jusqu'à ce qu'un groupe de guerriers de la Rivière ne lui bloque la vue.

« Cœur de Tigre ! » souffla-t-elle.

Il ne se tourna pas vers elle. Au lieu de ça, elle sentit des griffes pointues se planter dans sa queue.

« Aïe ! » gémit-elle en pivotant.

Tempête de Sable la toisait durement.

« Il est temps de t'asseoir. Les chefs vont s'exprimer. »

Désappointée, Nuage de Colombe scruta la masse de pelages et d'oreilles qui entourait Cœur de Tigre. La robe blanche d'Oiseau de Neige luisait près de sa fourrure sombre et lisse. Elle tenta de croiser son regard mais Saule Rouge se glissa près d'eux et Cœur de Tigre disparut derrière la grosse tête de son camarade. Nuage de Colombe se tourna à contrecœur vers les chefs.

Étoile Solitaire se plaça au milieu de la branche. Nuage de Colombe retint son souffle, inquiète. *Pitié, ne parle pas de moi !*

« Le retour du lac est une vraie bénédiction du Clan des Étoiles, déclara-t-il.

— J'imagine que ceux qui sont partis en mission n'ont rien à voir avec ça, marmonna Nuage de Pétales.

— Nos braves camarades qui ont débloqué la rivière sont revenues saines et sauves et se réjouissent d'avoir retrouvé leur Clan. » Le chef du Clan du Vent se tourna vers les membres du Clan du Tonnerre, et Nuage de Colombe se surprit à rentrer la tête dans les épaules lorsqu'il poursuivit : « Le Clan du Vent vouera une reconnaissance éternelle à ses valeureuses guerrières, dont nous louons le courage et la force. »

Nuage d'Églantine se pressa contre Nuage de Colombe pour lui murmurer :

« À l'entendre, le Clan du Vent a tout fait tout seul. Et Cœur de Tigre, Pelage de Lion et toi, alors ?

— Chut. »

Poil d'Écureuil les foudroya du regard avant de se retourner vers le Grand Chêne.

«Tandis que la mauvaise saison approche, continua le chef du Clan du Vent, il est important de sécuriser nos frontières. Les lapins sont nombreux sur la lande, mais la mauvaise saison est rude et nous devons protéger ce qui nous appartient. Le moindre intrus sera sévèrement puni», conclut-il en se penchant vers le Clan du Tonnerre.

Nuage de Colombe sortit les griffes, résignée à entendre son nom. Elle soupira de soulagement lorsque le chef du Clan du Vent se contenta de saluer la foule d'un hochement de tête et de reculer pour laisser sa place à Étoile de Brume. Le silence se fit pour accueillir le premier discours de la nouvelle meneuse du Clan de la Rivière.

«Vous savez déjà tous que j'ai remplacé Étoile du Léopard à la tête de notre Clan.

— Étoile de Brume ! Étoile de Brume !» l'acclamèrent tous les guerriers réunis.

Étoile de Feu se leva et s'inclina devant la chatte grise, une lueur de fierté dans le regard. Nuage de Colombe dressa les oreilles, étonnée. Le rouquin semblait éprouver une réelle affection pour la nouvelle meneuse. *J'imagine qu'ils se connaissent depuis longtemps.* De plus, à en juger par les vivats venus de tous les Clans, tout le monde semblait l'apprécier, comme Œil de Geai l'avait prédit.

Étoile de Brume hocha la tête. Ses yeux bleus écarquillés balayèrent l'assemblée jusqu'à ce que le silence revienne.

«Étoile du Léopard était un noble chef.» Des murmures d'approbation accueillirent ses paroles. «Elle était brave et loyale, et elle aurait fait n'importe quoi pour protéger ses camarades.

— Ou Étoile du Tigre », miaula quelqu'un d'un ton amer derrière Nuage de Colombe.

Elle tourna brusquement la tête. L'un des guerriers du Clan du Vent murmurait à l'oreille de son voisin. Nuage de Colombe était perplexe. Comme tous les chatons, elle avait entendu des contes de pouponnière à propos du guerrier sombre. Mais quel était le rapport avec Étoile du Léopard ? Elle se pencha vers Nuage de Pétales pour l'interroger :

« C'était le chef du Clan de l'Ombre, non ? »

Tempête de Sable tourna la tête pour lui répondre d'un ton sec :

« Oui. Sauf que c'était un peu plus compliqué que ça. Maintenant, taisez-vous. »

Nuage de Colombe se mordit la langue et écouta la suite du discours d'Étoile de Brume.

« Nous sommes heureux d'avoir retrouvé Bouton de Rose et nous pleurons Pelage d'Écume, qui est mort courageusement en affrontant les castors. »

Le cœur de Nuage de Colombe se serra. Elle n'avait plus repensé à Pelage d'Écume depuis longtemps. Elle voulait pourtant ne jamais l'oublier.

« Je suis certaine qu'Étoile du Léopard et lui chassent avec le Clan des Étoiles et veillent sur leurs anciens camarades. »

Des soupirs compatissants se firent entendre partout dans la clairière lorsque Étoile de Brume se rassit.

Étoile de Jais prit sa place et déclara :

« Étoile du Léopard nous manquera à tous. » Ses yeux brillaient au clair de lune comme s'il était vraiment touché. « La perte d'un chef affecte tous les

Clans. Cependant, l'arrivée d'un jeune meneur est souvent synonyme de renouveau et nous souhaitons à Étoile de Brume une longue et heureuse vie de chef. »

Nuage de Colombe fixa le meneur du Clan de l'Ombre, surprise par sa compassion. Pourquoi les Clans ne pouvaient-ils pas montrer de tels signes d'amitié plus souvent ? L'avènement d'Étoile de Brume comme chef marquait-il le début d'une nouvelle ère, fondée sur la confiance ?

Alors que l'espoir gonflait le cœur de Nuage de Colombe, le regard du chef du Clan de l'Ombre se durcit lorsqu'il reprit :

« Cependant, les frontières restent les frontières. »

Nuage de Colombe vit Plume Grise se crisper quand Étoile de Jais couva les guerriers du Clan du Tonnerre d'un œil hostile.

« Ces derniers temps, il y a eu bien trop d'activité sur la frontière du Clan du Tonnerre, cracha-t-il. Le marquage n'est plus net. »

Cœur d'Épines se leva d'un bond, la fourrure ébouriffée.

« Comment oses-tu ? C'est le Clan de l'Ombre qui a laissé son odeur sur *notre* territoire ! »

Les Clans de la Rivière et du Vent se tournèrent avec intérêt vers les guerriers de l'Ombre, qui se levaient les uns après les autres. Nuage de Colombe remarqua que Plume Grise avait sorti ses griffes.

« La trêve ! » cracha Tempête de Sable à l'oreille du guerrier gris.

Celui-ci se leva, les poils dressés sur ses épaules, et lança :

« Qui sème le vent récolte la tempête !

— Rassieds-toi ! » lui ordonna Griffe de Ronce.

Plume Grise laissa ses poils retomber mais il ne rentra pas ses griffes.

« Nous ne cherchons pas la bagarre, continua Étoile de Jais, l'œil brillant. C'est le Clan du Tonnerre qui a commencé à nous accuser. L'un de mes guerriers a inspecté la soi-disant trace trouvée à l'intérieur de votre frontière : il était impossible de savoir à quel Clan elle appartenait. Comme d'habitude, le Clan du Tonnerre cherche une excuse pour donner des leçons aux autres Clans. »

Tempête de Sable se pressa contre Plume Grise comme pour lui rappeler de se contrôler.

Nuage de Colombe joua des épaules pour s'avancer un peu, de manière à voir Cœur de Tigre. Le jeune guerrier gardait la tête baissée. *Il sait qu'il est coupable. Mais qu'en est-il de ses camarades ?*

Alors qu'elle le fixait, l'odeur du sang lui monta à la truffe et elle comprit qu'il avait des écorchures. Si son pelage était si ébouriffé, c'était à cause de plusieurs blessures et non de la honte. L'une de ses oreilles était même déchirée. Ses camarades avaient-ils découvert qu'il était l'auteur de la trace sur le territoire du Clan du Tonnerre ? Le lui avaient-ils fait payer ?

Pauvre Cœur de Tigre, songea-t-elle, perdue dans ses pensées. Le Clan de l'Ombre devait être aussi cruel qu'on le disait.

Un coup sec entre ses omoplates la fit sursauter.

« Arrête de dévisager Cœur de Tigre, la gronda Tempête de Sable. Tu ressembles à une chouette ! »

Nuage de Colombe reporta son attention vers le Grand Chêne. Étoile de Jais leur faisait toujours la morale.

« Si le Clan du Tonnerre n'est pas capable de mar-

quer son territoire et de rester à l'intérieur de sa frontière, alors le Clan de l'Ombre réagira. » Il soupira
exagérément avant d'ajouter : « Pourquoi le Clan du
Tonnerre semble-t-il croire que les autres lui doivent
une faveur après le retour du lac ? Nous avons tous
participé à cette mission ! »

Il prit un air résigné et se tourna vers les Clans
du Vent et de la Rivière, comme s'ils partageaient le
même fardeau.

Nuage de Colombe grimaça. Est-ce qu'Étoile de
Jais avait, elle ne savait comment, découvert sa visite
dans la lande ?

Nuage de Pétales lui donna un coup de patte.

« Arrête de gigoter !

— Taisez-vous ! cracha Tempête de Sable. Ou je
vous renvoie toutes les deux au camp ! »

Étoile de Jais avait fini de se plaindre ; Étoile de
Feu put prendre la parole. Il bombait le poitrail, tête
et queue hautes.

« Bienvenue, Étoile de Brume. Tu as mérité ta
place de chef et le Clan du Tonnerre te souhaite le
meilleur pour la suite. Nous regretterons tous Étoile
du Léopard. Je me souviens d'elle à l'époque où je
n'étais encore qu'un apprenti du Clan du Tonnerre. »
Il ronronna, comme s'il n'avait pas entendu le discours d'Étoile de Jais. « Je l'ai toujours respectée et,
même si sa loyauté envers son Clan était sans faille,
elle comprenait qu'il était important que *tous* les
Clans restent forts. » Il jeta un coup d'œil à Étoile de
Jais avant d'ajouter : « Elle avait le cœur, le courage et
la force du puissant félin qui lui a donné son nom. »

Derrière Nuage de Colombe, des guerriers du Clan
du Vent grommelaient de nouveau.

« Étoile de Feu se comporte toujours comme s'il était l'allié de tout le monde !

— Il préfère faire ami-ami pour éviter de se battre.

— Il n'a jamais eu le goût du sang.

— Un vrai chat domestique ! »

Nuage de Colombe fit volte-face.

« Ce n'est pas parce qu'il se montre amical que lui ou le Clan du Tonnerre est faible ! »

Oups ! Elle se rappela la mise en garde de Tempête de Sable et se retourna bien vite vers le Grand Chêne.

« Étoile de Jais, nous comprenons l'importance des frontières pour le maintien de la paix entre les Clans, reprit le rouquin de sa voix la plus suave. Nous savons aussi qu'elles valent la peine qu'on se batte pour elles », asséna-t-il d'un ton presque menaçant. Il soutint un instant le regard de l'autre meneur puis, au moment où Étoile de Jais allait répliquer, il se tourna de nouveau vers l'assemblée. « Bonne nouvelle pour le Clan du Tonnerre, lança-t-il gaiement : nous comptons deux nouveaux membres, Petite Cerise et Petit Loir, mis au monde par Pavot Gelé. » Il attendit que les murmures chaleureux qui saluaient son annonce se taisent et conclut : « À ce rythme, nous devrons bientôt agrandir encore la tanière des guerriers. Que le Clan des Étoiles vous bénisse. » Après s'être incliné devant la foule, il sauta de l'arbre.

Nuage de Colombe releva la tête, très fière de son chef. Autour d'elle, les chats se mélangeaient aux membres des autres Clans. Les apprentis échangeaient des anecdotes d'entraînement, les guerriers se regroupaient par affinités et les anciens bavardaient ensemble.

« Tu viens ? » lança Nuage d'Églantine à Nuage

de Colombe, tandis qu'elle se dirigeait avec Nuage de Pétales vers un groupe d'apprentis des Clans de l'Ombre et de la Rivière.

Elle réfléchit un instant. Elle n'avait pas encore parlé à Cœur de Tigre.

« J'arrive tout de suite », promit-elle.

Où était-il passé ? Oiseau de Neige et Saule Rouge conversaient avec des membres du Clan du Vent. Cœur de Tigre n'était nulle part en vue. Elle inspira profondément et se concentra pour passer au crible le mélange d'odeurs qui baignaient sa langue.

Là !

Il s'était tapi dans l'ombre d'un roncier, de l'autre côté de la clairière.

« Tu te caches ? miaula-t-elle en trottinant vers lui.

— De quoi donc ? répondit-il.

— Moi. » Nuage de Colombe le fixa. « Tu m'as promis que tu m'expliquerais ce que tu faisais sur notre territoire.

— Baisse d'un ton ! s'écria-t-il en regardant autour de lui, nerveux. Suis-moi. »

Les oreilles et la queue basses, il rampa plus loin dans le roncier et se glissa dans un petit trou derrière un saule fendu. Nuage de Colombe cilla pour s'habituer à l'obscurité. Le saule cachait la lune et la lumière des étoiles.

« Écoute, murmura-t-il, je ne peux pas te dire exactement ce que je faisais. Nous ne prévoyons pas d'invasion, je te le promets. »

Nuage de Colombe pencha la tête de côté. Le jeune guerrier mijotait quelque chose.

« Tu étais sur *mon* territoire, lui rappela-t-elle. J'ai le droit de savoir pourquoi. Sinon, j'irai faire mon rapport à Étoile de Feu !

— Tu as le droit de savoir, c'est vrai, reconnut-il, les yeux baissés. Mais, moi, j'ai besoin que tu me fasses confiance. S'il te plaît. »

Son ton était presque suppliant. Il releva la tête vers elle. Ses prunelles, qui tiraient sur le noir, laissaient paraître son désarroi.

Nuage de Colombe eut de la peine pour lui. Le jeune matou était visiblement déchiré. Quelque chose le préoccupait. Elle acquiesça, distraite un instant par la douce fourrure qui encadrait le museau du guerrier. Il semblait vouloir désespérément qu'elle comprenne. Elle tendit la queue pour toucher celle de son ami. S'il sursauta à son contact, il ne se déroba pas. Mieux, il se pencha pour poser la truffe dans le creux de l'oreille de l'apprentie.

« Merci. »

La chaleur de son souffle la fit frissonner. Il sentait bon, pour un membre du Clan de l'Ombre.

« Entendu. » Elle fit un effort afin de se concentrer sur la raison de leur conversation. « Mais si quelque chose menace la forêt, je dois le savoir.

— Ce n'est pas ça, la rassura-t-il. Je te le dirais si c'était le cas. » Ses yeux s'écarquillèrent un peu plus, au point qu'elle eut l'impression qu'il plongeait dans son esprit. « Pendant notre périple vers le barrage des castors, on était presque… amis. »

Nuage de Colombe se surprit à hocher vigoureusement la tête.

Il soupira.

« Si nous étions dans le même Clan, ce serait si simple… »

Non ! Nuage de Colombe s'écarta, soudain consciente qu'elle se trouvait bien trop près de ce beau et jeune guerrier d'un Clan adverse. Elle devait changer de sujet !

« D'où viennent ces égratignures ? » Elle fixa la croûte de sang sur l'épaule du matou. « Celle-ci a l'air grave.

— De l'entraînement au combat », répondit-il avec un haussement d'épaules.

Nuage de Colombe frémit. Est-ce que les guerriers du Clan de l'Ombre s'entraînaient avec les griffes et les crocs découverts ?

« Est-ce que Petit Orage t'a soigné ? Ça risque de s'infecter. »

Cœur de Tigre se détourna pour lui cacher son épaule.

« Ce n'est pas si grave, promis. Ça me fait juste mal quand je… » Il laissa sa phrase en suspens : les ronces avaient frémi.

Cœur de Tigre se tapit au sol et rabattit les oreilles en arrière. Nuage de Colombe recula dans l'ombre, au fond d'un trou profond entre deux racines du saule.

« Fichues épines ! »

C'était le miaulement d'un vieux chat courroucé. Nuage de Colombe leva la truffe et reconnut l'odeur du Clan du Vent. Sans doute un ancien qui cherchait un coin pour faire ses besoins.

« Il faut que j'y aille », murmura Cœur de Tigre avant de disparaître par-dessus les racines.

Nuage de Colombe le suivit du regard. Pourquoi agissait-il si bizarrement ? Perplexe, elle sortit du trou.

« Il y a un endroit tranquille là-bas ! » dit-elle à

l'ancien grommelant, la queue tendue vers une petite clairière à quelques longueurs de queue.

Le vieil animal s'extirpa tant bien que mal des piquants.

« C'est maintenant que tu me le dis ! croassa-t-il. Une fois que mes oreilles sont en charpie et que j'ai laissé la moitié de ma fourrure sur ce buisson aux dents de renard… »

Amusée par la mauvaise humeur du matou, Nuage de Colombe se hâta de rejoindre son Clan. Tempête de Sable l'aperçut et donna un coup d'épaule à Aile Blanche.

« Nuage de Colombe ! s'écria la guerrière blanche, inquiète. Te voilà enfin !

— Je n'étais pas loin. » Nuage de Colombe se glissa entre Cœur d'Épines et Plume Grise, pendant qu'Étoile de Feu tournait autour de son Clan, les épaules tendues. « Que se passe-t-il ?

— Nuage de Pétales ! Nuage d'Églantine ! On l'a retrouvée ! » lança Aile Blanche aux deux apprenties qui reniflaient les buissons à l'orée de la clairière. « Où étais-tu ?

— Par là, répondit l'intéressée avec un geste vague du menton vers le saule fendu. Pourquoi est-ce que plus personne n'accomplit le Partage ? »

Les Clans s'étaient séparés et se toisaient avec méfiance.

« Les Clans de l'Ombre et du Vent ont recommencé à faire des histoires pour les frontières », souffla Tempête de Sable en agitant la queue.

Dos Balafré faisait les cent pas autour de son Clan et foudroyait de son regard de braise les guerriers du Clan du Tonnerre.

Pelage de Brume était assis droit comme un pin, les yeux réduits à des fentes, la queue balayant le sol.

« Les frontières sont les frontières, grondait-il à l'adresse de Pelage de Lion, qui soutenait sans ciller son regard furieux.

— Partez en mission avec le Clan du Tonnerre, et il croit que tout le lac lui appartient ! feula Corbeau Givré.

— Nous avons sauvé le lac ! protesta Patte de Renard en griffant le sol.

— Nous avons *tous* sauvé le lac ! cracha Étoile Solitaire. Des membres de *tous* les Clans ont fait le succès de cette mission. Alors pourquoi franchissez-vous les frontières comme si vous étiez chez vous partout, maintenant ? »

La clairière fut soudain plongée dans l'obscurité. Nuage de Colombe leva la tête. Les nuages qui s'étaient massés à l'horizon avaient commencé à voiler la lune. Une pâle lumière filtrait encore, mais le vent se levait et les nuages, de plus en plus épais, engloutissaient une par une les étoiles de la Toison Argentée.

Étoile de Feu fouetta l'air avec sa queue.

« Partons avant que le Clan des Étoiles lui-même ne mette fin à cette Assemblée. » Il décocha une œillade furieuse à Étoile Solitaire et Étoile de Jais. « Le Clan du Tonnerre ne cherche d'ennuis à personne et vous le savez très bien. »

Nuage de Colombe se sentit emportée par ses camarades qui se dirigeaient vers la lisière de la clairière. D'un coup de museau, Nuage de Pétales l'encouragea à avancer, tandis que Millie, Cœur Blanc et Poil de Fougère se bousculaient derrière elle.

Étoile de Feu s'attarda encore un instant.

« Réfléchissez bien, lança-t-il aux Clans du Vent et de l'Ombre, avant de nous accuser à tort ! »

Il tourna les talons, les crocs découverts, et suivit son Clan entre les arbres.

CHAPITRE 10

DES FLEURS COLORÉES se balançaient au passage de l'apprentie qui se glissait dans l'herbe, aussi souple qu'un martinet. Elle éternua lorsque du pollen lui poudra la truffe. Puis, goûtant la chaude caresse du soleil sur son dos, elle tendit le cou pour jeter un œil par-dessus les tiges. Les yeux écarquillés, elle contempla la verte prairie et huma le doux parfum de l'herbe scintillante.

Une jument passa tout près d'elle. Ses grosses pattes martelaient le sol en y creusant de profondes empreintes. Effrayée, la jeune chatte rebroussa chemin à toute vitesse et s'abrita sous les feuilles grasses d'une patience. Dérangés par le cheval, des papillons voletèrent dans tous les sens. La novice jaillit de sa cachette et sauta pour les attraper tandis que la brise les dispersait dans le ciel bleu comme autant de pétales de fleurs.

Le parfum capiteux de la saison des feuilles vertes embaumait l'air et, lorsque la jeune chatte leva la truffe, elle flaira même une proie. Les narines frémissantes, elle remonta le fumet, queue et oreilles basses. Elle traversa un carré de trèfles vert sombre puis contourna un bouquet de clochettes blanches avant de repérer une présence.

Une souris !

Le rongeur, qui grignotait les racines juteuses d'une tige de coucou, ne la remarqua pas lorsqu'elle se mit à ramper en remuant son arrière-train. Confiante, elle bondit, mais son dos frôla une épaisse tige de coquelicot, provoquant une averse de pétales rouges. La souris fila se cacher dans les trèfles, si denses que la novice perdit sa trace. Elle y plongea les pattes et tâta furieusement le sol mais ses griffes ne remontèrent que de la terre et des racines.

Crotte de souris !

Un miaulement grave résonna derrière elle :

« Tu n'as pas eu de chance. »

L'apprentie fit volte-face. Elle découvrit en clignant des yeux le matou large d'épaules qui l'observait. Son museau était couturé de cicatrices et, lorsqu'il leva une patte pour chasser une mouche, ses longues griffes recourbées brillèrent au soleil.

« C'est... c'est ton champ ? s'inquiéta-t-elle, nerveuse.

— J'y viens de temps en temps », expliqua-t-il.

Il reposa sa patte au sol et pencha la tête de côté.

« C'est la première fois que je viens ici, dit-elle.

— Eh bien, je suis content que tu sois venue, ronronna le matou. On se sent parfois seul, par ici.

— Tu vis dans le coin ? »

Au lieu de répondre, le chat tendit le menton vers le carré de trèfles où la souris avait disparu.

« Dommage que tu l'aies perdue. Je peux te montrer comment sauter sans arrondir le dos, si tu veux. »

Elle hocha timidement la tête. L'odeur de ce félin ne ressemblait pas à celle des chats des Clans, même si son pelage lisse et son corps musclé rappelaient celui d'un guerrier. Son parfum étrange lui évoquait une balade nocturne dans la forêt.

« Regarde. »

Le matou se ramassa sur lui-même, bondit au ras du sol en gardant le dos bien droit de façon à ce que seul son ventre frôle les tiges sans les faire bouger.

L'apprentie l'observa, les yeux écarquillés.

« À toi. Vise ça. »

Il lui montra du menton une plaque de mousse.

La jeune chatte bondit, mais pas assez haut, si bien qu'elle retomba au sol avant d'atteindre sa cible.

« Essaie encore », l'encouragea-t-il.

Elle s'élança de nouveau. Cette fois, lorsqu'elle tenta d'aplatir sa colonne vertébrale, elle perdit l'équilibre et retomba gauchement dans l'herbe.

« Encore. »

Plus concentrée que jamais, la novice fixa la mousse et banda ses muscles. Elle frôla le sol, s'étira pour éviter de toucher les tiges, avant de se réceptionner avec grâce, la boule de mousse entre ses deux pattes comme si le Clan des Étoiles l'avait mise là pour elle.

« Waouh ! fit-elle en s'asseyant, satisfaite. Je montrerai ça à ma sœur.

— Elle est là ? s'enquit le mâle.

— Non, je suis venue seule. » Elle songea alors

qu'il était étrange d'être sans la compagnie de sa sœur en cet endroit. « Je pourrai peut-être l'amener la prochaine fois.

— Tu n'aimes donc pas faire des choses toute seule ? s'étonna le matou.

— Non. À deux, c'est bien plus amusant.

— Eh bien, nous sommes deux, toi et moi. » Il la fixa avec insistance et ajouta : « Ça te va ? »

Elle hocha la tête.

« Je peux te montrer une technique de traque, si tu veux.

— Je connais toutes les approches basiques.

— Je parie que tu n'as jamais vu celle-là. »

Tapi au sol, il commença à avancer, le menton en avant et les moustaches rabattues, comme un serpent rampant dans l'herbe. Tout à coup, il lança la patte en un mouvement courbe si vif qu'il coupa net la tige d'une fleur.

« Comme tu es rapide !

— C'est pratique pour attraper des poissons.

— Des poissons ?

— Des souris aussi, ajouta-t-il. N'importe quelle proie vive.

— Je peux essayer ?

— Bien sûr. »

Tandis qu'elle s'aplatissait contre le sol, il s'assit et enroula sa queue touffue autour de ses pattes.

« Peux-tu me décrire ta sœur ? » l'interrogea-t-il.

L'apprentie était concentrée sur un long brin d'herbe, une longueur de queue devant elle.

« Elle est intelligente, miaula-t-elle en rampant doucement. Et drôle. Et plus courageuse que n'importe qui. »

Aussi vite que possible, elle tendit la patte et coupa le brin d'herbe.

Un miaulement indistinct retentit au loin. Un chat appelait.

L'apprentie tourna la tête.

« Je dois y aller, déclara-t-elle en partant dans la direction du miaulement.

— Tu ne veux pas savoir comment je m'appelle ? »

Elle le regarda par-dessus son épaule et attendit.

« Je suis Plume de Faucon.

— Au revoir, Plume de Faucon. »

Ce nom lui parut étrange.

« Et toi, tu ne te présentes pas ?

— Je m'appelle Nuage de Lis. »

Nuage de Lis se réveilla en sursaut, surprise par la fraîcheur de l'air après la chaleur estivale de son rêve. Cœur Cendré l'appelait doucement depuis le seuil de la tanière :

« Nuage de Lis ! »

Nuage de Colombe dormait toujours, épuisée par l'Assemblée, et Cœur Cendré prenait visiblement garde à ne pas la réveiller. Les nids de Nuage de Pétales, Nuage d'Églantine et Nuage de Bourdon étaient déjà vides.

L'apprentie au pelage argenté et blanc se leva tant bien que mal, l'esprit encore un peu embrumé.

« J'arrive ! »

Elle sortit dans la clairière et huma l'air humide de l'aube. Les trois autres apprentis étaient dans la clairière. Nuage d'Églantine faisait les cent pas, Nuage de Pétales marmonnait dans ses moustaches comme si elle révisait ses connaissances, tandis que Nuage de Bourdon s'arrêtait à chaque instant pour se ramasser sur lui-même et bondir.

Malgré les bribes de rêve qui s'accrochaient encore à son esprit, Nuage de Lis se rappela que ces trois-là allaient passer leur dernière évaluation. Un fin brouillard s'était levé dans le camp si bien que les tanières semblaient étranges et lointaines. Le ciel disparaissait derrière d'épais nuages noirs. La pluie ne tarderait pas.

Nuage de Lis frémit. Pourquoi n'avait-elle pas pu profiter plus longtemps de son rêve ?

« Qu'est-ce qu'il y a ? » demanda-t-elle à Cœur Cendré.

Son mentor se dirigeait vers Plume de Noisette, Patte de Mulot et Cœur d'Épines. Assis, immobiles comme des pierres, les trois guerriers observaient leurs apprentis avec intérêt.

« Cette fois-ci, les novices seront évalués deux par deux, apprit Cœur Cendré à Nuage de Lis. Nous avons besoin de toi pour faire équipe avec Nuage de Pétales.

— Hors de question ! s'indigna cette dernière, à la grande surprise de Nuage de Lis. Elle vient à peine de commencer son apprentissage ! Je ne pourrais pas avoir Nuage de Colombe, plutôt ? Elle, au moins, elle sait chasser ! »

Nuage de Lis la foudroya du regard.

« Moi aussi, je sais chasser ! »

Plume de Faucon venait de lui montrer deux nouvelles techniques.

« Tu n'as jamais rien attrapé à part des souris ! gémit Nuage de Pétales. Nuage de Colombe, elle,

elle est formidable ! Elle entend toutes les proies, où qu'elles soient ! »

Honteuse et déçue, Nuage de Lis baissa les yeux.

Tu vaux tout autant que ta sœur.

Ces mots résonnèrent dans sa tête. Prononcés par une voix venue d'un lieu inconnu. La jeune apprentie se redressa.

« Je vais faire de mon mieux, promit-elle. En plus, c'est toi qui vas être évaluée, pas moi.

— Bien répondu, Nuage de Lis. » Plume de Noisette fendit la brume pour venir se placer près de son apprentie. « Nuage de Lis vient juste te rendre service. C'est à *toi* de chasser, pas à elle. »

La tanière des guerriers frémit. Pelage de Poussière et Patte d'Araignée en sortirent.

« Tout le monde est prêt ? s'enquit ce dernier en bâillant.

— Oui, fit Cœur Cendré. Tu évalueras Nuage de Bourdon avec Plume de Noisette, lui apprit-elle. J'aiderai Patte de Mulot avec Nuage d'Églantine. Pelage de Poussière, Cœur d'Épines et toi, vous vous occuperez de Nuage de Pétales.

— Tiens, nous n'évaluons pas notre propre apprenti ? s'étonna Plume de Noisette.

— C'est l'idée d'Étoile de Feu.

— Des idées, il en a des nouvelles à chaque lune, marmonna Cœur d'Épines en se dirigeant vers la sortie. Tout ça est inutile. Le temps qu'on en maîtrise une, il lui en vient déjà une autre. »

Il disparut dans le tunnel et la brume se referma sur lui.

« Venez », les pressa Cœur Cendré.

Nuage de Lis s'élança derrière les trois autres apprentis, qui fonçaient vers le tunnel.

«Vous deux, vous chasserez près du lac, annonça Cœur Cendré à Nuage d'Églantine et Nuage de Bourdon. Nuage de Pétales, tu iras au nid de Bipèdes abandonné. Toi, Nuage de Lis, sois prudente. Tu n'es là que pour nous aider. N'oublie pas que tu n'as rien à prouver. »

À part que je suis aussi douée que ma sœur pour la chasse. Attendez de voir ce que j'ai appris cette nuit !

«Viens », fit Nuage de Pétales à Nuage de Lis en lui donnant une pichenette du bout de la queue.

La jeune novice suivit de loin son aînée à travers la forêt en regrettant de ne pas avoir d'aussi longues pattes qu'elle.

Elle haletait lorsqu'elle aperçut les pierres fendues du nid abandonné. Nuage de Pétales l'attendait sur le mur qui entourait la tanière en ruines.

«Tu n'es même pas capable de me suivre, se moqua-t-elle.

— Nous sommes censées leur montrer que nous pouvons travailler ensemble, rétorqua Nuage de Lis.

— C'est ça, comme si j'allais te laisser me ralentir. »

L'apprentie au pelage écaille et blanc sauta du mur et passa près des plants qu'Œil de Geai avait entretenus avec soin. Leur parfum fit monter l'eau à la bouche de Nuage de Lis, mais elle connaissait la règle : *Pas touche à l'herbe à chat.* C'était le seul remède contre le mal vert, plus précieux encore que les graines de pavot.

Lorsqu'elle disparut au coin du mur, Nuage de Pétales lui lança :

« Reste en dehors de mon chemin ! »

Nuage de Lis vit rouge. Pourquoi tout le monde pensait-il que Nuage de Colombe était géniale et elle qu'une cervelle de souris ? *Je vais leur montrer, moi !*

Elle se glissa dans le nid de Bipèdes où ses pas résonnèrent. Une pente de pierre grimpait jusqu'au toit. Elle y monta et jeta un coup d'œil dehors par une fissure en haut du mur. Nuage de Pétales traquait quelque chose non loin, dans les herbes folles.

Tout à coup, Nuage de Lis perçut un mouvement au pied du mur. Elle tendit le cou pour voir ce que c'était et, oubliant son vertige, elle redescendit la pente de pierre à toute allure. Elle fila hors du nid et tourna au coin. Il était là ! Un écureuil qui grattait le sol près des pierres.

Se souvenant des instructions de Plume de Faucon, elle se tapit dans l'herbe, le dos plat pour ne pas frôler les tiges qui poussaient dans les rochers.

Le rongeur était absorbé par son festin, des graines qu'il avait fait tomber d'un bouquet de fleurs fanées. Nuage de Lis ralentit, banda ses muscles et bondit, le dos droit, la patte en avant. Reproduisant le geste courbe que Plume de Faucon lui avait montré, elle attrapa le rongeur avant même qu'il ait eu une chance de la voir et le tua d'un coup de croc.

Merci, Plume de Faucon !

Le miaulement de Cœur d'Épines la fit sursauter :

« Impressionnant ! »

Elle pivota vers lui, l'écureuil dans la gueule. Le guerrier trotta vers elle, suivi de Pelage de Poussière.

163

« Où as-tu appris cette technique ? s'étonna Pelage de Poussière. On aurait dit que tu sortais un poisson d'une rivière ! »

Nuage de Lis soutint son regard, l'air innocent. Rien ne l'obligeait à révéler son secret, après tout.

« C'était juste… instinctif. »

Les hautes herbes s'écartèrent soudain sur le passage de Nuage de Pétales.

« Qu'est-ce que c'est que ce raffut ? cracha-t-elle. J'étais en train de traquer un rat et vous lui avez fait peur !

— Ah ? Tu n'aidais pas Nuage de Lis à attraper cet écureuil ? s'étonna Pelage de Poussière.

— Je pensais que vous travailliez en équipe, ajouta Cœur d'Épines.

— C'était *elle*, qui devait m'aider, pas l'inverse », s'emporta l'apprentie.

Tu m'as dit de rester hors de ton chemin ! Nuage de Lis lui jeta un coup d'œil mauvais mais se retint de répondre.

« Alors pourquoi était-elle *ici*, pendant que, toi, tu furetais dans les sous-bois ? insista Pelage de Poussière. Tu étais censée organiser une chasse à deux. Tu aurais dû lui dire où tu voulais qu'elle aille.

— D'accord, soupira Nuage de Pétales avant de se tourner vers Nuage de Lis. Viens avec moi. »

Elle replongea aussitôt dans la forêt d'herbes folles.

Nuage de Lis lâcha son écureuil, jeta un coup d'œil attristé vers les deux guerriers et la suivit.

« Pourquoi m'as-tu ridiculisée ? cracha Nuage de Pétales dès qu'elles se furent éloignées. C'est *mon* évaluation, je te rappelle.

— Je sais, répondit-elle, sur son petit nuage depuis sa belle prise. Que veux-tu que je fasse ? »

Nuage de Pétales lui indiqua les pins qui se trouvaient de l'autre côté du nid de Bipèdes abandonné.

« Nous chasserons là-bas », annonça-t-elle.

Elles s'avancèrent entre les arbres, si denses qu'ils bloquaient la lumière du jour, déjà faible. Nuage de Lis sentait l'odeur de la pluie à venir. Des volutes de brume subsistaient ici et là, mais il y avait peu de taillis sous les pins, si bien que les proies étaient faciles à repérer.

« Là ! » s'exclama Nuage de Pétales.

Un merle fouillait du bec le sol couvert d'aiguilles de pin. Les deux novices n'avaient nulle part où se cacher, mais, si elles travaillaient en équipe, elles parviendraient peut-être à le piéger.

« Parfait, murmura Nuage de Pétales. Tu vas par là, moi je le prendrai à revers. » D'un signe de tête, elle fit signe à Nuage de Lis de s'en aller puis ajouta : « Reste bien près du sol et ne laisse pas tes pattes traîner.

— Je ne suis pas un chaton ! » répliqua Nuage de Lis.

Avant que Nuage de Pétales ait le temps de lui donner d'autres conseils inutiles, elle rampa à toute vitesse entre les arbres, le corps près du sol, sans le frôler ni du ventre ni du bout de la queue. Elle fixait le merle sans se déconcentrer, même quand un arbre entrait dans son champ de vision. L'oiseau avait saisi un ver et se démenait pour le tirer de terre.

Du coin de l'œil, Nuage de Lis aperçut la

fourrure colorée de Nuage de Pétales. Elle l'ignora et continua à s'approcher. Bientôt, elle se retrouva à quelques longueurs de queue de leur proie. Puis elle s'immobilisa. *C'est l'évaluation de Nuage de Pétales*, se rappela-t-elle.

Où était passée sa camarade ? Le merle était en train de sortir le ver. Il allait s'envoler d'un instant à l'autre. Nuage de Lis plissa les yeux. Elle devrait peut-être l'attraper elle-même. Elle se mit à se tortiller, prête à bondir.

Un éclair de fourrure écaille et blanc l'en dissuada. Nuage de Pétales avait sauté vers l'oiseau, les griffes tendues, mais ses pattes arrière touchèrent terre un instant trop tôt. Elle parvint tout de même à saisir la bête, sans beaucoup de grâce : l'oiseau paniqué eut le temps de se débattre et de projeter des aiguilles de pin partout avant que Nuage de Pétales l'achève.

Plume de Faucon aurait considéré avec mépris une prise si gauche. L'espace d'un instant, l'odeur du guerrier nocturne baigna la langue de Nuage de Lis et raviva dans son esprit son image et les senteurs fortes de cette forêt sombre qui imprégnaient son épais pelage.

Était-il un membre du Clan des Étoiles ? Venait-il spécialement pour l'entraîner ?

Nuage de Colombe n'a jamais vu de membre du Clan des Étoiles ! songea Nuage de Lis avec une certaine satisfaction. *Autrement, elle me l'aurait dit.*

La pluie s'était mise à crépiter sur les hautes branches des pins lorsque Pelage de Poussière et Cœur d'Épines les rejoignirent. Pelage de Poussière portait l'écureuil de Nuage de Lis. Il le lâcha.

« Jolie tactique, dit-il.

— Bof, fit Cœur d'Épines avec un haussement d'épaules. Quoi qu'en dise Étoile de Feu, je ne vois pas l'intérêt de chasser à deux. Nuage de Pétales aurait attrapé ce merle même si Nuage de Lis avait été ailleurs, occupée à chasser sa propre proie. De mon point de vue, ce n'est pas rentable. »

Il leva la tête vers le ciel : l'averse était à présent si violente que la pluie filtrait à travers les aiguilles. Il reçut une goutte sur le nez et éternua.

« Venez, miaula-t-il en secouant la tête. Je crois que j'en ai assez vu. Rentrons au camp avant qu'on attrape tous la mort.

— Je n'ai pris qu'un oiseau ! » protesta Nuage de Pétales.

L'averse redoubla d'intensité ; les aiguilles rebondissaient sur le sol.

« C'est suffisant, rétorqua le guerrier. Nuage de Lis, tu peux porter ta proie. »

Réjouie à l'idée d'entrer dans le camp avec une prise si imposante, elle saisit l'écureuil dans la gueule et prit le chemin du retour.

Le temps qu'ils arrivent à la barrière de ronces, la forêt était détrempée. Nuage de Lis distinguait à peine ses camarades à travers le brouillard. Ses pattes s'enfonçaient dans le sol boueux et les empreintes qu'elle y laissait se remplissaient aussitôt d'eau de pluie. Après des lunes et des lunes de canicule, les anciens ne pourraient pas se plaindre. Il y avait suffisamment d'eau pour remplir le lac une deuxième fois même si tous les ruisseaux s'asséchaient.

Nuage de Pétales pressa l'allure et dépassa Nuage de Lis pour entrer la première dans la clairière. Dans sa hâte, elle trébucha sur une aile du merle.

« Crotte de renard ! jura-t-elle, la gueule pleine de plumes. Alors que je n'ai qu'un misérable piaf, il a fallu que tu attrapes un écureuil ! » Elle foudroya Nuage de Lis du regard. « Si je rate mon évaluation, ce sera ta faute ! »

Elle se glissa dans le tunnel, devant une Nuage de Lis déroutée. À l'aube, elle l'avait accusée de ne pas savoir chasser, et maintenant, elle lui reprochait de chasser trop bien !

La novice au pelage blanc et argenté traîna l'écureuil dans le tunnel. Aile Blanche et Millie se pressèrent de venir à leur rencontre.

« Vous êtes revenues les premières, leur apprit Millie.

— Belle prise ! s'extasia Aile Blanche en fixant avec fierté l'écureuil qui pendait de la gueule de sa fille.

— Vous faites visiblement une bonne équipe, ajouta Millie après avoir jeté un coup d'œil au merle. »

Ben voyons !

Nuage de Lis releva le menton pour empêcher l'écureuil de traîner dans la boue et le porta jusqu'au tas de gibier.

Nuage de Colombe sortit de la tanière des apprenties, la tête rentrée dans les épaules pour se protéger de la pluie battante.

« Super prise ! la félicita-t-elle. Il est presque aussi gros que toi !

— Merci. » Nuage de Lis posa avec fierté son écureuil près du merle de sa camarade. Elle voulait parler à Nuage de Colombe de Plume de Faucon pendant que les autres discutaient de l'évaluation. «Viens par ici, miaula-t-elle en faisant signe à sa sœur de la suivre vers la barrière de ronces.

— Pourquoi ? s'étonna Nuage de Colombe en la suivant. Qu'est-ce qui se passe ? »

La tête qu'elle va faire en apprenant qu'un guerrier de jadis m'apprend à chasser !

Nuage de Lis était surexcitée. Elle se glissa dans le tunnel et attendit de l'autre côté que sa sœur la rejoigne en griffant le sol d'impatience.

« Alors ? fit Nuage de Colombe, les yeux ronds.

— Un membre du Clan des Étoiles est venu me voir, lui apprit-elle après s'être assurée que personne ne l'écoutait.

— Quand ?

— Cette nuit, dans un rêve ! Il m'a appris à chasser !

— Dis-m'en plus. »

Nuage de Lis se sentit soudain mal à l'aise. Est-ce que sa sœur la croirait ou est-ce qu'elle se moquerait ? Et si ce n'était qu'un rêve ordinaire ?

« Ce guerrier... Il m'a appris des nouvelles techniques...

— C'était qui ? demanda Nuage de Colombe en la fixant droit dans les yeux.

— Il s'appelait... »

Tout près, un bouquet de fougères frémit.

« Qu'est-ce que vous faites là ? » s'écria Cœur Blanc, hors d'haleine, en sortant des sous-bois. Elle filait visiblement se mettre à l'abri de la pluie dans la combe rocheuse. «Vous allez attraper la mort ! Rentrez vite, dépêchez-vous ! » ordonna-t-elle en les poussant vers le tunnel.

Déçue et frustrée, Nuage de Lis se laissa raccompagner jusqu'au camp. Elle se dirigea droit vers la tanière des apprentis en priant pour qu'elle soit déserte. Sa sœur y entra après elle et elles s'ébrouèrent en même temps pour sécher leur pelage.

Nuage de Lis reprit là où elle s'était arrêtée :

« Ce guerrier…

— Nuage de Colombe ! » appela Pelage de Lion depuis la clairière.

Il ne pouvait pas attendre un instant ? se lamenta Nuage de Lis.

« Désolée », miaula Nuage de Colombe avant de sortir à reculons de la tanière.

D'un coup de griffe, Nuage de Lis arracha une fronde de fougère de son nid et la jeta par terre. Nuage de Colombe la laissait toujours tomber pour aller parler avec des guerriers. Ne s'intéressait-elle donc pas à elle ? Et depuis quand les chats les moins expérimentés dirigeaient-ils le Clan ? Pelage de Lion était-il donc incapable de se passer de sa précieuse apprentie, même pour un instant ?

La tanière frémit à l'entrée de Nuage de Pétales, Nuage d'Églantine et Nuage de Bourdon, qui s'ébrouèrent à leur tour.

« On a réussi ! On a réussi ! s'écrièrent-ils.

— Génial ! répondit Nuage de Lis en s'affalant dans son nid. Félicitations ! »

Elle ferma les yeux et fit abstraction des miaulements excités de ses camarades. Si elle parvenait à s'endormir, Plume de Faucon pourrait peut-être lui enseigner d'autres attaques pour qu'elle devienne non pas aussi bonne que sa sœur... mais encore meilleure ! Et là, le Clan ferait peut-être un peu plus attention à elle.

CHAPITRE 11

❧

LA PLUIE GOUTTAIT à l'entrée du gîte d'Étoile de Feu. Lorsque Œil de Geai y pénétra, son pelage dégoulinant trempa le sol. Pour éviter de le toucher, Pelage de Lion se rapprocha de Nuage de Colombe.

« Des nouvelles ? » demanda Étoile de Feu en surveillant l'entrée comme s'il craignait qu'on ne les dérange.

Pelage de Lion, Œil de Geai et Nuage de Colombe firent non de la tête.

« Aucune nouvelle du Clan des Étoiles, soupira Œil de Geai.

— Et plus de traces du Clan de l'Ombre sur notre frontière, ajouta Pelage de Lion.

— Et toi, Nuage de Colombe ? s'enquit le chef du Clan du Tonnerre en fixant l'apprentie grise. Tu as senti quelque chose ?

— Rien », marmonna-t-elle, les yeux baissés.

Pelage de Lion devinait que jouer les espionnes mettait son apprentie mal à l'aise. Alors qu'Œil de Geai adorait secrètement être capable de se glisser dans l'esprit des autres, Nuage de Colombe n'était pas habituée à suivre ses sens plus loin qu'un chat ordinaire.

Elle ferait mieux de s'y habituer. Elle a reçu ces pouvoirs pour une bonne raison.

« Le Clan de l'Ombre mijote quelque chose, les mit en garde Étoile de Feu. Les incursions sur notre territoire sont graves. Et mentir pour les couvrir est pire encore, même venant du Clan de l'Ombre.

— Ils se sont toujours montrés sournois, lui rappela Pelage de Lion.

— Nous devons être plus vigilants que jamais, insista le chef.

— En envoyant des patrouilles supplémentaires sur la frontière ? suggéra Œil de Geai.

— Non, ils verraient cela comme une provocation. »

Dehors, l'écran de pluie qui avait obscurci le camp toute la matinée se levait enfin. Les rayons du soleil filtraient à présent dans la combe. Mais les rafales qui avaient chassé les nuages grondaient toujours dans la forêt et secouaient les tanières. Une bourrasque s'infiltra dans l'antre du chef en hurlant.

« Ce n'est que le vent, murmura Pelage de Lion en voyant son apprentie se crisper.

— Non, chuchota-t-elle, les yeux écarquillés. Il y a autre chose. »

Pelage de Lion se pencha vers elle. Il reconnut son regard plongé dans le vague.

« Quoi donc ?

— Un bruit de succion. » La peur embrasa soudain ses prunelles. « Des racines arrachées du sol. Un arbre va tomber. Un de ceux qui poussent au sommet de la combe. » Son miaulement aigu résonna dans la caverne : « Évacuez le camp ! »

Étoile de Feu se leva d'un bond.

« C'est vrai ? demanda-t-il à Pelage de Lion.

— Oui, confirma le guerrier, qui ne doutait pas de son apprentie. Nous devons faire sortir tout le monde. »

Il jaillit aussitôt de la tanière et dévala l'éboulis en trois sauts.

« Que tout le monde quitte le camp ! » ordonna-t-il.

Le vent hurlait autour de lui, noyant à moitié ses paroles.

Des museaux pointèrent hors des tanières. Pelage de Poussière et Cœur Blanc, qui fouillaient dans la réserve de gibier, se tournèrent vers lui.

« Que se passe-t-il ? s'alarma le guerrier brun.

— Un arbre va tomber ! » Pelage de Lion scruta le sommet des parois rocheuses bordant la combe à la recherche de l'arbre descellé par la pluie. Toute la forêt se faisait malmener par la tempête. Il était impossible de savoir lequel allait s'écraser dans le camp. « Évacuez les tanières ! »

Griffe de Ronce fila droit vers la pouponnière.

« Pelage de Poussière, va voir la tanière des apprentis, ordonna Étoile de Feu. Cœur Blanc, occupe-toi des anciens. »

Œil de Geai traversa la clairière à toute allure et annonça :

« Ma tanière est vide.

— Vérifie encore ! lâcha le chef avant de se tourner vers Pelage de Lion. Toi, tu inspectes le gîte des guerriers. Je m'occupe du reste du camp. »

Le meneur passa devant l'entrée du roncier qui abritait les nids des guerriers, d'où des félins commençaient à sortir à toute vitesse.

Pelage de Lion se fraya un passage entre Cœur d'Épines, Patte de Renard et Œil de Crapaud. Le guerrier doré fonça à l'intérieur.

« Grouille-toi ! lança-t-il à Flocon de Neige, qui s'étirait dans son nid.

— Qu'est-ce qui se passe ? demanda le matou blanc mal réveillé.

— Contente-toi de partir ! Fais sortir tout le monde du camp ! »

Il se faufila entre chaque nid. Quand il se fut assuré qu'ils étaient tous vides, il se rua dehors. Le Clan était rassemblé devant la sortie.

Sur le seuil de la pouponnière, Griffe de Ronce tirait Fleur de Bruyère par la peau du cou pour lui faire presser le pas derrière Chipie. Il se glissa ensuite à l'intérieur et en ressortit presque aussitôt.

« Pouponnière évacuée », annonça-t-il.

Pavot Gelé se précipita vers le tunnel, Petit Loir entre ses mâchoires. Petite Cerise s'étala en courant derrière elle, les yeux exorbités de terreur. Chipie la ramassa et suivit la reine.

« Tanière des apprentis évacuée ! lança Pelage de Poussière.

— Tanière des guerriers évacuée ! cria Pelage de Lion en écho.

— Il n'y a personne dans ma tanière ! » confirma Œil de Geai, dont le pelage était piqué d'épines de ronces.

Étoile de Feu apparut derrière la pouponnière.

« Tout le périmètre est évacué ! » Il fonça vers le lieutenant, qui supervisait la fuite de ses camarades dans le tunnel de ronces. « Ralentissez ! » ordonna-t-il en voyant Pétale de Rose glisser et Poil de Fougère trébucher sur elle.

Pelage de Lion jeta un coup d'œil vers la tanière des anciens. Cœur Blanc n'était pas encore revenue au rapport.

Isidore griffait le sol devant l'entrée du noisetier.

« Dépêchez-vous ! » lança-t-il.

Pourquoi traînaient-ils ?

Pelage de Lion aperçut son apprentie. Elle faisait le tour de la clairière, la tête levée vers le sommet de la combe.

« Quel arbre va tomber ? s'enquit-il.

— Je ne sais pas ! avoua-t-elle, terrifiée. J'entends ses racines glisser dans la terre. C'est la pluie. Elle a fragilisé le sol ! »

Nuage de Lis fit une pause près du demi-roc et fixa sa sœur, éberluée.

« Sors du camp ! lui ordonna-t-elle.

— Je ne peux pas tant que je ne suis pas sûre !

— Sûre de quoi ?

— De quel arbre va tomber !

— Qu'est-ce que ça change, au nom du Clan des Étoiles ?

— Elle a raison, Nuage de Colombe ! renchérit Pelage de Lion en fouettant l'air avec sa queue. Déguerpissez de la clairière, toutes les deux ! »

Tandis que les apprenties s'exécutaient, le guerrier se tourna vers la tanière des anciens. Longue Plume, Cœur Blanc et Poil de Souris n'étaient toujours pas sortis. Il fonça vers le noisetier, dérapa devant Isidore et plongea à l'intérieur.

« Qu'est-ce que vous fichez ? »

Paniquée, Cœur Blanc scrutait Poil de Souris.

Celle-ci la foudroyait du regard d'un air indigné.

« Si je sors de ma litière, la mousse sera mouillée ! »

Du museau, Longue Plume tentait de pousser sa camarade.

« Lève-toi, bon sang ! la pressa-t-il. Nous trouverons de la mousse sèche à notre retour.

— Et où comptes-tu en trouver ? protesta l'ancienne. Il pleut depuis des lunes ! »

Pelage de Lion sentit la fureur monter en lui.

« Sors d'ici ! » hurla-t-il.

Son ordre explosa comme un tronc d'arbre frappé par la foudre et Poil de Souris se leva d'un bond, sous le choc.

« Sors d'ici ! » répéta-t-il, les griffes découvertes.

Il n'allait pas laisser cette vieille chatte entêtée mourir pour une histoire de litière sèche !

Voyant que l'ancienne se dirigeait enfin vers la sortie, Cœur Blanc remercia le guerrier d'un coup d'œil plein de reconnaissance puis poussa Longue Plume du museau pour qu'il sorte à son tour.

Pelage de Lion les suivit à toute vitesse. Mis à part les anciens qui claudiquaient vers les ronces, le camp était désert. Il inspecta la rangée d'arbres au sommet de la combe en se demandant de nouveau lequel allait tomber et en priant pour que Nuage de Colombe ait paniqué pour rien. Cependant, il savait en son for intérieur qu'elle ne se trompait pas.

Au moment où Cœur Blanc et Isidore accompagnaient Longue Plume et Poil de Souris dans le tunnel, Étoile de Feu et Griffe de Ronce en ressortirent, aussitôt suivis par Nuage de Colombe, dont le pelage était hérissé.

« Il n'y a plus personne ? » s'enquit le meneur.

Pelage de Lion secoua la tête.

Griffe de Ronce courut d'une tanière à l'autre, glissant le museau à l'intérieur pour une ultime inspection.

Nuage de Colombe dressa l'oreille.

« Tout le monde est sorti, leur assura-t-elle.

— Dans ce cas, partons, ordonna le chef. Rejoignons les autres qui s'abritent dans le ravin sur le chemin du lac. »

Nuage de Colombe contemplait le sommet de la paroi rocheuse qui dominait la Corniche.

« Il est en train de tomber ! » murmura-t-elle.

Elle sait quel arbre va s'effondrer. Pelage de Lion suivit son regard et repéra un grand hêtre qui avait encore presque toutes ses feuilles. Le guerrier prit à son tour conscience du danger. Le vent tirait sans relâche sur les lourdes branches du hêtre tandis que ses racines dénudées commençaient à glisser vers le bord de la combe.

« Venez ! » insista Étoile de Feu en poussant Nuage de Colombe vers la sortie.

Pelage de Lion suivit son apprentie dehors, Griffe de Ronce et Étoile de Feu sur les talons. Le guerrier aperçut bientôt les taches colorées des pelages de ses camarades réfugiés dans le ravin à plusieurs longueurs d'arbre du camp. Puis il vit Poil de Souris qui revenait vers eux en trébuchant. Elle essayait de rentrer au camp en douce mais Longue Plume se plaça devant elle.

« Oublie cette souris ! Nous en attraperons une autre !

— Je refuse de gaspiller du gibier ! gronda l'ancienne. C'est faire insulte au Clan des Étoiles.

— Dans ce cas, j'irai la chercher ! »

Avant que Pelage de Lion ait pu l'en empêcher, Longue Plume avait disparu dans la barrière de ronces.

Nuage d'Églantine fonça à sa suite, tache mouvante de fourrure brune.

« Reviens ! C'est trop dangereux ! » lança-t-elle au vieil aveugle.

Pelage de Lion s'arrêta net et fit demi-tour pour suivre l'ancien et la novice.

« L'arbre va tomber ! » hurla-t-il. Il déboucha dans la clairière au moment même où Longue Plume et Nuage d'Églantine disparaissaient dans la tanière des anciens. « Sortez de là ! »

Son miaulement fut couvert par l'énorme craquement venu du sommet de la combe. Dans un vacarme assourdissant, le hêtre s'arracha de terre et dévala la paroi rocheuse. Ses branches raclaient les pierres comme des griffes, envoyant une pluie de cailloux acérés sur le camp. Pelage de Lion se plaqua à la barrière de ronces, criblé d'éclats de roc, terrifié de voir que la clairière disparaissait sous un fatras de branches brisées. Il rabattit les oreilles pour se protéger des craquements assourdissants. Horrifié, il vit le noisetier qui abritait la tanière des anciens s'écrouler sous les branches lourdes. Dans un ultime grondement, le tronc du hêtre heurta le sol et se brisa tel un os sec.

Le guerrier sentit alors un pelage tremblant contre lui. Nuage de Colombe l'avait rejoint, la gueule béante, les yeux si écarquillés qu'on voyait leur bord blanc.

« Nuage d'Églantine », murmura-t-elle.

Pelage de Lion fonça vers la tanière écrasée et se glissa dans l'écheveau de branches. Il distinguait à peine le noisetier dans ce fouillis de feuillages. Le tronc du hêtre reposait à moitié sur la paroi opposée de la combe et ses racines boueuses semblaient se tendre vers la pouponnière. Le gîte des guerriers avait été en partie écrasé et des branches bloquaient l'accès à la tanière du guérisseur.

« Attends ! »

Pelage de Lion s'immobilisa au cri de son chef. Il se tourna, perché sur la pointe hérissée d'une branche cassée.

Étoile de Feu se frayait tant bien que mal un passage vers lui. Nuage de Colombe le suivait sur des pattes flageolantes.

« Tu entends quelque chose ? demanda le chef.

— Non, répondit Pelage de Lion avant de jeter un coup d'œil vers son apprentie.

— Moi non plus, miaula celle-ci.

— Pourvu qu'ils soient encore en vie. » D'un bond, Étoile de Feu doubla le guerrier et se mit à ramper dans les feuilles dorées et frémissantes vers les restes de la tanière des anciens. Pelage de Lion s'efforça de l'imiter malgré les échardes qui se plantaient dans sa fourrure à chaque mouvement.

L'arbre émit un craquement inquiétant.

« C'est trop dangereux ! » gémit Nuage de Colombe derrière eux.

Pelage de Lion se rendit compte que l'arbre bougeait tout autour de lui.

« Le hêtre glisse le long de la paroi, expliqua la novice.

— Je vois quelqu'un », lança Étoile de Feu, perdu au milieu des branchages.

Pelage de Lion rampa un peu plus loin dans le feuillage et reprit espoir lorsqu'un rameau de noisetier lui fouetta le museau.

« Qui est-ce ?

— Je ne sais pas, dit le chef. Mais je l'ai vu bouger.

— C'est l'arbre tout entier, qui bouge ! hurla Nuage de Colombe. Sortez de là ! »

Le tronc gronda et, dans un grincement épouvantable, se rapprocha du sol.

« Repli ! » ordonna Étoile de Feu.

Pelage de Lion hésita. Il ne pouvait pas abandonner ses camarades ! Il poussa un cri de douleur quand il sentit qu'on lui mordait la queue.

«Tout va s'effondrer ! » cria Nuage de Colombe en le tirant en arrière, le miaulement étouffé par les poils de son mentor, tandis que le feuillage frémissait autour d'eux.

Étoile de Feu les suivait de près.

« Courez ! » hurla Nuage de Colombe.

Les trois félins bondirent vers un coin dégagé de la clairière, près de la tanière des apprentis. Derrière eux, l'arbre gémit et s'effondra sur le sol, ses branches repliées sous son tronc.

Pelage de Lion scruta le feuillage pour tenter de voir la tanière des anciens. Des branches de noisetier se dressaient toujours ici et là. Une partie de la tanière tenait peut-être encore debout.

« Étoile de Feu ? »

Griffe de Ronce enjambait tant bien que mal les branches pour les rejoindre. Pelage de Lion vit alors que le reste du Clan l'avait suivi et déboulait dans la clairière, défonçant la barrière de ronces au passage. Elle finit par être en aussi piteux état que le reste du camp.

« Arrêtez ! » ordonna Étoile de Feu.

Ils se figèrent et fixèrent les ruines de leur foyer. Feuille de Lune ferma les yeux, comme pour adresser une prière au Clan des Étoiles.

« Où est passé le camp ? » couina Petite Cerise.

Chipie se pencha pour réconforter le chaton tandis que Pavot Gelé contemplait l'arbre tombé.

« Il a disparu, souffla la reine.

— Non, il est dessous, gronda Étoile de Feu. Nous devons garder notre calme.

— Où est Longue Plume ? demanda Isidore d'une voix tremblante.

— Nuage d'Églantine ? miaula Millie.

— Ou va les retrouver ! » promit Pelage de Lion.

S'il considérait cet arbre comme un ennemi, est-ce que cela l'empêcherait d'être blessé par les branches ?

Étoile de Feu se tourna vers son lieutenant.

« Griffe de Ronce, je veux qu'une patrouille s'occupe de dégager un passage jusqu'à la tanière des anciens.

— Nous devrons dégager les branches mobiles et soulever les autres, déclara le lieutenant après avoir étudié l'arbre. Pelage de Poussière, combien de guerriers te faut-il pour ça ?

— Quatre, répondit le matou, les yeux plissés. Inutile d'en prendre davantage, nous nous gênerions. »

Pelage de Lion se souvint de leur stratégie pour détruire le barrage.

« On pourrait utiliser de grosses bûches pour dégager les branches les plus lourdes, suggéra-t-il.

— Bonne idée, il nous faut une patrouille pour trouver des étais, annonça Poil d'Écureuil avant de se tourner vers ses camarades. Millie, Poil de Fougère, Bois de Frêne et Cœur d'Épines, vous m'aiderez.

— Poil de Châtaigne, Plume Grise, Flocon de Neige et Truffe de Sureau, avec moi », enchaîna Pelage de Poussière.

Pelage de Lion se raidit en entendant un léger miaulement venu de la tanière des anciens.

« Il y a bien un survivant là-dedans, annonça-t-il.

— Dans ce cas, pas un instant à perdre, répondit Étoile de Feu. Aile Blanche, raccompagne tous les autres jusqu'au ravin, fais de ton mieux pour traiter ceux qui sont sous le choc. Chipie, je te nomme responsable des anciens, des reines et des chatons. Réconforte-les. Toi, Griffe de Ronce, travaille avec Pelage de Poussière et Poil d'Écureuil. »

Poil de Souris faisait les cent pas en gémissant :

« Tout est ma faute ! C'est moi qui devrais être enterrée là-dessous, pas Longue Plume ! »

Isidore se frotta contre elle et l'éloigna du camp à travers la barrière piétinée.

« Ils le retrouveront, lui assura-t-il.

— Pourquoi est-ce que je n'ai pas entendu l'arbre plus tôt ? se lamentait Nuage de Colombe, toute tremblante. J'aurais pu empêcher ça ! »

Étoile de Feu jeta un coup d'œil vers l'apprentie puis appela discrètement Aile Blanche.

« Emmène Nuage de Colombe avec toi. Prends bien soin d'elle. »

Tout doucement, la guerrière blanche entraîna sa fille hors du camp.

Pelage de Poussière inspectait le pourtour du hêtre.

Il leva soudain ses deux pattes avant et brisa la première branche qui leur barrait le chemin.

Poil d'Écureuil vint aussitôt s'emparer du rameau.

« Nous pourrons nous en servir comme d'une cale. »

Pelage de Poussière s'enfonça un peu dans le feuillage et arrondit le dos pour pousser une branche vers le haut et permettre à Poil d'Écureuil de placer l'étai.

« Nuage d'Églantine ! gémit Millie dans l'ouverture. Longue Plume ! »

Poil de Châtaigne et Cœur d'Épines la poussèrent pour suivre Pelage de Poussière, brisant des branches où ils le pouvaient, coinçant les autres avec des cales. Plume Grise s'engouffra derrière eux, taillant et déchirant tout ce qu'il pouvait atteindre avec ses griffes.

« Nuage d'Églantine ! » héla Poil de Fougère.

Le guerrier fit rouler une bûche vers une lourde branche et, tandis que Bois de Frêne et Flocon de Neige la soulevaient à l'aide d'un long éclat de bois, il cala le rameau avec la bûche. Le hêtre craqua mais resta en place. Ils progressaient.

« Longue Plume ? Tu m'entends ? » lança Pelage de Lion en jetant un coup d'œil dans le tunnel qui commençait à prendre forme.

Pas de réponse.

Le noisetier frémissait au loin, derrière le chaos végétal qui leur barrait toujours la route. Pelage de Lion se tourna soudain car il avait senti l'odeur de son frère derrière lui. Œil de Geai semblait l'observer de ses yeux bleus aveugles qui brillaient d'un éclat inquiet.

« Je dois accéder à ma tanière, annonça le guéris-seur. Pavot Gelé est en état de choc et la culpabilité est en train de ronger Poil de Souris de l'intérieur. De plus, si vous sortez de là Longue Plume et Nuage d'Églantine vivants, il faudra que je les soigne.

— Tu ne peux pas aller chercher des remèdes dans la forêt ? suggéra Pelage de Lion.

— C'est la saison des feuilles mortes ! s'emporta le guérisseur. Il n'y a plus de remèdes frais ! »

Étoile de Feu, qui aidait Pelage de Poussière à faire rouler une bûche, se tourna vers eux un instant.

« Va chercher Pétale de Rose, ordonna le chef. Elle est aussi maigre que son père. » C'était vrai, sa silhouette avait la même finesse que celle de Patte d'Araignée. « Elle parviendra peut-être à se faufiler jusqu'à ta tanière. »

Œil de Geai détala aussitôt.

« Pelage de Lion ! » appela Poil d'Écureuil tout en essayant de coincer une branche fourchue sous l'arbre.

Le guerrier doré se hâta de la rejoindre. Il lui sembla entendre l'arbre soupirer lorsqu'ils placèrent une cale sous son tronc.

« Nous y sommes presque », annonça Pelage de Poussière, le poil couvert d'éclats de bois et les pattes ensanglantées.

Pelage de Lion scruta le tunnel et vit que seuls deux rameaux leur barraient encore la route.

« Je peux me faufiler, proposa-t-il.

— Vas-y, lui ordonna Étoile de Feu. Quand tu seras à l'intérieur, nous écarterons les branches pour que tu puisses faire sortir Longue Plume et Nuage d'Églantine. »

Millie et Plume Grise se tenaient côte à côte, scrutant les opérations. Leur fille se trouvait quelque part sous ce fatras.

« Pitié, Clan des Étoiles, murmura Millie. Faites qu'elle soit saine et sauve. »

Œil de Geai revint en courant avec Pétale de Rose. La guerrière inspecta l'écheveau de branches qui bouchaient l'accès à la tanière du guérisseur puis déclara :

« Je peux passer. » Elle glissa d'abord ses pattes avant, se tortilla en grognant un peu pour faire passer le reste de son corps et disparut dans les feuilles dorées. « De quoi as-tu besoin ? »

Tandis qu'Œil de Geai lui décrivait les remèdes, Pelage de Lion entra dans le tunnel menant au noisetier. Son cœur battait la chamade et le regard de Plume Grise et de Millie pesait lourdement sur lui. Il se fraya un passage à coups d'épaules entre les deux dernières branches et pénétra sous le noisetier. Un petit espace s'ouvrit devant lui. Il ne restait que le nid de Poil de Souris. Les autres avaient disparu sous des branches brisées.

Puis il vit le corps.

Tordu. Inerte. Sans vie.

Tandis qu'il scrutait la dépouille, immobile, trop peiné pour bouger, Pelage de Poussière se glissa à ses côtés. « Nous avons écarté les deux dernières branches », annonça-t-il. Sa voix se brisa lorsqu'il découvrit le corps. « Longue Plume. »

La gorge nouée par le chagrin, Pelage de Lion souleva l'ancien par la peau du cou. Le mort était aussi léger qu'un oiseau entre ses mâchoires ; il n'eut aucun mal à le tirer de là. Il le déposa dans la clairière.

Étoile de Feu s'inclina devant la dépouille tandis que Plume Grise se pressait contre Millie.

« Tu as vu Nuage d'Églantine ? » murmura le guerrier ardoise.

Alors que Pelage de Lion faisait non de la tête, Pelage de Poussière cria depuis le noisetier :

« Elle est en vie ! Vite ! »

Ventre à terre, Pelage de Lion, suivi par Plume Grise, regagna la tanière. Au moment où ils s'engouffraient dans le tunnel de fortune, un craquement inquiétant retentit. Une cale céda près d'eux, envoyant une pluie d'échardes sur les guerriers. L'arbre frémit car un autre étai venait de se briser plus loin.

« Ça ne va pas tenir ! » hurla Millie, terrifiée, derrière eux.

Pelage de Lion et Plume Grise se glissèrent dans les restes du noisetier sans l'écouter. Pelage de Poussière était tapi dans le nid de Poil de Souris, le museau fouillant sous une branche qui avait écrasé la voûte du noisetier. Pelage de Lion rejoignit son camarade et vit Nuage d'Églantine lever la tête vers lui, le museau déformé par la douleur.

« Je ne peux pas bouger », miaula-t-elle d'une voix rauque.

Ses pattes arrière étaient inertes. Elle poussa un cri lorsque le hêtre trembla de plus belle.

Pelage de Lion se figea en entendant d'autres étais se briser derrière eux.

« Nous devons la sortir de là tout de suite !

— Comment ? hoqueta Pelage de Poussière. L'arbre s'effondre et elle est coincée !

— Je vais la tirer ! » annonça Plume Grise avant d'attraper sa fille par la peau du cou.

Comme Nuage d'Églantine poussait un cri de douleur, Pelage de Lion chassa le matou gris d'un coup de patte.

« Tu vas la tuer », le mit-il en garde.

Sans réfléchir, il recula pour se coller contre l'énorme branche qui couvrait la tanière. Ses pattes fermement plantées dans le sol, il fit le gros dos, forçant ses épaules à se relever jusqu'à ce qu'il sente tout le poids sur lui. La branche frémit, craqua et commença à se soulever.

« Tu... tu arrives à la bouger ! souffla Pelage de Poussière.

— Prenez-la ! » haleta Pelage de Lion.

Plume Grise saisit de nouveau sa fille par la peau du cou.

« Doucement ! » lui conseilla Pelage de Lion.

Son fardeau avait beau le mettre au supplice, il refusait de laisser mourir sa camarade. Dehors, des craquements assourdissants de bois éclaté résonnaient dans la clairière.

« Tous les étais explosent ! » hurla Millie.

Délicatement, Plume Grise tira Nuage d'Églantine de sous la branche.

« Je l'ai », marmonna-t-il.

La blessée gémit.

Les poumons de Pelage de Lion le brûlaient, il était à bout de souffle, et ses pattes tremblaient sous lui.

« Ils sont sortis ! annonça Pelage de Poussière.

— Vas-y aussi ! » jappa Pelage de Lion.

Le matou brun fila entre les branches au milieu des éclats de bois.

Avec un dernier hoquet, Pelage de Lion s'écarta d'un bond de la branche et plongea derrière Pelage de Poussière. L'arbre s'affaissait autour de lui ; le guerrier eut tout juste le temps de sortir du tunnel avant que la dernière cale ne se brise et que l'arbre ne s'écroule complètement, ses racines fouettant la paroi de la pouponnière. Les branches claquèrent sur le sol.

Pelage de Lion lutta pour retrouver son souffle. Sa vision s'obscurcissait et ses pattes s'affaissaient sous lui, mais il refusa de s'évanouir. Il attendit que sa force renaisse et se répande dans ses membres. Puis il s'étira et cilla pour chasser le voile noir de devant ses yeux.

Une queue lui caressa le dos.

« Bien joué, Pelage de Lion », le félicita Étoile de Feu.

Plume Grise et Millie étaient tapis près de leur fille. Œil de Geai saisit une touffe de remèdes sur le tas que Pétale de Rose lui avait fait passer à travers les branches. Il les posa près de Nuage d'Églantine et se mit à renifler son corps inerte.

« Est-ce qu'elle va bien ? » interrogea Millie, la voix rauque.

La jeune chatte haletait et ses yeux étaient vitreux.

« J'ai l'impression qu'elle ne nous voit pas, se lamenta Plume Grise.

— Écartez-vous ! » tempêta Œil de Geai en tournant autour de la blessée et en l'examinant d'un air soucieux.

« Longue Plume ? » fit une voix tremblante.

C'était Aile Blanche.

En se tournant vers elle, Pelage de Lion vit que le Clan revenait petit à petit dans le camp. Ses camarades approchaient à pas prudents de la clairière et flairaient les restes de leur camp dévasté. Nuage de Pétales et Nuage de Bourdon se détachèrent du groupe et accoururent vers Plume Grise et Millie.

« Est-ce que Nuage d'Églantine va s'en tirer ? » murmura le novice.

Poil de Souris se mit à tourner autour du corps de Longue Plume.

« Non, non, non, non, non… », gémissait-elle.

Isidore vint la rejoindre d'un pas traînant et enfouit son museau dans la fourrure froide de son ancien camarade de tanière.

Nuage de Colombe et Nuage de Lis fixaient avec horreur le corps immobile de Nuage d'Églantine.

« Elle est morte ? murmura Nuage de Lis.

— Ne restez pas plantées là comme des lapins, lâcha Pelage de Lion. Allez lui chercher de la mousse. Essayez de l'installer plus confortablement. »

Les deux jeunes apprenties filèrent aussitôt vers la forêt. Elles passèrent devant Feuille de Lune, qui regardait Œil de Geai travailler.

« Eh bien ? feula ce dernier en levant la tête vers sa mère. Tu vas m'aider, oui ou non ? »

Feuille de Lune cligna des yeux, peinée, puis se reprit.

« Que veux-tu que je fasse ? demanda-t-elle en venant à son tour renifler la blessée.

— Le choc la tétanise complètement, annonça-t-il.

— Il lui faut du thym, répondit Feuille de Lune. Je m'en occupe. »

Elle prit sur le tas une bouchée de feuilles qu'elle se mit à mâcher avec application.

Œil de Geai se redressa.

« Je ne trouve pas de blessure, avoua-t-il, perplexe. Elle n'a pas une égratignure.

— Je... je ne sens pas mes pattes arrière », balbutia Nuage d'Églantine.

Œil de Geai se pencha vers elle et prit douce-ment une patte entre ses mâchoires pour la soulever. Lorsqu'il la relâcha, la patte retomba comme une proie morte.

« Il est prêt, ce thym ? lança-t-il à Feuille de Lune.

— Oui. »

Du bout de la patte, elle se mit à tartiner le museau de Nuage d'Églantine de pulpe verte. D'instinct, Nuage d'Églantine la lécha et Feuille de Lune répéta l'opération.

Millie faisait les cent pas devant elles, les yeux voilés par la détresse.

« Qu'est-ce qu'elle a ? gémit-elle.

— De la consoude, s'il te plaît », dit Œil de Geai à Pelage de Lion, l'ignorant.

Pelage de Lion se rua vers l'entrée de la tanière de son frère et lança à Pétale de Rose :

« Œil de Geai a besoin de consoude.

— Y en a un paquet », dit la chatte en poussant un tas de feuilles vers lui à travers les branches.

Pelage de Lion les saisit dans la gueule et les apporta à Œil de Geai.

« Elle va s'en tirer ? murmura-t-il après avoir posé les remèdes.

— Son pouls se stabilise mais ses pattes... »

Le guérisseur laissa sa phrase en suspens, visible-ment agacé. D'un mouvement de la queue, il chassa son frère.

Fleur de Bruyère tentait de réconforter les parents de la malheureuse :

« Si quelqu'un est capable de la sauver, c'est bien

Œil de Geai. » Elle jeta un coup d'œil vers l'aveugle qui étalait un cataplasme vert sombre sur les pattes arrière de Nuage d'Églantine. « Et Feuille de Lune est là pour l'aider », ajouta-t-elle dans un murmure plein d'espoir.

« Pelage de Poussière ! lança Étoile de Feu. Va voir si la pouponnière est épargnée. Nous devons au moins nous assurer que les reines et leurs petits pourront s'abriter. » Il balaya du regard la clairière à moitié dissimulée par le feuillage touffu du grand arbre. « La tanière des apprentis a l'air intacte. Flocon de Neige, Poil d'Écureuil, allez chercher de la litière. Autant que possible. Les anciens, les reines et les chatons dormiront à l'abri ce soir, mais, nous autres, nous aurons aussi besoin de nids. »

Poil d'Écureuil acquiesça et fit signe à Truffe de Sureau, Cœur d'Épines et Poil de Fougère de la suivre vers la forêt.

« Est-ce que je les accompagne ? demanda Pelage de Lion.

— Non. Tu en as fait suffisamment pour aujourd'hui, répondit le meneur. Sois-en remercié. Et que le Clan des Étoiles aussi soit remercié pour ta présence parmi nous. Sans toi, Nuage d'Églantine serait morte, à l'heure qu'il est. »

Pelage de Lion jeta un coup d'œil vers l'apprentie qui gisait sur le sol détrempé. Feuille de Lune massait fermement son poitrail, plus concentrée qu'elle ne l'avait été depuis des lunes.

Nuage d'Églantine ouvrit les yeux et dévisagea ses parents.

« Où sont mes pattes arrière ? Elles sont toujours là ? »

Millie laissa échapper un gémissement et les poils de Plume Grise se hérissèrent sur son échine. Les pattes arrière de Nuage d'Églantine étaient étendues. Leur poil était aussi brillant que d'habitude et elles semblaient plus puissantes que jamais. Mais elle ne les sentait plus... ce qui signifiait qu'elle ne pouvait plus se lever, ni marcher, ni courir.

Pelage de Lion éprouva un immense chagrin et, pendant un instant insoutenable, il se demanda si la jeune apprentie le remercierait de lui avoir sauvé la vie.

Chapitre 12

Œil de Geai leva la tête et huma la brise matinale. L'air était frais, teinté du parfum vivifiant de la sève de l'arbre tombé et de l'odeur plus âcre des feuilles mortes et de la boue. Il sentit contre lui la chaleur du pelage de Millie. Toute la nuit, la reine argentée était restée lovée autour de sa fille.

Nuage d'Églantine dormait profondément. Son souffle portait encore la trace de la graine de pavot qu'il lui avait donnée la veille au soir. Il percevait le poids mort de ses pattes et l'absence de sensations dans ses membres.

Les muscles encore douloureux, raidis par le stress éprouvé la veille, il renifla sa patiente. Ses moustaches frôlèrent au passage la fourrure de Millie, qui releva la tête.

« Comment va-t-elle ?

— Elle a surmonté le choc, lui apprit-il en écoutant le pouls régulier de la blessée.

— Et ses pattes ? demanda-t-elle encore d'une voix tremblante.

195

— Je ne sais pas », avoua-t-il en réprimant un grognement.

Il haïssait son impuissance.

Dehors, les guerriers s'activaient dans la clairière. Œil de Geai entendait Griffe de Ronce s'adresser aux félins :

« Les patrouilles continueront normalement. Nous devons chasser. Pelage de Poussière, combien te faut-il de guerriers pour t'aider à déblayer le camp ? »

Œil de Geai dressa l'oreille. L'imposant feuillage du hêtre étouffait les sons. Au lieu de résonner entre les parois rocheuses de la combe, les miaulements de ses camarades étaient absorbés par la masse de feuilles et de branches détrempées.

« Quatre ou cinq, ça devrait suffire pour la première fournée », répondit le vétéran d'un ton résolu qui ne trompa pas le guérisseur. Ce dernier percevait la douleur cuisante qu'il éprouvait dans ses coussinets, mis à vif par le labeur de la veille. « Bois de Frêne et Poil de Fougère pourraient commencer par les plus grosses branches. Pétale de Rose et Plume de Noisette se chargeront des plus petites. »

Un passage avait été dégagé jusqu'à la tanière d'Œil de Geai. La pouponnière n'avait pas été endommagée, même si elle était maintenant nichée entre des racines noueuses du hêtre. Le repaire des apprentis était lui aussi intact.

Nuage d'Églantine remua. Lorsque le guérisseur se pencha vers elle pour lui renifler le museau, il sentit les paupières de la jeune chatte lui chatouiller la joue en s'ouvrant.

« Comment ça va ? » murmura-t-il.

Il perçut aussitôt la peur panique de Millie et,

du bout de la queue, lui donna une pichenette sur l'oreille. *Ne la laisse pas sentir ton angoisse.*

« J'sais pas, répondit la blessée, mal réveillée.

— Tu as mal quelque part ?

— Non. J'ai juste sommeil.

— C'est à cause de la graine de pavot.

— Ça explique aussi que je ne sente plus mes pattes ? »

Œil de Geai devina sur lui le regard brûlant de Millie. Elle voulait qu'il dise : « Oui. » Elle voulait que ce soit vrai.

D'ailleurs, ça l'était peut-être. Si ça se trouvait, une fois le traumatisme de l'accident passé, Nuage d'Églantine serait de nouveau sur pattes. Après tout, il n'avait décelé aucune fracture. Il n'y avait aucune raison pour que ses os ne fonctionnent plus.

« Alors ? le pressa Nuage d'Églantine.

— Je crois que tes pattes se remettent plus lentement de l'accident que le reste de ton corps, louvoyat-il. Attendons un peu. Si le Clan des Étoiles le veut, elles se réveilleront bientôt. »

Nuage d'Églantine planta ses griffes dans les fougères de sa litière.

« J'espère bien. Je viens juste de passer ma dernière évaluation. Je peux être une guerrière, maintenant ! »

Millie déglutit avec peine et murmura :

« Rendors-toi. Plus tu te reposeras, plus vite tu te remettras. »

Nuage d'Églantine posa son menton sur ses pattes et replongea presque aussitôt dans un profond sommeil.

Millie suivit Œil de Geai dans la clairière.

« Qu'est-ce qu'elle a ? » voulut-elle savoir.

Œil de Geai grimaça en marchant sur une brindille pointue. La clairière avait changé d'aspect, défigurée par la chute de l'arbre. Le guérisseur devait s'y déplacer avec précaution, ne sachant pas quel piège l'attendait. Il poussa un grognement contrarié. Le camp avait toujours été le seul endroit où il pouvait se déplacer sans se concentrer. À présent, il lui était aussi étranger que le territoire du Clan de la Rivière.

« Qu'est-il arrivé à ses pattes ? » insista Millie tandis qu'il se léchait frénétiquement les coussinets pour apaiser la douleur.

Il cessa aussitôt et releva la tête vers elle. Il savait qu'on écoute davantage ceux qui nous regardent, même si, dans son cas, c'était un peu différent.

« Je ne sais pas.

— Hein ? Mais tu dois le savoir ! » s'emporta-t-elle, aussi apeurée que frustrée.

Œil de Geai fut soulagé d'entendre les pas de Plume Grise. Le matou ardoise pourrait réconforter sa compagne.

« Toujours pas de changement ? s'enquit-il en s'arrêtant si près de Millie que leurs fourrures se frôlaient.

— Nous ne pouvons rien faire à part attendre, leur apprit-il. Au moins, elle ne souffre pas. »

Il s'éloigna, l'esprit en ébullition. Pourquoi Nuage d'Églantine ne sentait-elle plus ses pattes ? Elles n'étaient qu'égratignées, pas cassées. Œil de Geai ne savait plus quoi penser. Il n'avait jamais rencontré de cas semblable.

« Est-ce qu'on peut la voir ? lança Plume Grise.

— Vous asseoir près d'elle ne lui fera pas de mal, mais elle a surtout besoin de repos, répondit le guérisseur par-dessus son épaule. C'est votre fille. Vous saurez mieux que quiconque comment lui changer les idées. »

L'estomac d'Œil de Geai gargouilla. Aux odeurs qui se dégageaient de la réserve de gibier, il devina qu'elle avait été regarnie récemment. Il se dit qu'il ferait bien de manger. La nuit passée, il n'en avait pas eu le temps. Il se dirigea vers le tas de viande et reconnut l'odeur de Pelage de Lion mêlée à celle de la terre lourde et humide.

Œil de Geai prit une souris.

« Tu étais parti enterrer Longue Plume ? »

En tant que guérisseur, il était moins affecté par la mort de leurs proches que ses camarades. Lui, il reverrait Longue Plume, délivré de sa cécité et de ses rhumatismes, se reposant dans la chaleur du territoire du Clan des Étoiles ou assis près de ses vieux amis parmi les rangs des guerriers de jadis.

Le problème de Nuage d'Églantine le préoccupait davantage. Si ses pattes ne guérissaient pas, elle devrait affronter plus de souffrances qu'il ne voulait l'imaginer.

Pelage de Lion fouetta le sol du bout de sa queue.

« Oui, j'ai aidé Poil de Souris et Isidore. Ils étaient fatigués, après avoir veillé toute la nuit. » D'un geste distrait, il repoussa son merle. « Je les ai envoyés se reposer dans la pouponnière, mais je doute que Poil de Souris trouve le sommeil. Elle est toujours agitée.

— Je lui apporterai une graine de pavot après mon repas. Est-ce que Nuage de Colombe s'est calmée ?

— Un peu. Elle devrait être fière d'avoir sauvé tant de vies en nous prévenant si tôt.

— Elle se sent plus que jamais responsable de la sécurité du Clan, devina Œil de Geai.

— Elle est jeune, soupira Pelage de Lion. Être l'une des Trois, c'est vraiment une lourde responsabilité. »

Le guérisseur acquiesça. Pelage de Lion et lui étaient plus âgés, plus sûrs de leurs capacités. Malgré tout, ils trouvaient toujours cela difficile.

« Je vais l'emmener chasser avec Nuage de Lis, ce matin, décida le guerrier doré. Pour qu'elle se souvienne de ce qu'est la vie normale d'un Clan.

— Bonne idée. »

Alors qu'Œil de Geai se penchait pour entamer sa souris, il entendit des bruits de pas rapides. Nuage de Pétales et Nuage de Bourdon s'arrêtèrent devant lui.

« Est-ce qu'on peut voir notre sœur ? demanda le frère de la blessée, anxieux.

— Elle dort, pour le moment. Elle ne souffre pas. Allez-y. Un peu de compagnie lui fera autant de bien que n'importe quel remède. »

Les deux apprentis filèrent vers la tanière du guérisseur. Œil de Geai se pencha de nouveau vers sa souris.

« Comment va Nuage d'Églantine ? »

Le miaulement de Feuille de Lune le prit par surprise. Elle seule parvenait à s'approcher sans qu'il la remarque. Sans doute parce que son parfum lui était trop familier. Trop proche du sien... Il écarta aussitôt cette idée.

« Et si tu allais voir par toi-même ? suggéra-t-il en se retenant de hérisser ses poils.

— Je suis une guerrière, à présent », lui rappela-t-elle avec humeur.

Dépité, Œil de Geai prit sa souris et fit mine de partir.

« Moi, j'irais voir Petit Orage... »

La suggestion de l'ancienne guérisseuse le fit s'arrêter net.

«Vraiment ? feula-t-il en se tournant vers elle. Je pensais que tu n'étais plus guérisseuse.

— Si j'étais à ta place, je veux dire.

— Mais tu n'es pas à ma place ! »

Feuille de Lune inspira profondément avant de s'expliquer :

« Petit Orage s'est trouvé face à un cas similaire. Un guerrier dont les pattes avaient été écrasées. Il aura peut-être des conseils pour aider Nuage d'Églantine. »

Œil de Geai ne dit rien.

« Ne crois pas que je ne te fais pas confiance, précisa-t-elle. C'est juste ce que, moi, je ferais. »

Le guérisseur, l'appétit coupé, lâcha sa souris et s'éloigna. Il grimpa l'éboulis vers l'antre d'Étoile de Feu et se força à ne penser qu'à Nuage d'Églantine.

Assise près du meneur du Clan du Tonnerre, Tempête de Sable léchait les épaules de son compagnon, sa langue râpeuse glissant sur la fourrure lisse. Elle s'interrompit à l'arrivée d'Œil de Geai.

« Il y a du nouveau ? demanda Étoile de Feu d'une voix où perçait son inquiétude.

— Je veux me rendre sur le territoire du Clan de l'Ombre pour parler à Petit Orage, annonça-t-il. Feuille de Lune m'a dit qu'il avait déjà été confronté à un cas comme celui de Nuage d'Églantine.

— Très bien, miaula le rouquin sans hésiter. Par contre, vas-y avec Poil d'Écureuil.

— Je peux me débrouiller tout seul, rétorqua le guérisseur, le cœur serré.

— Je sais. Cela dit, si la pluie a pu faire tomber un arbre, d'autres pourraient suivre. Nous ne pouvons pas risquer de te perdre. Pars avec Poil d'Écureuil. »

Œil de Geai sentit qu'il était inutile de protester davantage. Mais pourquoi Poil d'Écureuil ? C'était bien le dernier félin avec qui il avait envie de voyager. Ou l'avant-dernier. Après Feuille de Lune.

Est-ce qu'Étoile de Feu faisait exprès de les réunir de force ?

Œil de Geai sortit du repaire de son chef et traversa prudemment la clairière. Dans le camp, l'atmosphère était tendue. Les guerriers endeuillés ne parlaient que si nécessaire.

Patte de Renard et Brume de Givre, qui traînaient une branche, s'arrêtèrent devant lui.

« Comment va Nuage d'Églantine ? lança Brume de Givre.

— Pas mieux, pas pire. »

Plus loin, Cœur d'Épines rongeait un rameau afin de le détacher de la branche épaisse d'où il pendait.

« Comment va Nuage d'Églantine ? s'enquit-il lui aussi.

— Pas mieux, pas pire, répéta le guérisseur sans s'arrêter.

— Comment va Nuage d'Églantine ? voulut savoir Cœur Blanc en le croisant.

— Pas mieux, pas pire », gronda Œil de Geai.

Un flot de compassion se déversa de la chatte borgne.

« Nous nous inquiétons pour elle, c'est tout.

— Être impuissant m'est insupportable, avoua-t-il.

— Est-ce que je peux faire quelque chose ?

— En fait, oui. » Cœur Blanc avait l'habitude de le seconder dans sa tanière. « Je dois m'absenter. Est-ce que tu peux donner des graines de pavot à Nuage d'Églantine si jamais elle se plaint d'avoir mal ? Pas plus d'une à la fois. Je ne veux pas l'abrutir plus que nécessaire.

— D'accord.

— Et donnes-en une à Poil de Souris. Elle est toujours sous le choc.

— Entendu. »

Cœur Blanc partit aussitôt vers la tanière d'Œil de Geai.

Ce dernier voulait examiner l'ancienne lui-même avant de partir. Il se glissa dans la tanière des apprentis, où Isidore et Poil de Souris étaient tapis dans des nids particulièrement bien garnis.

« C'est ma faute, marmonnait Poil de Souris. Tout est ma faute. »

Isidore émit un ronron forcé.

« Je parie qu'il est avec le Clan des Étoiles, maintenant, dit-il. Il chasse dans une forêt luxuriante, au sec, content.

— Comment se débrouillera-t-il sans moi pour le guider ?

— J'aurais voulu avoir la chance de mieux le connaître, enchaîna l'ancien. J'ai entendu dire qu'il avait accompli le Grand Périple alors qu'il était déjà aveugle.

— Oui. Il semblait ne jamais se fatiguer, confirma Poil de Souris, que les souvenirs sauvèrent un instant de la dure réalité. Il était toujours le premier à repartir. Jamais effrayé par ce qui pouvait nous attendre.

— Comment était-il, avant de perdre la vue ?

— Il avait une vue perçante, comme un faucon. Il pouvait repérer une proie sous un rocher à une longueur d'arbre de lui. »

Œil de Geai sentit le regard d'Isidore glisser sur lui. Pour la première fois, le guérisseur remercia le Clan des Étoiles de leur avoir envoyé le vieux solitaire bavard.

« Raconte-moi sa plus belle prise, continua Isidore. J'ai entendu dire qu'il avait attrapé un aigle, un jour.

— Oh, ce n'était pas vraiment un aigle. Il a réussi à repousser une chouette qui tentait d'enlever un chaton. »

Soulagé, Œil de Geai sortit de la tanière à reculons. Lorsqu'il approcha de la barrière, des branches frémirent. Flocon de Neige et Poil de Fougère les soulevaient pour consolider les ronces écrasées.

« Attends ! lança Poil d'Écureuil en accourant derrière lui. Tempête de Sable m'a dit de t'accompagner jusqu'au camp du Clan de l'Ombre.

— Je vais parler à Petit Orage », lâcha-t-il sans se retourner, et il s'engouffra dans une trouée entre les ronces.

Elle se hâta de le suivre dans la forêt mais resta quelques pas derrière lui. Le vent était froid, signe avant-coureur de la mauvaise saison. Œil de Geai frémit puis sursauta en entendant un arbre craquer près de lui. Avant, il n'avait jamais réfléchi à la fragilité des arbres. Ils semblaient si grands, si forts ! Comment la pluie avait-elle pu en abattre un ?

Poil d'Écureuil pressa le pas pour se mettre à son niveau.

« Tu ne devrais pas avoir peur de la forêt, miaula-t-elle. Ce n'est pas juste.

— Et ce n'est pas juste que des arbres écrasent notre camp, rétorqua-t-il. C'est pourtant ce qui s'est passé. »

Poil d'Écureuil prit de l'avance et poursuivit son chemin en silence. Œil de Geai se félicita de sentir une telle tension entre eux. Au moins, elle garderait ses distances ! Depuis que la vérité avait éclaté au grand jour, il ne s'était jamais retrouvé seul avec celle qui l'avait élevé dans le mensonge, en leur faisant croire qu'elle était leur mère, alors qu'elle n'était que leur tante.

« Je me souviens de vous, Pelage de Lion, Feuille de Houx et toi, lorsque vous étiez encore des chatons », miaula-t-elle soudain.

Œil de Geai se crispa.

« Une feuille s'était posée sur la tête de Feuille de Houx. Elle a pensé que la forêt s'écroulait et elle a eu si peur qu'elle s'est cachée dans la pouponnière et a refusé d'en sortir pendant trois jours. »

Tais-toi ! fulmina intérieurement le guérisseur en rabattant les oreilles.

« Je n'aurais pas aimé davantage mes propres chatons, murmura-t-elle.

— Si tu nous avais vraiment aimés, tu ne nous aurais pas menti ! répliqua-t-il, furieux.

— Ah, parce que la vérité est formidable, n'est-ce pas ! rétorqua-t-elle, la fourrure en bataille, avant de fouetter l'air avec sa queue. Regarde Feuille de Lune. Elle a perdu tout ce à quoi elle tenait.

— C'est son choix, marmonna-t-il.

— Elle vous a perdus tous les trois.

— Elle nous a abandonnés.

— Vous n'êtes pas les seuls à souffrir ! s'emporta-
t-elle. Depuis le début, vous êtes loin d'être les seuls
concernés et j'en ai assez de te voir t'apitoyer sans
cesse sur ton sort comme un moineau blessé. Ta
peine n'est pas la plus difficile à surmonter. J'imagine
que je m'attendais à mieux de ta part parce que tu es
guérisseur. J'ai oublié que tu es encore jeune ! »

La colère de Poil d'Écureuil ne fit qu'enflammer sa
propre rage.

« C'est Feuille de Lune qui a provoqué tout ça !
Ce n'est pas moi qui ai été chercher un compagnon
dans un autre Clan. Pas moi qui ai eu des chatons
avant de les abandonner ! Pas moi qui ai menti à tout
le monde en me faisant passer pour ce que je n'étais
pas ! »

Poil d'Écureuil inspira profondément.

« Essaie de te rappeler que nous avons fait ce que
nous pensions être le mieux. Souviens-toi que tu as
toujours été aimé. »

Génial, merci.

Œil de Geai renifla le marquage frontalier. Et le
franchit sans réfléchir.

« Attends », ordonna Poil d'Écureuil.

Œil de Geai planta ses griffes dans le sol. Allait-elle
le reprendre pour tout ce qu'il disait ou faisait ? Ils
devaient parler à Petit Orage le plus vite possible !
Malgré tout, il attendit.

« Une patrouille », annonça-t-elle.

Œil de Geai renifla l'air et reconnut l'odeur fraîche
du Clan de l'Ombre. Bois de Chêne et Nuage de
Furet avançaient non loin sur le sol tapissé d'aiguilles.

« Bois de Chêne ? » héla Poil d'Écureuil.

Œil de Geai perçut la surprise des deux matous, qui se précipitèrent vers eux.

« Alors comme ça, Étoile de Jais avait raison ! gronda Bois de Chêne. Vous essayez vraiment de nous envahir !

— Pas la peine de te friser les moustaches, marmonna Œil de Geai en comprenant qu'il était du mauvais côté du marquage. Je veux juste parler à Petit Orage. »

Nuage de Furet vint lui tourner autour, les vibrisses frémissantes. Immobile, Œil de Geai se laissa renifler.

« Est-ce qu'on a l'air d'un dangereux escadron ? lança Poil d'Écureuil.

— Vous pourriez être plus nombreux que ça, répondit Bois de Chêne, méfiant. Tu en sens d'autres ?

— Non, miaula son apprenti. Ils ont pu masquer leur odeur.

— Nous ne sommes vraiment pas venus vous envahir, soupira Poil d'Écureuil. Vous voulez bien nous emmener voir Petit Orage, s'il vous plaît ?

— Euh... d'accord. Mais Étoile de Jais dépêchera une patrouille complète pour inspecter toute la zone. »

Son miaulement résonna dans les bois, destiné clairement aux supposés envahisseurs qui se cachaient derrière les arbres de la frontière.

Poil d'Écureuil franchit le marquage et suivit Bois de Chêne. Œil de Geai l'imita, de plus en plus agacé par Nuage de Furet qui lui trottait autour comme s'il escortait le plus dangereux guerrier de tous les Clans.

« Qu'est-ce que t'as ? grommela l'aveugle. T'as peur que je te force à avaler un remède ?

— Silence ! » s'emporta le novice.

Œil de Geai reconnut bientôt le camp du Clan de

l'Ombre. Il y était déjà venu, avec Sol. Il s'engagea dans la clairière d'un pas confiant, conscient des regards de Pelage Hirsute et Plume de Lierre depuis la pouponnière, et de ceux de Pelage d'Or et Pelage Charbonneux blottis à l'entrée de la tanière des guerriers. Au bord de la clairière, Nuage d'Étourneau et Nuage de Pin délaissèrent la musaraigne qu'ils partageaient pour venir le voir.

Bois de Chêne poussa un grognement menaçant, ce qui fit sortir Étoile de Jais de son antre.

« Que se passe-t-il ? voulut savoir le meneur.

— Pouvons-nous te parler en privé ? demanda Poil d'Écureuil.

— Ils veulent voir Petit Orage », annonça Bois de Chêne.

La surprise hérissa les poils du chef.

« Dans ce cas, va le chercher, ordonna-t-il au guerrier. Vous, suivez-moi », dit-il à ses visiteurs avant de se glisser dans sa tanière.

Œil de Geai s'y faufila derrière Poil d'Écureuil. À l'intérieur, la puanteur était telle qu'il fronça la truffe.

« Que se passe-t-il ? voulut savoir Étoile de Jais.

— Un hêtre est tombé dans notre combe, expliqua Poil d'Écureuil. L'une des nôtres est blessée et nous espérions que Petit Orage pourrait nous donner un conseil pour la traiter.

— Vous n'avez qu'*une seule* blessée ? s'étonna Étoile de Jais avant d'ajouter d'un ton plus dur : Le Clan des Étoiles devait veiller de près sur vous.

— Oui, répondit Poil d'Écureuil. Nous avons réussi à évacuer le camp juste à temps.

— Longue Plume y a laissé la vie », lâcha Œil de Geai.

Le meneur soupira et Œil de Geai sentit une pointe de compassion émaner de lui, tel un rayon de soleil filtrant entre les nuages.

« Le Clan des Étoiles accueillera comme il se doit un si vieil ami, mais ses camarades le regretteront. » Petit Orage pointa le museau à l'intérieur.

« Un arbre est tombé ? hoqueta-t-il. J'ai bien entendu ?

— Oui, confirma Poil d'Écureuil, qui privilégiait les réponses courtes. Sur notre camp. Nuage d'Églantine est blessée. Longue Plume est décédé.

— Que le Clan des Étoiles soit remercié, ç'aurait pu être bien pire, souffla Petit Orage.

— C'est suffisamment grave comme ça, rétorqua Œil de Geai, agacé. Nuage d'Églantine n'arrive plus à bouger ses pattes arrière. »

Il laissa les pensées de Petit Orage envahir les siennes. Il aperçut des images d'un matou hurlant de douleur puis gisant dans un nid, pétrifié par la peur, incapable de bouger.

« J'ai connu un cas similaire. À l'époque où j'étais l'apprenti de Rhume des foins. Poil Crépu s'était fait écraser les pattes dans l'effondrement d'un terrier.

— Feuille de Lune me l'a dit, le coupa Œil de Geai, qui voulait entendre parler du remède, pas de la cause. Mais les pattes de Nuage d'Églantine n'ont rien. Aucun os cassé.

— Pareil pour Poil Crépu. Ses pattes n'avaient que des égratignures. Par contre, sa colonne vertébrale était brisée. »

Œil de Geai en eut la nausée. Il prit soudain conscience de sa propre colonne. Si forte. Et si fragile.

« Est-ce qu'il s'en est remis ?

— Il est mort, répondit doucement Petit Orage.

— Nuage d'Églantine est en vie, et elle ne souffre pas.

— C'était pareil avec Poil Crépu, du moins au début. Je ne crois pas que sa fracture ait été la cause de sa mort.

— Dans ce cas, de quoi est-il mort ?

— Il ne pouvait plus marcher.

— Et vous ne lui donniez pas à manger ? s'étrangla Poil d'Écureuil.

— Bien sûr que si, siffla le guérisseur. Cependant, il s'enrhumait sans cesse. Après chaque traitement, cela recommençait. Il avait de plus en plus de mal à respirer.

— Est-ce que l'insensibilité s'était propagée jusqu'à ses poumons ? suggéra Œil de Geai.

— Non. À mon avis, c'est parce qu'il ne sortait jamais de sa litière, répondit Petit Orage, pensif. Comme s'il n'avait pas pu chasser le mal de son poitrail. Et qu'il se remplissait de maladie, comme un creux dans le sol se remplissant d'eau, jusqu'à ce qu'il n'y ait plus d'air. »

Œil de Geai frémit en pensant à Nuage d'Églantine, blottie dans son nid. Avait-elle toussé, ce matin-là ? Est-ce qu'elle toussait, à cet instant précis, alors qu'il était loin de sa patiente ? Il lui tarda soudain de rentrer au camp.

« Dans ce cas, nous devons sans cesse changer Nuage d'Églantine de position, conclut Poil d'Écureuil, la queue en panache.

— Tu penses que ça pourrait marcher ? demanda Œil de Geai à Petit Orage.

— Ça vaut le coup d'essayer, murmura le guérisseur. Et vous pourriez lui fabriquer un nid où elle pourrait dormir assise. Ainsi, l'air circulerait peut-être mieux dans ses poumons. Mais ce sera peu confortable. Et la bouger sans cesse sera difficile, tant pour elle que pour le reste de votre Clan. » Il marqua une pause avant de conclure : « Je vous souhaite bonne chance.

— La chance n'a rien à voir là-dedans, grommela Œil de Geai.

— Laissez-moi vous donner des remèdes qui soulageront son poitrail et son estomac. C'est là que tu dois concentrer les traitements, Œil de Geai. Ses pattes dépassent tes capacités. »

Le guérisseur du Clan de l'Ombre sortit de la tanière de son chef. Œil de Geai et Poil d'Écureuil l'attendirent dans un silence gêné, auprès d'Étoile de Jais. Dès que la fragrance des herbes puissantes vint chatouiller la truffe du guérisseur du Clan du Tonnerre, il sortit pour aller à la rencontre de Petit Orage.

« Le pas-d'âne l'aidera à bien respirer, annonça ce dernier en poussant vers Œil de Geai un paquet de feuilles. Les baies de genièvre empêcheront les maux de ventre.

— Nous avons déjà tout cela, protesta Œil de Geai.

— Vous en aurez besoin en grande quantité. Revenez s'il vous en faut davantage, ajouta Petit Orage en s'asseyant. Ou si tu veux discuter de nouveau de ce cas. Nous pourrons tous apprendre de ce drame. »

Œil de Geai prit le paquet de remèdes dans sa gueule. Il attendit que Poil d'Écureuil sorte de la tanière d'Étoile de Jais et se dirigea vers la sortie.

« Que le Clan des Étoiles veille sur toi et Nuage d'Églantine », lança Petit Orage.

Ils peuvent bien veiller sur elle, songea Œil de Geai. *Mais je ne les laisserai pas la prendre maintenant.*

Tout en suivant Poil d'Écureuil, Œil de Geai réfléchissait au moyen de changer souvent de position Nuage d'Églantine afin qu'elle reste en bonne santé.

Poil d'Écureuil marqua une pause devant la combe.

« Je suis fière de toi, miaula-t-elle. Si quelqu'un est capable d'aider Nuage d'Églantine, c'est bien toi. »

Œil de Geai se tourna vers elle. Il voulait y croire. Au fait qu'elle soit *vraiment* fière. Au fait qu'il puisse *vraiment* aider Nuage d'Églantine.

« Merci », marmonna-t-il, la gueule pleine de plantes médicinales, avant d'entrer dans le camp.

Flocon de Neige et Poil de Fougère n'avaient pas fini de renforcer la barrière ; leurs gestes lents trahissaient leur fatigue.

Dans la clairière, Étoile de Feu parlait avec Griffe de Ronce et Pelage de Poussière.

« Est-ce que vous pourrez dégager d'autres branches ? » s'enquit le meneur auprès de ses vétérans.

Quand Pelage de Poussière répondit, Œil de Geai sentit le poids qui pesait sur les épaules du matou.

« Nous devrons peut-être attendre l'aide du vent et des intempéries pour nous débarrasser des rameaux les plus épais.

— Ou nous pourrions nous en servir pour bâtir les nouvelles tanières, suggéra Griffe de Ronce. À voir tout le bois que nous avons déjà mis de côté, je crois qu'il nous faudra moins d'une lune pour tout reconstruire.

— Mais nous ne devons pas négliger les patrouilles pour la chasse et la protection des frontières », les mit en garde Pelage de Poussière.

Étoile de Feu entendit Œil de Geai arriver et se tourna aussitôt vers lui.

« Alors, qu'a dit Petit Orage ? lança-t-il de loin.

— Il nous a donné de bons conseils, répondit le guérisseur après avoir déposé les remèdes près de son chef. Je dois en parler avec les parents de Nuage d'Églantine.

— J'ai envoyé Plume Grise en patrouille, le prévint Griffe de Ronce. Pour lui changer les idées. »

Œil de Geai reprit les plantes et se dirigea vers sa tanière, où l'attendaient Cœur Blanc et Millie. Même à cette distance, il percevait leur inquiétude, et Nuage d'Églantine devait la sentir aussi car elle commençait à s'agiter.

« Mange au moins un peu ! » suppliait Millie.

À l'odeur qui lui parvenait, Œil de Geai devina qu'elle tenait une musaraigne dans ses griffes.

« Je n'ai pas faim ! » protesta la blessée.

Œil de Geai se glissa dans le rideau de ronces.

« Laissez-la tranquille, ordonna-t-il en lâchant les remèdes.

— Je sais ce qui est bon pour elle, je suis sa mère ! s'indigna Millie.

— Et moi je suis son guérisseur ! »

Nuage d'Églantine griffait son nid avec impatience.

« Je veux aider mes camarades à reconstruire le camp ! » gémit-elle.

Cœur Blanc vint murmurer à l'oreille d'Œil de Geai :

« Nous lui avons dit, pour Longue Plume. Depuis,

213

elle est angoissée. Nous n'avons pas voulu lui donner d'autres graines de pavot.

— Vous avez bien fait. Elle va devoir apprendre à vivre avec l'angoisse. » Devinant que son ton résigné avait choqué la guerrière, il s'expliqua : « Nous devons accepter la vérité. Un long et difficile chemin attend Nuage d'Églantine, mais je ferai tout mon possible pour la sauver.

— Pour la sauver ? répéta Millie en se glissant entre eux, le poil hérissé. Que t'a dit Petit Orage ? »

Œil de Geai n'était pas encore prêt à partager ce qu'il avait appris.

« Attends. »

Il devait d'abord vérifier la théorie de Petit Orage. Il y avait encore une chance que sa colonne soit indemne et que seules ses pattes soient touchées. Il s'approcha du nid de l'apprentie.

« Que vas-tu faire ? demanda Millie avec angoisse.

— Je dois m'assurer de quelque chose. »

Il fit glisser ses pattes sur le dos de Nuage d'Églantine. Elle se tordit le cou pour le regarder faire.

« T'assurer de quoi ? » insista Millie.

Comme il ne répondait pas, Cœur Blanc se rapprocha de sa camarade pour l'écarter doucement.

« Il sait ce qu'il fait », murmura-t-elle.

La colonne de la novice parut normale au guérisseur : il n'y avait rien de déplacé. L'espoir lui gonfla un instant le poitrail. Il lui renifla les pattes. Elles étaient gonflées. Peut-être que… lorsqu'elles se dégonfleraient… ? Il souleva une patte comme il l'avait fait la veille. Elle retomba, toujours inerte. Peut-être qu'une dose plus élevée de consoude accélérerait la guérison.

Un dernier test.

Il se pencha plus bas dans le nid et mordit la colonne de Nuage d'Églantine, juste sous les épaules.

« Aïe ! cria-t-elle en se raidissant.

— Je vérifie quelque chose, la rassura-t-il. Ça va piquer un peu, mais c'est tout. » Il se pencha si près de son museau que leurs moustaches se frôlèrent. « Tu me fais confiance ?

— Oui, souffla-t-elle.

— Je compte sur toi pour être courageuse.

— D'accord. »

Œil de Geai remordit Nuage d'Églantine, un peu plus bas.

« Aïe. »

Il recommença en descendant peu à peu vers sa queue.

Si elle se raidissait toujours à chaque morsure, elle ne criait plus.

Il la mordit encore un peu plus bas.

« Ah, ça y est, c'est fini ? » demanda-t-elle.

Cette question figea le sang d'Œil de Geai dans ses veines. Il tendit la patte et planta une griffe au même endroit.

« Tu as senti quelque chose ?

— Quoi donc ? fit-elle en tournant la tête pour voir ce qu'il faisait.

— Non, ne regarde pas. » Il planta sa griffe plus fort. « Et maintenant ?

— Je ne sens rien du tout, gémit Nuage d'Églantine, qui commençait à trembler, prise de panique.

— Qu'est-ce que tu fais ? feula Millie en se postant de force devant Nuage d'Églantine lorsqu'il la griffa franchement. Elle saigne !

— Ah bon ? » fit l'apprentie en s'efforçant de voir.

215

Œil de Geai les entendait à peine.

« Tu ne t'es pas rendu compte que je te griffais, n'est-ce pas ? murmura-t-il doucement, comme engourdi.

— Non...

— Ta colonne vertébrale est fracturée, lui apprit-il. Tu n'as pas eu mal parce que tu ne ressens plus rien au-delà de la fracture. » Il posa gentiment sa patte sur le flanc de la malade et ajouta : « Je suis désolé.

— Pourquoi ? geignit-elle. Si je n'ai pas mal, c'est une bonne chose, non ?

— Tu ne ressentiras plus jamais de douleur dans tes pattes arrière, confirma Œil de Geai. Mais tu ne sentiras plus *rien du tout*.

— Qu'est-ce que tu racontes ? hoqueta Millie. Les os brisés peuvent se ressouder.

— Pas la colonne vertébrale.

— Comment le sais-tu ?

— Petit Orage a connu un cas similaire. » Nuage d'Églantine se tordit le cou pour lui parler : « Et que lui est-il arrivé ? »

Œil de Geai ne répondit pas.

« Il est mort, c'est ça ? » gémit-elle.

Millie poussa aussitôt le guérisseur pour le faire sortir de la tanière.

« Comment as-tu pu dire à ma fille qu'elle allait mourir ? cracha-t-elle une fois dans la clairière. Elle ne sent plus ses pattes, c'est tout ! Tu n'es pas digne d'être guérisseur ! Fais quelque chose, pour l'amour du Clan des Étoiles !

— Que se passe-t-il ? demanda Poil d'Écureuil après avoir traversé la clairière pour se glisser entre son neveu et la guerrière furibonde.

— Il prétend qu'elle va mourir !

— Tu as dit ça, Œil de Geai ? » s'étonna la rouquine. Œil de Geai fit non de la tête.

« C'est bien ce que je pensais. » Poil d'Écureuil inspira profondément et poursuivit d'un ton calme : « Oui, le patient de Petit Orage est mort. Cela ne veut pas dire qu'il arrivera la même chose à Nuage d'Églantine.

— Nous lui apporterons à manger et, si nous nous arrangeons pour qu'elle reste active, il y a de grandes chances qu'elle surmonte ça, ajouta Œil de Geai.

— Elle va guérir ? hoqueta Millie.

— Pas ses pattes, la détrompa-t-il d'une voix douce. Mais elle n'est pas condamnée.

— Tant qu'elle remuera suffisamment pour que ses poumons ne s'encombrent pas, elle ira bien, confirma Poil d'Écureuil.

— Bien ? sanglota Millie. Elle ne pourra jamais chasser ! Ni être une guerrière ! Ni avoir des chatons ! »

Plume Grise débaula dans le camp.

« Qu'est-ce qui se passe ? s'inquiéta-t-il en s'arrêtant net devant Millie.

— Notre pauvre fille ! » hurla celle-ci, le museau enfoui dans le cou de son compagnon.

Le rideau de ronces à l'entrée de la tanière d'Œil de Geai frémit.

« Nuage d'Églantine vous entend ! souffla Cœur Blanc. Je crois que tu devrais aller la voir, Œil de Geai, pour lui expliquer en détail ce qui se passe.

— Je m'occupe de Millie et de Plume Grise », ajouta Poil d'Écureuil en posant un instant sa truffe sur sa joue.

Le cœur lourd comme une pierre, Œil de Geai

rentra dans sa tanière. Il s'installa près du nid de sa patiente. Celle-ci paniquait tant que sa détresse s'échappait d'elle par grandes vagues.

« Je ne remarcherai plus jamais, c'est ça ? »

Œil de Geai posa son museau sur la tête tremblante de l'apprentie.

« En effet, murmura-t-il. Je suis désolé. »

CHAPITRE 13

« LE CLAN DES ÉTOILES rend hommage à ton courage et à ta détermination. »

Du bout du museau, Étoile de Feu frôla la tête de Nuage d'Églantine. Nuage de Colombe en fut tout excitée pour son amie.

« Je te nomme Belle Églantine. »

Poil de Bourdon et Pluie de Pétales, qui avaient déjà reçu leurs noms de guerriers, furent les premiers à acclamer la toute nouvelle guerrière du Clan du Tonnerre.

« Belle Églantine ! Belle Églantine ! »

Les voix des félins vibrèrent à l'unisson dans l'air frais et s'élevèrent vers le ciel bleu qui dominait la combe. Millie et Plume Grise étaient blottis l'un contre l'autre, leur regard fier teinté de peine.

Appuyée sur ses pattes avant, Belle Églantine se redressa et leva le menton bien haut. Nuage de Colombe s'efforça de ne pas fixer ses pattes arrière qui traînaient, inutiles derrière elle.

Un quart de lune était passé depuis la chute de l'arbre. Nuage de Colombe était fatiguée, comme le reste du Clan. Le déblaiement de la clairière ajouté aux patrouilles habituelles avait épuisé tout le monde. Et, avec les jours qui raccourcissaient, le gibier commençait à se raréfier.

Nuage de Colombe aurait tout donné pour une bonne nuit de sommeil. Des rêves terribles la hantaient la nuit. Si seulement elle les avait mieux mis en garde, Longue Plume aurait pu être sauvé et Belle Églantine courrait comme une folle autour de son frère et de sa sœur à cet instant même. La nuit passée, un cauchemar l'avait réveillée en sursaut : l'arbre se brisait en éclats dans la clairière, un chat piégé dessous gémissait.

Nuage de Lis !

Dans tous ses cauchemars, c'était sa sœur qui était coincée sous le hêtre, pas Belle Églantine ; et, chaque fois, Nuage de Colombe tentait en vain de la sauver.

« Nuage de Colombe ? s'inquiéta Aile Blanche. Tout va bien ?

— Oui, fit l'apprentie en secouant la tête. Je suis juste contente que Belle Églantine reçoive son nom de guerrière.

— C'est une combattante-née. »

Ce qui était vrai. Belle Églantine n'avait jamais cessé de se battre. Œil de Geai avait trouvé des exercices à lui faire pratiquer pour lui dégager les bronches et renforcer ses pattes avant. Et Belle Églantine ne ratait jamais une occasion de les faire : elle s'étirait et se tournait, les pattes avant tendues jusqu'à ce que l'effort la fasse trembler. Au cours des derniers jours, elle avait insisté pour aller chercher elle-même sa nourriture sur le tas de gibier alors que ses camarades se battaient presque pour lui apporter le meilleur morceau dans la tanière d'Œil de Geai.

« Je vais me chercher mon repas moi-même », avait-elle déclaré à Petite Cerise lorsque celle-ci avait tenté de partager sa pièce de viande avec elle.

Les yeux ronds, la petite chatte avait observé Belle Églantine tandis qu'elle se traînait jusqu'à l'autre bout de la clairière.

« Regarde, Petit Loir ! avait lancé Petite Cerise. Elle se déplace toute seule !

— Vas-y, Belle Églantine ! » l'avait encouragé le chaton en accourant.

Nuage de Colombe était persuadée que les deux chatons et Œil de Geai étaient les plus forts soutiens de Belle Églantine. Eux seuls l'acceptaient telle qu'elle était à présent. Car un voile de tristesse assombrissait toujours les prunelles de Millie et tous les guerriers la considéraient avec pitié lorsqu'elle avançait en se traînant sur deux pattes. Poil de Souris n'arrivait même pas à la regarder. Elle se sentait toujours coupable de la tragédie qui avait coûté la vie à son meilleur ami et mutilé la jeune guerrière.

Toutefois, malgré leur sentiment d'horreur, la plupart des membres du Clan commençaient à s'habituer au handicap de Belle Églantine. Ils ne tournaient plus leurs yeux ronds vers la tanière d'Œil de Geai lorsqu'elle hurlait à pleins poumons sur les conseils du guérisseur.

« Ça te dégagera les voies respiratoires, l'encourageait-il. Crie à t'en faire exploser la tête, s'il le faut. Ça n'embêtera pas tes camarades. »

Le traitement semblait fonctionner. Les pattes arrière de Belle Églantine n'allaient pas mieux mais sa fourrure était soyeuse, ses yeux plus brillants de jour en jour et ses pattes avant aussi musclées que celles de n'importe quel guerrier.

Elles ne tremblèrent même pas lorsque Petit Loir lui grimpa sur les épaules.

« Belle Églantine ! la félicita-t-il.

— Fais attention ! le gronda Millie en le poussant du museau.

— C'est bon, lui assura sa fille. Je parie que je peux les porter tous les deux.

— Vraiment ? fit Petite Cerise, l'œil pétillant.

— Je vous l'interdis ! les rabroua Millie.

— Laisse-les donc s'amuser, intervint Plume Grise en éloignant sa compagne.

— Nous aussi, nous serons bientôt des guerriers ! clama Petit Loir en faisant rouler sa sœur sur le sol après une attaque-surprise.

— Vous n'avez même pas encore commencé votre apprentissage ! » les taquina Belle Églantine.

Nuage de Colombe posa sur son ancienne camarade un regard admiratif. Comment faisait-elle pour garder le moral ?

Aile Blanche lui lécha l'oreille.

« N'oublie pas que nous devons ramasser de la mousse pour la nouvelle tanière des anciens. »

Comment aurait-elle pu l'oublier ? Pendant des jours, elle avait aidé à déblayer les alentours du noisetier. La nouvelle tanière, qui incluait quelques branches du hêtre, était spacieuse et résistante. Isidore et Poil de Souris s'y installeraient dès que les nouveaux nids seraient prêts.

Elle jeta un coup d'œil circulaire au camp, habituée maintenant à sa nouvelle apparence. Il ne restait rien de l'ancien gîte des guerriers, écrasé par le tronc. Mais les branches épaisses du hêtre, qui s'arquaient au-dessus de la moitié de la clairière et touchaient un côté de la combe, offraient un large abri. Il était prévu qu'ils bâtissent un tout nouveau repaire pour les guerriers autour des branches les plus épaisses : des rameaux avaient déjà été empilés non loin, prêts à l'emploi. La pouponnière semblait plus sûre qu'une tanière de blaireau, nichée au creux des racines qu'on avait resserrées encore quand cela avait été possible pour former un mur protecteur autour de l'ancien roncier.

« Viens. » Du bout de la queue, Aile Blanche lui frôla le flanc avant de faire signe à Œil de Crapaud et Pétale de Rose. « Vous êtes prêts ? »

Les deux guerriers se hâtèrent de les rejoindre.

« Où est Nuage de Lis ? » demanda Nuage de Colombe en cherchant sa sœur du regard.

Elle l'aperçut au moment où elle sortait du tunnel menant au petit coin.

« J'arrive ! lança la novice. À tout à l'heure, Belle Églantine ! »

Celle-ci s'était allongée au soleil ; Petit Loir et Petite Cerise lui grimpaient dessus. Elle releva la tête et lança gaiement à Nuage de Lis :

« Tu ne veux pas emmener ces deux-là ?

— J'ai bien peur que tu ne sois coincée avec eux pendant encore une lune, plaisanta l'apprentie au pelage argenté et blanc.

— Hé ! protesta Petit Loir. On viendrait si on pouvait ! »

Nuage de Lis s'arrêta net près d'Œil de Crapaud.

« Les traînards n'auront plus de mousse, le taquina-t-elle.

— Je parie que j'en rapporterai plus que vous, les défia Nuage de Colombe en venant leur tourner autour.

— Bien sûr », marmonna Nuage de Lis avec un haussement d'épaules.

Nuage de Colombe se crispa. Le comportement de sa sœur était vraiment étrange, ces derniers temps. Elle était comme ça depuis la chute de l'arbre. Avait-elle deviné que Nuage de Colombe avait des pouvoirs ?

Elle la vit courir après Œil de Crapaud et Pétale de Rose vers la sortie et se demanda si elle avait imaginé la froideur de sa sœur.

« Regarde ça ! » lança Nuage de Lis à Œil de Crapaud tandis qu'ils dévalaient la pente vers le lac.

Elle se jeta à plat ventre sur l'herbe et glissa sur trois longueurs de queue.

« Tu ressembles à un canard ! » ronronna le guerrier.

Les yeux plissés, Pétale de Rose observait les deux félins.

« Bien, fit Aile Blanche en scrutant la rive. Essayons de trouver des plumes de cygnes. Après tout ce qu'ils ont enduré, Isidore et Poil de Souris apprécieront un nid douillet.

— Et Belle Églantine aussi, ajouta Nuage de Colombe.

— Évidemment, Belle Églantine aussi », soupira Nuage de Lis en levant les yeux au ciel.

Aile Blanche toisa durement sa fille.

« Vu que vous semblez très bien vous entendre, Œil de Crapaud et toi…

— Pas si bien que ça ! protesta le guerrier, tellement gêné que ses poils se hérissèrent sur ses épaules.

— Peu importe, reprit la guerrière blanche, vous pouvez aller chercher de la litière ensemble. »

L'œil malicieux, Nuage de Lis donna un petit coup de museau au matou, visiblement flattée par sa gêne.

« Allez, viens, lui dit-elle. Le premier arrivé au bord de l'eau a gagné. »

Elle partit en trombe et s'arrêta sur la rive avec grâce dans un crissement de galets.

Nuage de Colombe fouetta l'air avec sa queue. Même la démarche de Nuage de Lis avait changé.

« Pétale de Rose et toi, vous pouvez travailler ensemble, reprit Aile Blanche. Je serai là-haut si vous avez besoin de moi. »

Elle tendit la queue vers les collines du Clan du Vent et s'éloigna.

« Où veux-tu que nous commencions ? demanda Pétale de Rose.

— C'est toi la guerrière, répondit Nuage de Colombe, que sa sœur avait mise de mauvaise humeur.

— Tu as raison. Mais j'espérais que tu serais aussi douée pour repérer de la mousse que du gibier.

— J'imagine que c'est sur les arbres qui bordent le torrent que nous en trouverons le plus, déclara Nuage de Colombe, les yeux baissés. Et il y aura peut-être aussi des plumes.

— C'est parti. »

Pétale de Rose commença à descendre vers le torrent, là où il se jetait dans le lac.

Nuage de Colombe la suivit de loin. Lorsqu'elle la rattrapa, Pétale de Rose avait déjà commencé à arracher des plaques de mousse du tronc d'un arbre.

«Va voir un peu plus haut», lui ordonna la chatte crème.

Nuage de Colombe pénétra sous les arbres. Il faisait plus frais, à l'ombre. Alors qu'elle scrutait les racines au bord de l'eau pour trouver une belle plaque de mousse, une plume blanche voleta près d'elle, au ras du sol. Le vent l'emporta et Nuage de Colombe la prit en chasse. Elle était longue et duveteuse, parfaite pour garnir une litière. Elle slaloma entre les arbres à sa poursuite et, bondissant, l'aplatit au sol entre ses pattes avant.

« Je t'ai eue ! triompha-t-elle.

— Tu es là ! s'écria Pelage de Lion en sortant d'un bouquet de fougères. Aile Blanche m'a dit que je te trouverais par ici.

— Qu'est-ce qui se passe ? » s'enquit Nuage de Colombe, s'asseyant.

Une bourrasque fit frémir les fougères et emporta la plume au loin.

«Crotte de souris ! jura la novice avant de la poursuivre.

— Les plumes peuvent attendre ! lui cria Pelage de Lion.

— Et le nid de Poil de Souris, alors ?

— L'heure est grave. Nous avons repéré d'autres traces du Clan de l'Ombre à l'intérieur de notre côté de la frontière, gronda-t-il, la fourrure en bataille. Ils préparent quelque chose, peut-être une invasion.

Comme ils savent qu'un arbre est tombé dans la combe, ils pensent sans doute que nous sommes affaiblis. »

Nuage de Colombe s'assit avec humeur. Leurs voisins étaient au courant de la catastrophe depuis un quart de lune. Et ils ne les avaient toujours pas attaqués. Elle regarda la plume disparaître au loin, pensive. *C'est sans doute encore Cœur de Tigre.* Seul le Clan des Étoiles savait ce qu'il mijotait, mais il avait promis que le Clan du Tonnerre n'était pas menacé. Pourquoi la trahirait-il ? Ils étaient amis.

« Alors ? la pressa-t-il. Tu as entendu quelque chose en provenance du Clan de l'Ombre ? Quels sont leurs plans ?

— Comment le saurais-je ? s'emporta-t-elle.

— Grâce à tes pouvoirs ! rétorqua-t-il, les yeux au ciel.

— Si j'avais entendu quoi que ce soit d'important, tu ne crois pas que je te l'aurais dit ?

— Tu pourrais ne pas te rendre compte que c'est important !

— C'est *mon* pouvoir ! se défendit la novice en se dressant devant son mentor. Je n'essaie pas de t'expliquer comment tu dois te battre, pas vrai ? »

Un roncier frémit un peu plus haut et Nuage de Lis en sortit.

« Salut, miaula-t-elle, ses yeux papillonnant entre Pelage de Lion et Nuage de Colombe. J'ai… je viens de découvrir un super coin à mousse ! »

Pelage de Lion foudroya Nuage de Colombe du regard puis s'enfuit sans un mot.

« Qu'est-ce qu'il voulait ? demanda Nuage de Lis

d'un ton plus doux que celui qu'elle employait ces derniers jours pour lui parler.

— C'est mon mentor, il venait juste voir ce que je faisais, répliqua sèchement Nuage de Colombe, encore sous le coup de la colère.

— Mais cela avait l'air important, insista sa sœur. Pourquoi pense-t-il que tu sais ce qui se passe chez le Clan de l'Ombre ? »

Nuage de Colombe se figea. Qu'avait entendu sa sœur, exactement ?

« Je ne sais pas, se hâta-t-elle de répondre.

— Tu mens ! »

Cette accusation lui fit l'effet d'un coup de griffe.

Nuage de Lis se pencha tout près d'elle.

« Qu'est-ce qui se passe, avec toi ? Pourquoi est-ce que tu vas sans cesse parler à Étoile de Feu ? Pourquoi Pelage de Lion te convoque toujours pour des conversations secrètes ?

— Ils s'intéressent juste à mon entraînement. »

Nuage de Colombe haïssait cette situation. À chaque mensonge supplémentaire, elle avait l'impression qu'une nouvelle barrière de ronces se dressait entre Nuage de Lis et elle.

« Étoile de Feu ne se préoccupe jamais de *mon* entraînement ! Qu'est-ce qui te rend si spéciale ?

— Ce n'est pas ça, je te jure ! se défendit Nuage de Colombe, paniquée. Je ne pense pas être spéciale. C'est... C'est compliqué...

— Trop compliqué pour que tu le dises à ta propre sœur ? feula Nuage de Lis. Je pensais que nous étions les meilleures amies du monde ! » Elle détourna les yeux, la mine sombre. « Très bien. Garde donc tes secrets, je garderai les miens ! »

Les siens ? De quoi Nuage de Lis parlait-elle ?

Nuage de Colombe se souvint soudain que sa sœur avait rêvé d'un guerrier du Clan des Étoiles. Elle planta ses griffes dans le sol, agacée contre elle-même. Pourquoi ne lui avait-elle pas davantage porté attention ?

«Tu as fait un autre rêve ? hasarda-t-elle. Tu as eu une autre vision du Clan des Étoiles ?

— Tiens, t'es jalouse, maintenant ? la railla Nuage de Lis. Ça ne t'intéressait pas tant que ça, quand j'ai essayé de t'en parler. T'étais trop occupée à bavarder avec Pelage de Lion. Pourquoi je te le dirais maintenant ? Tu crains que je devienne plus spéciale que toi ? Que les vétérans s'intéressent soudain plus à moi qu'à toi ?»

Son ton suintait l'amertume ; Nuage de Colombe se sentit désemparée. Elle ne s'était pas doutée des sentiments de sa sœur.

« Je… je suis désolée… »

Mais Nuage de Lis disparaissait déjà entre les arbres.

« Pas autant que moi ! » cracha-t-elle par-dessus son épaule.

Un jour, je t'expliquerai tout ! se promit Nuage de Colombe. *Et alors, tu comprendras !*

De retour dans la combe, Pétale de Rose et Œil de Crapaud se hâtèrent de lâcher leur récolte de mousse dans la nouvelle tanière des anciens avant d'aller trouver Griffe de Ronce pour qu'il leur confie une nouvelle mission.

« Ça ira, pour installer tout ça ? lança Pétale de Rose en ressortant de la tanière.

— Pas de problème», répondit Nuage de Lis, la bouche pleine de plumes, en se glissant sous la branche qui s'arquait au-dessus de l'entrée.

Nuage de Colombe suivit sa sœur à l'intérieur. Elles garnirent en silence les nids que Brume de Givre et Bois de Frêne avaient déjà construits dans un coin.

Nuage de Lis plaça quelques plumes sur la litière que Nuage de Colombe arrangeait.

«Tu vas m'ignorer longtemps?» demanda Nuage de Colombe d'un ton suppliant.

Sa sœur ne lui adressa pas même un regard. Les branches frémirent et Nuage de Colombe vit Isidore entrer avec Poil de Souris.

«Tu vois, ronronnait le vieux solitaire. Je t'avais dit que les nids seraient prêts. Ils ont l'air bien douillets, merci», ajouta-t-il à l'adresse des deux novices.

Les yeux ronds, Poil de Souris balaya l'endroit du regard.

« C'est très grand», murmura-t-elle.

Nuage de Colombe attendit qu'elle commence à se plaindre des courants d'air, mais la vieille chatte, sans dire un mot de plus, se contenta de se rouler en boule dans l'un des nids, la truffe sur les pattes.

Nuage de Colombe regretta de ne pas avoir glissé de la bardane piquante dans la mousse. N'importe quoi pourvu que l'ancienne se remette à râler. La voir si triste lui fendait le cœur.

« Ce n'est pas trop humide ? s'inquiéta-t-elle.

— Je préférais les anciens nids, soupira Poil de Souris. Ils portaient l'odeur de Longue Plume.»

Isidore jeta un regard appuyé en direction des

apprenties et Nuage de Colombe devina qu'il voulait rester seul avec Poil de Souris. Alors qu'elle allait sortir, elle le vit du coin de l'œil s'installer dans son propre nid, tout près de sa camarade. Avec un pincement au cœur, elle se demanda si Nuage de Lis et elle se blottiraient de nouveau comme ça, l'une contre l'autre. À voir comment sa sœur sortait à pas lourds devant elle, c'était difficile à croire.

« Hé ! lança Pétale de Rose lorsqu'elles gagnèrent la clairière. Vous voulez une souris ?

— Oui, merci ! » répondit Nuage de Lis en trottinant vers la réserve comme si sa sœur n'existait pas.

Nuage de Colombe en perdit l'appétit. Peut-être Belle Églantine aurait-elle envie d'un peu de compagnie. L'apprentie se dirigea vers la tanière d'Œil de Geai, les pattes traînant dans les feuilles de hêtre qui jonchaient le sol. Elle marqua une pause sur le seuil et comprit que le guérisseur et sa patiente étaient en pleine séance d'exercices.

« C'est ça, l'encourageait le guérisseur. Étire-toi un tout petit peu plus.

— Ouf ! haleta Belle Églantine. Si je continue comme ça, je pourrai bientôt plaquer Cœur d'Épines au sol !

— Tant mieux ! ronronna Œil de Geai. Dommage que je ne puisse pas voir ça. » La fragrance des herbes fraîches filtra à travers les ronces. « Encore trois et je te donnerai ton traitement.

— Je ne peux pas sortir un peu, plutôt, pour profiter des derniers rayons du soleil ? implora la blessée. Le Clan va bientôt accomplir le Partage et je ne veux pas rester coincée là.

— D'accord, mais avale d'abord tes remèdes. Ensuite, tu pourras manger une souris avec ton frère et ta sœur.

— Ils sont rentrés de patrouille ? »

Nuage de Colombe fouilla la clairière du regard. Pluie de Pétales et Poil de Bourdon revenaient justement au camp avec leurs prises. Elle aurait dû le deviner tout comme Œil de Geai mais sa dispute avec sa sœur lui avait fait oublier de rester aux aguets.

« Berk ! » gémit Belle Églantine avec un haut-le-cœur.

Nuage de Colombe s'écarta du passage au moment où la jeune guerrière sortait la tête.

« Tu ne pourrais pas trouver un moyen de les rendre moins mauvaises, tes herbes ? lança-t-elle à Œil de Geai.

— Je vais faire de mon mieux », promit le guérisseur.

Belle Églantine s'extirpa des ronces et se traîna dans les feuilles mortes. Ses yeux brillaient, mais, dans son effort, elle serrait les dents.

« Salut ! souffla-t-elle en apercevant Nuage de Colombe. Désolée, c'est pas facile ! Pour l'instant du moins. »

Elle se dirigea vers le tas de gibier, où son frère et sa sœur déposaient leurs prises. Leur regard s'illumina à l'arrivée de la malade.

« Belle Églantine ! » s'écria Pluie de Pétales. Elle se précipita vers elle, une souris dans la gueule, et lâcha le rongeur entre elles. « On partage ? »

Nuage de Colombe se glissa dans l'antre d'Œil de Geai.

« Coucou », murmura-t-elle, lasse.

Elle avait besoin de conseils. Elle voulait que Nuage

de Lis et elle redeviennent amies. Elle voulait partager une souris avec sa sœur, comme Pluie de Pétales et Belle Églantine.

Du bout de la queue, Œil de Geai balayait les fragments de remèdes qui jonchaient le sol de sa tanière. Il leva la tête lorsque Nuage de Colombe s'approcha.

« Si tu devais manger des remèdes, tu préférerais qu'ils aient le goût de nectar ou de sang de souris ?

— De sang de souris, répondit-elle sans trop réfléchir.

— Qu'est-ce qui ne va pas ? » s'enquit Œil de Geai, la queue soudain immobile.

Dans la pénombre de la tanière, ses yeux bleus brillaient d'un étrange éclat.

« S'il te plaît, est-ce que je peux parler de la prophétie à Nuage de Lis ?

— Non, fit le guérisseur avant de reprendre son balayage.

— Mais j'ai beaucoup de mal à rester amie avec elle, maintenant.

— Comment ça ?

— Elle trouve qu'il y a du favoritisme à mon égard.

— Elle est jalouse ?

— Non ! s'écria-t-elle aussitôt pour défendre sa sœur. Euh... si. En quelque sorte.

— Pelage de Lion et moi, nous n'en avons jamais parlé aux autres, lui fit-il remarquer.

— Mais vous n'aviez pas de secret l'un pour l'autre !

— Au début, si. » Œil de Geai entreprit de sortir du tas de fragments rassemblés les morceaux les plus propres. « J'ai été le premier à découvrir la prophétie.

Je ne pouvais pas m'en ouvrir à Pelage de Lion et Feuille de Houx avant de savoir qu'ils étaient bien les deux autres.

— Pourtant, Feuille de Houx ne faisait pas partie des Trois.

— Moi, j'en étais persuadé. » Œil de Geai sortit un bout de feuille. Son expression s'assombrit. « Elle aussi, elle le pensait. Et découvrir que ce n'était pas le cas a été très dur pour elle.

— Elle ne connaissait pas sa chance, marmonna Nuage de Colombe. Qu'est-ce qu'il lui est vraiment arrivé ?

— Elle est partie, soupira Œil de Geai sans cesser son tri. Elle ne pouvait plus rester ici.

— Parce que la prophétie ne la concernait pas ? »

Nuage de Colombe se tut un instant, songeuse. Elle essayait parfois d'imaginer ce que pouvait être une vie de guerrier ordinaire. Ce devait être plus facile, non ?

« En partie, miaula Œil de Geai.

— En partie ? »

Quelle pouvait être l'autre raison ?

Œil de Geai prit le tas de fragments entre ses dents et l'emporta dans la fissure où il conservait ses remèdes. Il n'en dirait manifestement pas davantage.

Encore des secrets ! Toujours des secrets ! Furieuse, elle ressortit dans la clairière sans un mot.

Sous les derniers rayons du soleil, Pluie de Pétales, Poil de Bourdon et Belle Églantine mangeaient leur souris. Nuage de Lis s'était installée près de Pétale de Rose, avec qui elle partageait un merle.

Nuage de Colombe couva sa sœur d'un regard plein de regrets.

Je te dirais tout, si je le pouvais.

Nuage de Lis avala sa dernière bouchée et se mit à faire la toilette de Pétale de Rose.

Mais je dois garder le secret. Au prix de notre complicité.

CHAPITRE 14

Nuage de Lis frémit. Une bise glaciale avait flétri les fleurs de la prairie et poussé de pâles nuages gris dans le ciel. Le sol tremblait sous ses pattes. Les chevaux couraient, rassemblés au bord du pré, les yeux fous et les oreilles rabattues en arrière.

Où était Plume de Faucon ?

Nuage de Lis se sentait nerveuse. Elle ne voulait pas rester seule dans le grand pâturage, ce jour-là. Le vent gémissait sur l'herbe sèche et lui ébouriffait la fourrure.

Là ! Une forme sombre apparut au-dessus de l'herbe. Une queue en panache s'agita.

Elle fila vers le guerrier du Clan de la Rivière.

«Tu es là ! haleta-t-elle, soulagée, lorsqu'il tourna vers elle ses prunelles bleu glacier si familières. J'ai cru que tu ne viendrais pas ! Je te cherche depuis une éternité.

— Tu as de la chance de m'avoir trouvé, alors, miaula-t-il d'une voix mielleuse, les yeux à demi clos.

— Apprends-moi quelque chose de nouveau !» supplia-t-elle.

Cœur Cendré était déjà impressionnée par ses progrès à l'entraînement. Aujourd'hui encore, la novice voulait faire plaisir à son mentor.

Plume de Faucon bâilla et s'étira le dos.

« Une seule attaque, implora-t-elle.

— Je ne t'ai pas montré suffisamment d'enchaînements à répéter ?

— J'ai déjà tout refait. Maintenant, j'ai besoin d'autre chose. » Nuage de Lis écarquilla les yeux, pleine d'espoir. « S'il te plaît !

— Est-ce que tu houspilles autant tes camarades de Clan ? murmura-t-il en se levant d'un air las.

— Ils ne m'enseignent rien d'aussi intéressant.

— Regarde bien. »

Plume de Faucon lui faucha les pattes arrière tout en la faisant rouler pour qu'elle se retrouve étalée sur le dos.

« Waouh ! pépia-t-elle en se relevant d'un bond. Laisse-moi essayer. »

Elle bondit sur Plume de Faucon, enroula une patte autour de ses membres postérieurs et tira de toutes ses forces.

Rien ne se produisit. Le guerrier massif tourna la tête vers elle.

« Préviens-moi quand tu commenceras », se moqua-t-il.

Vexée, Nuage de Lis recula avant de repartir à la charge. De nouveau, le guerrier du Clan de la Rivière ne bougea pas. Nuage de Lis inclina la tête sur le côté.

« Comment t'y es-tu pris, exactement ?

— Fais passer tes coussinets sur mes pattes arrière, lui ordonna Plume de Faucon. Tu sens le tendon, derrière l'articulation ? »

Nuage de Lis sentit comme une corde dure au creux des pattes du matou, comme une épaisse moustache étirée au maximum.

« C'est là qu'il faut viser. Un coup rapide. Essaie d'y mettre les deux pattes en même temps. »

Nuage de Lis se tapit, concentrée, puis bondit. Elle rabattit de toutes ses forces ses pattes avant en visant les tendons, et les membres de Plume de Faucon se dérobèrent sous lui. Profitant de cet avantage, elle lui donna un coup d'épaule pour le faire basculer. Déséquilibré, il tomba sur le côté et elle put le clouer au sol.

« Bien, grogna-t-il avant de la chasser pour se relever. Mais profite davantage de l'effet de surprise. Cela ne durera qu'un instant. Essaie encore. »

Nuage de Lis répéta l'attaque et, cette fois-ci, elle faucha aussi les pattes avant du guerrier. Elle le mordit à la gorge avant qu'il ait le temps de se relever.

Il cracha pour qu'elle le relâche et marmonna :

« Pas mal. »

Nuage de Lis était si fière d'elle qu'elle craignait que son cœur n'éclate.

« On va peut-être réussir à faire quelque chose de toi, concéda-t-il.

— Bien sûr ! »

Une ombre glissa dans l'herbe au loin. Nuage de Lis tourna brusquement la tête et vit deux yeux luisants braqués sur elle. Quelqu'un les observait. Elle se raidit.

« Qui est-ce ? »

Aussitôt, l'inconnu se baissa dans les herbes et repartit.

Plume de Faucon haussa les épaules puis répondit :

« J'ai parlé de toi à quelques amis. Ce devait être l'un d'eux. Nul doute qu'il voulait voir la novice qui me tourmente sans cesse pour avoir des séances d'entraînement.

— Il voulait peut-être que je lui apprenne quelque chose..., ronronna Nuage de Lis.

— C'est ça, soupira Plume de Faucon en la frappant doucement derrière l'oreille. Allez, recommence. Voyons si tu peux le faire deux fois de suite.

— D'accord ! Je veux le maîtriser parfaitement pour pouvoir le montrer à Nuage de Colombe.

— Qui est Nuage de Colombe ? demanda Plume de Faucon.

— Ma sœur. » Nuage de Lis tortilla l'arrière-train, prête à bondir. « Je t'en ai parlé, tu te rappelles ? »

Elle sauta et frappa les tendons de son adversaire encore plus fort, plus fière que jamais lorsqu'elle fit rouler le matou au sol.

Elle s'assit et reprit son souffle en se passant la patte sur les moustaches.

« Tous les vétérans pensent que Nuage de Colombe est la meilleure apprentie qu'ils aient jamais vue, dit-elle avant de hausser les épaules. Ils passent leur temps à la consulter, comme si elle savait des choses que personne d'autre ne peut savoir.

— Et c'est vrai ? s'étonna le guerrier en se léchant le poitrail.

— Je sais qu'elle me cache quelque chose, mais j'ignore de quoi il s'agit. » Elle pencha la tête de côté. « J'aimerais juste qu'elle arrête de se comporter comme si elle était spéciale. Elle dresse toujours les oreilles, sans cesse aux aguets, comme si personne d'autre qu'elle dans le Clan ne pouvait monter la garde. »

Plume de Faucon finit sa toilette et fit glisser une griffe sur une feuille de trèfle. La matière tendre se fendit et noircit à son contact.

« Tu lui as parlé de moi ?

— J'allais le faire », admit Nuage de Lis. Le souvenir de leur conversation interrompue raviva son agacement. « Mais je n'ai pas eu le temps. Maintenant, je ne veux plus lui dire. » Le bout de sa queue s'agita. « Pourquoi le ferais-je ? Elle a ses secrets, je peux bien avoir les miens. »

Plume de Faucon éventra une autre feuille.

« Cela vaut peut-être mieux. Ta sœur… Nuage de Colombe, c'est comme ça qu'elle s'appelle ? »

Nuage de Lis hocha la tête.

« Nuage de Colombe serait sans doute jalouse et voudrait apprendre toutes tes nouvelles techniques. »

Nuage de Lis sortit ses griffes.

« C'est ta sœur, insista Plume de Faucon, pas ton double, n'est-ce pas ?

— C'est vrai ! Pourquoi lui donnerais-je une chance de m'imiter ? »

Plume de Faucon étira ses pattes arrière.

« Exactement. Bon, nous allons essayer quelque chose de nouveau. »

Nuage de Lis s'éveilla. Ses épaules étaient raides. Elle les remua dans la douce mousse de sa litière en se demandant si elle avait dormi dans une mauvaise position. Puis tout lui revint. Plume de Faucon l'avait fait travailler dur, jusqu'à ce que ses muscles la brûlent. Elle s'assit brusquement, surprise. Quel rêve ultra-réaliste !

Nuage de Colombe ronflait. Blottie dans son nid, les yeux clos, le pelage encore duveteux, l'apprentie grise ressemblait bien plus au chaton innocent qu'elle avait été naguère qu'à la novice savante qu'elle prétendait être à présent. Prise d'une bouffée d'affection, Nuage de Lis eut soudain très envie de raconter son rêve à sa sœur, comme lorsqu'elles partageaient leur nid avec Aile Blanche dans la pouponnière.

Non. Nuage de Lis repoussa cet accès de nostalgie. Nuage de Colombe lui cachait un secret. *Moi aussi, j'en aurai un.* Le sien était sans doute bien mieux que celui de Nuage de Colombe, d'ailleurs. Elle recevait les enseignements d'un guerrier du Clan des Étoiles ! Elle allait devenir la meilleure guerrière du monde. Encore plus forte que Pelage de Lion !

« Nuage de Lis ! »

Cœur Cendré l'appelait depuis la clairière.

La novice se glissa dans l'aube froide et grise. Pluie de Pétales et Poil de Bourdon s'étiraient dans leurs nids de fortune sous les branches arquées du hêtre. D'un mouvement de la queue, Cœur Cendré leur fit signe d'approcher.

« Vous vous entraînerez ensemble aujourd'hui, annonça la guerrière.

— Tu veux qu'on s'occupe de Nuage de Lis ? répondit Pluie de Pétales dans un bâillement.

— Non, vous vous entraînerez *ensemble*, j'ai dit.

— Nous ne sommes plus des apprentis ! protesta Poil de Bourdon, qui avait gonflé son pelage pour se protéger de l'air frais.

— Laisse-moi deviner, grommela Pluie de Pétales. Encore une nouvelle idée d'Étoile de Feu... »

Nuage de Lis reconnut le soupir irrité de Cœur d'Épines. Pluie de Pétales citait visiblement son camarade de tanière.

Étoile de Feu vint s'asseoir près d'eux.

« Il n'y a rien de mal à essayer de nouvelles façons de s'entraîner, annonça-t-il.

— Si tu le dis, miaula Pluie de Pétales en regardant ses pattes.

— Nous ne voulons pas que le Clan se ramollisse, ajouta le meneur, la queue bien haute. Et réviser leurs techniques ne peut pas faire de mal aux guerriers. À ton avis, il vaudrait mieux qu'on provoque des batailles pour rester en forme ?

— Pas vraiment, concéda la jeune guerrière.

— Et Nuage de Colombe ? s'enquit Nuage de Lis. Elle va s'entraîner avec nous ?

— Non, avec Pelage de Lion.

— Évidemment, cracha Nuage de Lis. Pourquoi s'entraînerait-elle avec des guerriers ordinaires ?

— Pardon ? fit Cœur Cendré, les yeux ronds.

— Rien », se hâta de dire Nuage de Lis. Voyant qu'Étoile de Feu la fixait, elle sentit ses oreilles chauffer. « C'est juste que je n'ai pas souvent l'occasion de m'entraîner avec elle. »

Pelage de Poussière, Bois de Frêne et Feuille de Lune se réveillaient à leur tour dans leurs nids sous l'arbre.

« J'ai entendu Étoile de Feu te nommer responsable de la séance d'entraînement, Cœur Cendré, bâilla Pelage de Poussière en sortant de sa litière. Tout le monde est prêt ? »

Bois de Frêne et Feuille de Lune le suivirent, aussi peu motivés l'un que l'autre. Plume de Noisette les rejoignit.

« Oui, nous sommes prêts, répondit Cœur Cendré. Allez, suivez-moi. »

Ils gagnèrent une clairière parsemée de feuilles mortes et bordée de fougères. Feuille de Lune agitait la queue, impatiente, tandis que la guerrière grise passait ses guerriers en revue. Nuage de Lis contourna Poil de Bourdon et s'assit près de lui.

« C'est bizarre de s'entraîner avec des vétérans, lui murmura-t-elle à l'oreille.

— Ça change, oui. Je me demande si on arrivera à les battre…, fit-il, l'œil brillant.

— Peut-être. »

Nuage de Lis étira ses griffes. La course dans la forêt l'avait réchauffée et avait assoupli ses muscles courbatus. Elle était prête à tenter quelques-unes des attaques de Plume de Faucon.

« Nous allons faire une fausse bataille, annonça Cœur Cendré. » Du bout de la queue, elle désigna un noisetier d'un côté de la clairière et un bouquet de fougères de l'autre. « Je vais vous diviser en deux patrouilles. Pelage de Poussière, tu commanderas Feuille de Lune, Pluie de Pétales et Nuage de Lis. Moi, je serai à la tête de Poil de Bourdon, Plume de Noisette et Bois de Frêne. Si ça te convient, Bois de Frêne… » Ce dernier hocha la tête. « Nous, nous essaierons de prendre le noisetier. Vous, poursuivit-elle avec un signe du menton vers Pelage de Poussière, ces fougères. »

Nuage de Lis suivit Pluie de pétales au milieu de la clairière. Elle se tapit près d'elle, parée à l'attaque, tandis que Feuille de Lune et Pelage de Poussière se plaçaient de chaque côté d'elles. La patrouille de Cœur Cendré s'aligna en face, si proche que leurs moustaches se frôlaient presque.

Poil de Bourdon plissa les yeux, concentré sur le noisetier qui se trouvait à une longueur d'arbre derrière ses adversaires. Plume de Noisette et Bois de Frêne se plaquèrent contre le sol.

« Rappelez-vous qu'on ne sort pas les griffes, fit Cœur Cendré. Nous ne sommes pas le Clan de l'Ombre. »

Les guerriers hochèrent la tête et Nuage de Lis rentra ses griffes sous la douce fourrure blanche de ses pattes.

« C'est parti ! »

Au signal de Cœur Cendré, Nuage de Lis roula sur le côté juste avant que les pattes de la guerrière grise retombent à l'endroit où la novice se trouvait un instant plus tôt.

« Joli… »

Cœur Cendré n'eut pas le temps de finir son compliment car Feuille de Lune la percuta de plein fouet et l'envoya rouler à l'autre bout de la clairière.

D'un bond, Nuage de Lis se retourna, prête au combat. Poil de Bourdon affrontait Pluie de Pétales.

Celle-ci se tortilla pour se dégager.

« N'oublie pas que j'ai appris toutes tes techniques avant que tu sortes de la pouponnière.

— Je parie que tu as oublié celle-là. »

Le jeune guerrier bondit, le ventre en avant, et lui atterrit sur le dos. Pluie de Pétales s'écroula sous son poids.

« Hé ! C'est pas juste ! C'est une attaque de chaton, ça !

— Peut-être, mais ça marche toujours », la taquina-t-il, refusant de bouger tandis que sa sœur se débattait sous lui.

Nuage de Lis se crispa. Bois de Frêne filait à toute vitesse vers le noisetier. S'il parvenait au but, sa patrouille gagnerait. Elle se lança à sa poursuite en projetant de la terre derrière elle. Voyant qu'il y était presque, elle bondit. Les pattes en avant, elle visa les tendons du matou. Il roula aussitôt par terre et elle en profita pour lui sauter sur les épaules. Elle s'efforça de s'accrocher à lui sans sortir les griffes tandis qu'il se tortillait sous elle.

Il se cabra soudain et la fit tomber si brusquement qu'elle en eut le souffle coupé. Les yeux plissés, elle se releva d'un bond. Elle n'allait pas décevoir Plume de Faucon ! Si Bois de Frêne s'était relevé, il semblait dérouté et ses pattes arrière tremblaient. Elle plongea sous lui et se tourna avant de lui faucher une patte avant et une patte arrière en même temps. Puis elle s'écarta avant qu'il ne s'effondre.

Où était le reste de sa patrouille ? Elle ne pouvait pas défendre le noisetier toute seule.

En balayant la clairière du regard, elle vit que Feuille de Lune la fixait, les yeux écarquillés. *Je parie qu'elle est impressionnée par mes attaques !*

L'ancienne guérisseuse cligna des yeux au moment où Plume de Noisette lui rentra dedans. Tombée sur le flanc, la guerrière tenta de s'échapper, mais Plume de Noisette la maintenait au sol et elle ne pouvait rien faire à part agiter la queue furieusement.

« Je me rends ! gémit-elle.

— Vous avez perdu, de toute façon ! lança Cœur Cendré, campée près du noisetier. Ce buisson appartient dorénavant au Clan Cendré ! »

Bois de Frêne se releva doucement. Il s'inclina alors devant Nuage de Lis.

« Belles attaques, pour une apprentie. »

Feuille de Lune s'extirpa de sous Plume de Noisette et s'approcha de la novice.

« C'est vrai, renchérit-elle. De très belles attaques. Où les as-tu apprises ? »

Nuage de Lis n'était pas prête à révéler son secret.

« Je... je les ai trouvées toute seule. »

Pourquoi ses camarades ne pouvaient-ils pas penser qu'elle était aussi douée que Nuage de Colombe ?

« La dernière ressemblait à une attaque du Clan de la Rivière », déclara Pelage de Poussière, se joignant à la conversation.

Nuage de Lis haussa les épaules en écarquillant les yeux d'un air innocent. Pelage de Poussière se trompait, c'était une attaque du Clan des Étoiles !

« Peu importe à quoi elle ressemble, reprit Bois de Frêne avec chaleur. C'était sacrément bien joué. Je penserai à m'en méfier, la prochaine fois.

— Recommence, Nuage de Lis, suggéra Feuille de Lune, qui la fixait toujours avec étonnement. Nous pourrions tous l'apprendre.

— Euh... je... je ne sais plus exactement ce que j'ai fait. »

Elle ne voulait pas partager ses techniques secrètes ni que Pelage de Poussière continue à disséquer ses mouvements. Feuille de Lune semblait déjà méfiante. Ils avaient peut-être connu Plume de Faucon de son vivant et risquaient de reconnaître son style.

« Dommage, fit Pelage de Poussière avant de se tourner vers Cœur Cendré, qui montait fièrement la garde devant son noisetier. Alors, tu nous accordes notre revanche ?

— D'accord. Mais cette fois-ci, nous commencerons dans les taillis. Votre patrouille d'un côté, la nôtre de l'autre. »

Soulagée de ne plus être le centre de l'attention, Nuage de Lis suivit Pluie de Pétales, Feuille de Lune et Pelage de Poussière. Elle se tapit dans les buissons et jeta un coup d'œil à la clairière.

Les fougères d'en face tremblèrent tandis que la patrouille de Cœur Cendré se préparait à attaquer.

« Pluie de Pétales, souffla Pelage de Poussière, tu es rapide. Je veux que tu coures vers les fougères pendant que nous, nous les empêcherons d'atteindre le noisetier. »

Pluie de Pétales se ramassa sur elle-même et attendit le signal.

« Vous êtes prêts ? » murmura Pelage de Poussière.

Personne n'eut eu le temps de répondre car la patrouille de Cœur Cendré jaillit des broussailles d'en face.

« Partez ! » hurla Pelage de Poussière.

Pluie de Pétales fonça vers les fougères pendant que Nuage de Lis s'élançait au côté de Pelage de Poussière et Feuille de Lune pour aller barrer le chemin aux adversaires. Bois de Frêne et Poil de Bourdon chargeaient déjà vers le noisetier tandis que Cœur Cendré et Plume de Noisette se précipitaient vers Pluie de Pétales pour l'empêcher d'atteindre son but.

Celle-ci tenta de zigzaguer pour les éviter, mais les deux guerrières la plaquèrent au sol.

« Aide-la ! » ordonna Pelage de Poussière à Feuille de Lune.

Tandis que cette dernière obliquait, Nuage de Lis pressa l'allure pour avancer au même rythme que Pelage de Poussière. Poil de Bourdon avait presque atteint le noisetier.

Vous n'allez pas gagner une deuxième fois ! Nuage de Lis bondit, les pattes avant tendues pour saisir la queue de Poil de Bourdon. Elle la tint de toutes ses forces, ce qui le fit trébucher et perdre un peu de terrain. Dans un ultime effort, elle parvint à lui mordiller la patte arrière.

« Aïe ! »

Il rua pour se dégager puis pivota et lança un coup de patte maladroit vers le museau de Nuage de Lis.

L'apprentie l'esquiva et se plaça sur le côté pour lui faire un croche-patte qui l'envoya rouler au sol.

« Trop facile ! » fanfaronna-t-elle en lui sautant dessus.

Il ne se débattit même pas. Il se contentait de la fixer avec des yeux tristes.

« Qu'est-ce qu'il y a ? »

Surprise, elle s'assit pour le laisser se relever.

Un cri retentit derrière eux. Pelage de Poussière luttait avec Bois de Frêne. Mais la bataille pouvait attendre : Poil de Bourdon avait un problème.

« Ça va ? » s'inquiéta-t-elle.

Le guerrier contemplait le noisetier d'un air désespéré. Est-ce que c'était une ruse ? Allait-il se jeter soudain vers le buisson ? Nuage de Lis plissa les yeux, les muscles bandés.

« Belle Églantine aurait adoré ça, miaula Poil de Bourdon d'une petite voix. C'est injuste ! ajouta-t-il avec colère. Elle essayait d'aider Longue Plume. Pourquoi le Clan des Étoiles l'a-t-il punie ?

— Parfois, des malheurs arrivent, répondit-elle en se maudissant de ne pas trouver de réponse plus convaincante.

— Alors à quoi sert le Clan des Étoiles ? »

Poil de Bourdon semblait avoir perdu tout espoir. Nuage de Lis frotta son museau contre l'épaule du matou.

« Belle Églantine ne se laissera pas abattre, murmura-t-elle.

— C'est vrai, soupira-t-il. Pourtant, ça n'aurait pas dû arriver. »

Nuage de Lis, qui percevait le chagrin de son camarade dans ses respirations saccadées, tenta d'imaginer Nuage de Colombe se traînant dans la clairière comme une pièce de gibier agonisante. Elle comprenait la fureur de Poil de Bourdon. C'était si injuste !

« On a gagné ! »

Feuille de Lune avait atteint les fougères. Elle écrasa une fronde sous ses pattes pendant que Plume de Noisette lui tournait autour en reniflant. Cœur Cendré s'inclina, signe qu'elle acceptait dignement la défaite, avant de jeter un coup d'œil à Poil de Bourdon. Elle plissa les yeux, perplexe. Elle essayait visiblement de comprendre pourquoi les deux jeunes félins étaient assis si proches l'un de l'autre.

Puis elle cilla et hocha la tête. Elle comprenait.

« Hé ! Vous deux ! » lança-t-elle à Pelage de Poussière et Bois de Frêne, qui se battaient toujours au corps à corps.

Pelage de Poussière repoussa Bois de Frêne mais

ce dernier retomba sur ses pattes et pivota, prêt à riposter.

Cœur Cendré s'éclaircit la gorge.

« Ça me fend le cœur de gâcher la fête, mais la bataille est finie ! »

Les deux guerriers relevèrent la tête, les yeux écarquillés. Bois de Frêne s'assit, les poils dressés sur ses épaules.

« On ne faisait que répéter nos attaques, se défendit-il, gêné.

— D'ailleurs, c'est à ça que sert l'entraînement, non ? renchérit Pelage de Poussière.

— Et j'imagine que si on y prend plaisir, le Clan des Étoiles n'y verra rien à redire », répondit la guerrière grise, l'air amusé.

Le ciel s'éclaircissait à mesure que le soleil montait au-dessus des arbres.

« On dirait que la journée va être bonne pour la chasse, remarqua Feuille de Lune.

— Oui, miaula Cœur Cendré. Rentrons au camp, Griffe de Ronce nous enverra peut-être chasser.

— Le Clan a besoin de faire des réserves avant la mauvaise saison. »

Bois de Frêne partit le premier à travers les broussailles et disparut bientôt entre les arbres. Cœur Cendré, Plume de Noisette, Pluie de Pétales et Pelage de Poussière le suivirent.

« Merci », murmura Poil de Bourdon en s'écartant de Nuage de Lis avant de filer pour rattraper sa sœur.

La novice se mit en marche à son tour, le cœur gros de voir les deux jeunes félins avancer côte à côte en parlant à voix basse.

Elle sursauta lorsque Feuille de Lune, qui l'avait rattrapée, l'appela doucement :

« Nuage de Lis. »

Les feuilles mortes, aussi dorées que le pelage de Poil de Fougère, crissaient sous leurs pattes.

«Tes attaques étaient assez compliquées», miaula la guerrière.

Nuage de Lis la regarda du coin de l'œil mais l'ancienne guérisseuse fixait le sentier droit devant elle.

« Je me suis fiée à mon instinct, mentit la novice.

— Tu es chanceuse, alors.

— Sans doute. »

L'apprentie se sentait coupable jusqu'au bout des pattes.

«Tu es certaine de ne pas pouvoir les refaire ?» insista Feuille de Lune.

Laisse-moi tranquille ! Nuage de Lis pressa l'allure, irritée de constater que la guerrière accélérait aussi. Tous les autres membres du Clan avaient des secrets – Feuille de Lune la première. Pourquoi n'avait-elle pas le droit d'en avoir, elle aussi ?

CHAPITRE 15

« Pourquoi n'as-tu pas voulu que j'emmène Nuage de Colombe ? » demanda Pelage de Lion en s'asseyant près du mur.

Le nid de Bipèdes abandonné se dressait au-dessus d'eux, silhouette menaçante qui se découpait sur la forêt dénudée.

« Je ne voulais pas l'effrayer », répondit Œil de Geai.

Il tapotait la terre autour de sa précieuse herbe à chat pour la protéger de la neige qui viendrait bien trop tôt, il le savait.

« Elle devra le découvrir un jour ou l'autre », lui fit remarquer Pelage de Lion.

Mais pas tout de suite.

Œil de Geai se raidit.

Des bruits de pas.

Il leva la truffe, sur le qui-vive.

« Qu'est-ce qu'il y a ? s'inquiéta Pelage de Lion avant de se tourner. Oh, ce n'est que la patrouille de Tempête de Sable. »

Des buissons frémirent au passage de la guerrière

au pelage roux pâle et de Flocon de Neige. Poil d'Écureuil et Patte d'Araignée cavalaient derrière eux.

« Alors, qu'est-ce que tu voulais savoir ? lança Pelage de Lion.

— Est-ce que tu as rêvé d'Étoile du Tigre, ces derniers temps ?

— Non. »

Œil de Geai soupira.

« Pourquoi cette question ?

— Il n'abandonnera jamais, pas vrai ? » Œil de Geai renifla un carré de bourrache qu'il avait découvert récemment près du mur en ruines. « Aide-moi. »

Les feuilles les plus grandes avaient fané mais il sentait de nouvelles pousses à la base de la tige qu'il voulait cueillir car elles étaient souveraines pour traiter la fièvre. Il écarta les feuilles ratatinées pour que son frère puisse voir les nouvelles.

« Tu peux les prendre ? lui demanda-t-il.

— D'accord. »

Pelage de Lion les détacha délicatement et l'odeur de la sève flotta bientôt dans l'air.

« Alors ? le pressa Pelage de Lion. À qui crois-tu qu'Étoile du Tigre vient rendre visite ?

— Pelage de Brume, sans aucun doute. Pourquoi m'aurait-il attaqué, sinon ? »

Pelage de Lion cueillit de nouvelles feuilles sans dire un mot. Pourtant, Œil de Geai devinait que l'esprit de son frère était en ébullition. Le guerrier doré finit par briser le silence.

« Je pensais que j'étais spécial, murmura-t-il. Que c'était pour ça qu'il venait me voir. Parce que nous étions parents et qu'il voulait que je devienne le meilleur des guerriers.

— Tu *es* spécial, lui rappela Œil de Geai.

— Mais Étoile du Tigre n'a jamais cru en la prophétie.

— C'est vrai.

— Et nous n'étions pas parents. Depuis le début, il savait que Griffe de Ronce n'était pas notre père.

— Oui. »

Pelage de Lion s'assit.

« Dans ce cas, pourquoi venait-il me voir ? »

Œil de Geai relâcha les tiges fanées, qui remontèrent avec un bruit de frôlement.

« Même sans votre lien de parenté ou la prophétie, tu es l'un de nos meilleurs guerriers.

— Et tu crois que c'est tout ce qui l'intéresse ? Former des guerriers puissants ?

— Il a manifestement recruté d'autres guerriers prêts à se battre pour lui. Comme Pelage de Brume. Et tu te rappelles le guerrier fantôme qui se battait contre moi au côté de Pelage de Brume ? Étoile du Tigre a dû trouver des alliés dans la Forêt Sombre.

— Des alliés ?

— Tous les guerriers ne vont pas rejoindre le Clan des Étoiles, lui rappela-t-il. La question est : dans quel but fait-il cela maintenant ?

— Il hait Étoile de Feu. Tous les Clans le savent. Que pourrait-il trouver de mieux que de lever un escadron contre lui quand il s'y attend le moins ?

— Effectivement... »

Pelage de Lion se donna un coup de langue sur le poitrail avant de poursuivre :

« Je m'étonne qu'il ait recruté Pelage de Brume. Il n'a aucun lien de parenté avec Étoile du Tigre.

— Mais il nous en veut parce que nous sommes les

petits de Plume de Jais, lui fit remarquer le guérisseur en plaçant la récolte de son frère en tas. Étoile du Tigre est intelligent. Il sait que la plupart des guerriers sont trop loyaux pour enfreindre le code du guerrier. Alors il doit exploiter leurs faiblesses.

— Il n'a pas réussi avec moi !

— Bien sûr que non, le rassura Œil de Geai, qui ressentit une bouffée d'affection pour son frère. Ce n'est pas faute d'avoir essayé. Qui sait qui d'autre il pourrait tenter d'influencer ?

— Le lien de parenté... C'est sans doute comme ça qu'il a recruté Cœur de Tigre ! » s'écria Pelage de Lion, la queue remuant au-dessus du sol. « Tu te souviens, je t'ai dit que ses attaques contre les castors étaient du style d'Étoile du Tigre ?

— Bien sûr ! » Le ventre du guérisseur se noua. Les choses commençaient à se préciser. « Et je l'ai surpris sur notre frontière la nuit où le Clan du Vent nous a ramené Nuage de Colombe !

— Alors toutes ces traces du Clan de l'Ombre sur nos terres pourraient venir de Cœur de Tigre, qui explore notre territoire sur l'ordre d'Étoile du Tigre ?

— En effet. Cœur de Tigre est un choix évident, jusqu'à son nom ! Ce qui signifie qu'Étoile du Tigre exploite bel et bien les faiblesses des guerriers et leur éventuel lien de parenté.

— Et qu'est-ce qu'on peut faire pour l'arrêter ? gronda Pelage de Lion.

— Rien pour le moment. Nous devons juste rester sur nos gardes. Nous ne pouvons absolument rien prouver et nul n'admettra que sa loyauté soit remise en cause.

— Nous pouvons essayer d'identifier ses autres recrues. »

Œil de Geai renifla de nouveau la bourrache avant de répondre :

« Observe tous les guerriers lors des Assemblées. Et vérifie si quelqu'un d'autre a franchi notre frontière. Moi, je vais tenter d'en savoir plus ce soir, lors du rassemblement des guérisseurs.

— D'accord. Nous avons déjà démasqué un guerrier du Clan du Vent et un autre du Clan de l'Ombre. Et pour le Clan de la Rivière ? »

Œil de Geai réfléchit, les yeux plissés :

« Est-ce qu'un guerrier du Clan de la Rivière nous déteste autant que Pelage de Brume ? Un dont Étoile du Tigre pourrait attiser la haine ?

— Pas que je sache… Mais… Étoile du Tigre avait un fils, non ?

— Plume de Faucon ? » hoqueta Œil de Geai. Il ne l'avait jamais vu dans les rangs du Clan des Étoiles. Les chances étaient grandes qu'il hante lui aussi la Forêt Sombre avec Étoile du Tigre. « Il appartenait au Clan de la Rivière. Lui, il saurait exactement qui approcher.

— Donc Étoile du Tigre n'est peut-être pas le seul à entraîner des guerriers dans leurs rêves… »

Œil de Geai haussa les épaules.

« Il ne manquait plus ça…, gronda le matou.

— Rentrons au camp, miaula Œil de Geai. Je veux me reposer avant ce soir. »

Il s'enfonça dans la forêt. Au son des fougères qui bruissaient derrière lui, il sut que Pelage de Lion le suivait de près.

« Est-ce que tes remèdes vont résister au froid ?

— Je l'espère, soupira Œil de Geai en adressant une prière silencieuse au Clan des Étoiles. Savoir que je peux renouveler mon stock est rassurant.

— Tu as l'air de prendre plaisir à t'en occuper.

— Les plantes font ce qu'on leur dit, répondit Œil de Geai. Ce n'est pas comme les apprentis. »

Pelage de Lion ronronna puis interrogea son frère : « Au fait, tu as pensé à prendre un ou une apprentie ?

— Pas tant... » Les mots restèrent un instant coincés dans sa gorge. « Pas tant que Feuille de Lune sera parmi nous.

— Tu espères qu'elle redeviendra guérisseuse un jour ?

— Peut-être bien. C'est vraiment du gâchis, après un apprentissage si long, de tout abandonner. Elle en sait tant, alors que j'ai parfois l'impression d'en savoir si peu ! Le Clan a toujours besoin d'elle, Pelage de Lion. Peut-être même plus que jamais. »

« Œil de Geai ! appela Poil de Châtaigne depuis la clairière. Petit Orage est là.

— J'arrive ! »

Le guérisseur renifla Belle Églantine, profondément endormie dans son nid. Aucune odeur de maladie. Il sortit en vitesse de sa tanière et sentit aussitôt la présence fragile de la demi-lune au-dessus du camp. L'air était frais et portait le parfum du gel. Le temps perdrait bientôt sa clémence. Il traversa le camp rapidement, enfin de nouveau à l'aise avec son environnement : plus de brindilles pour le piquer ou le faire trébucher.

« Je croyais que tu retrouvais les autres guérisseurs

à la frontière, d'habitude, murmura Poil de Châtaigne lorsqu'il lui passa devant.

— Petit Orage voulait sans doute voir les dégâts de ses propres yeux. »

Le guérisseur du Clan de l'Ombre se tenait dans la clairière. Œil de Geai perçut sa stupéfaction.

« C'est incroyable que vous n'ayez perdu qu'un seul camarade ! Comment va Nuage d'Églantine ?

— Elle s'appelle Belle Églantine, maintenant.

— Vraiment ? »

Malgré la surprise du petit matou, Œil de Geai ne fit aucun commentaire et se contenta de le suivre dans le tunnel. Plume de Flamme, l'apprenti de Petit Orage, attendait devant la barrière.

Tant mieux. C'était le frère de Cœur de Tigre. Si Œil de Geai avait une chance de découvrir ce que mijotait le jeune guerrier, ce serait bien dans les rêves de son frère.

À moins qu'Étoile du Tigre ne l'entraîne, lui aussi.

Un guérisseur ? Impossible !

Œil de Geai tenta d'écarter cette idée mais elle resta accrochée à son esprit telle une tique à sa fourrure et il se promit d'être sur ses gardes.

Petit Orage laissa Œil de Geai prendre la tête de leur groupe vers la frontière du Clan du Vent, où ils devaient retrouver les autres.

« Alors comme ça, Étoile de Feu lui a quand même donné son nom de guerrière ? insista Petit Orage.

— Elle est aussi courageuse que n'importe quel guerrier », répondit Œil de Geai en guettant la réaction de Plume de Flamme.

Quel intérêt le jeune félin portait-il à leur conversation ?

« Est-ce qu'elle est tombée malade ? s'enquit justement l'apprenti guérisseur.

— Non. Nous lui faisons souvent changer de position. Chaque jour, elle fait de l'exercice et va chercher elle-même son repas sur le tas de gibier. Ce traitement semble réussir à ses poumons et à son estomac.

— Et comment fais-tu pour qu'elle garde le moral ? » demanda encore Plume de Flamme.

Cherchait-il un signe de faiblesse ?

« C'est inutile. Elle est très positive. »

Lorsqu'ils sortirent de la forêt, Œil de Geai fut soulagé de flairer Plume de Crécerelle, Papillon et Feuille de Saule, qui les attendaient près du torrent. Il doubla l'allure pour les rejoindre.

« Il fait froid », lança-t-il en guise de salutation.

Une bise glaciale balayait la lande et ébouriffait la fourrure des guérisseurs.

« Nous n'y penserons plus une fois en route, lança Plume de Crécerelle en entamant l'ascension vers la Source de Lune. »

N'importe quel autre jour, Œil de Geai aurait savouré cet instant où les frontières et la méfiance entre Clans étaient abolies. Mais, ce soir-là, il était inquiet. Le spectre d'Étoile du Tigre menaçait la confiance qu'il vouait à ses condisciples et il resta en arrière du petit groupe qui longeait le torrent jusqu'à la source. Comme il se concentrait pour franchir les rochers, il se fit un peu distancer.

« Tu veux que nous ralentissions ? lança Petit Orage.

— Non, je vais vous rattraper », répondit le guérisseur du Clan du Tonnerre en se glissant entre deux rocs.

Il se demanda de nouveau si Étoile du Tigre et ses

camarades de la Forêt Sombre apparaîtraient à l'un des guérisseurs ce soir-là.

C'est absurde ! songea-t-il. Mais l'était-ce vraiment ? Ils étaient habitués à voir les guerriers de jadis dans leurs songes. Pourquoi pas des habitants de la Forêt Sombre, ce Lieu sans Étoiles ?

Il dérapa soudain sur une pierre glissante.

« Attention », miaula Petit Orage, la patte posée sur l'épaule de l'aveugle.

Le guérisseur du Clan de l'Ombre l'avait attendu. Il le laissa passer devant lui et se remit en route.

« Comment va Feuille de Lune ? l'interrogea le matou, inquiet pour sa vieille amie. Comment se débrouille-t-elle... en tant que *guerrière,* je veux dire ? »

Petit Orage insista sur ce mot comme s'il n'arrivait pas à croire qu'elle ait pu renoncer à être guérisseuse.

« Elle va bien », soupira Œil de Geai en pressant le pas.

Pourquoi devait-il expliquer les choix de sa mère ?

« Ça ne lui manque pas ?

— Personne ne l'a forcée à devenir guerrière ! » s'emporta-t-il.

Comment aurait-elle pu rester guérisseuse après avoir piétiné le code du guerrier ?

« Nous commettons tous des erreurs, murmura Petit Orage. Certaines ont des répercussions infinies, tel un écho qui se répète à tout jamais. »

Plume de Flamme était presque arrivé à la barrière végétale qui dominait la Source de Lune. Le temps qu'Œil de Geai y parvienne à son tour, l'apprenti du Clan de l'Ombre et Papillon s'étaient installés au bord de l'eau. Feuille de Saule cherchait encore où s'allonger.

Petit Orage s'engagea dans la descente. Œil de Geai suivit les empreintes ancestrales qui serpentaient jusqu'à la source. Il attendit les murmures qui l'accueillaient toujours en ces lieux mais ne perçut que le vent qui gémissait sur les pierres.

L'aveugle eut l'impression qu'une griffe géante lui transperçait le cœur. Nulle fourrure invisible pour se frotter contre lui ? Nul murmure de bienvenue ? Nul parfum venu du passé ?

Étaient-ils furieux parce qu'il avait brisé le bâton ? *Je suis désolé !*

Lorsqu'il prit place à son tour près du bassin, la respiration profonde de Papillon lui indiqua qu'elle dormait déjà. Il serait inutile d'explorer ses rêves. Puisque les guerriers de jadis ne lui apparaissaient jamais, il était encore moins probable que des habitants de la Forêt Sombre parviennent à franchir sa barrière d'incrédulité.

Plume de Flamme semblait un meilleur choix pour obtenir des informations sur Cœur de Tigre. Cependant, les rêves de Petit Orage, Plume de Crécerelle ou Feuille de Saule pouvaient eux aussi être utiles. Œil de Geai apprendrait peut-être qu'ils s'inquiétaient à cause de l'un de leurs camarades à la conduite étrange ou aux blessures inexpliquées.

Malgré tout, il décida qu'il valait mieux qu'il avance seul parmi ses propres ancêtres.

Il lapa une gorgée d'eau fraîche et ferma les yeux.

Un nouveau monde s'ouvrit devant lui, une végétation luxuriante où flottait une brise tiède chargée d'un parfum de gibier. Les rayons obliques du soleil filtraient entre les arbres et venaient éclabousser l'herbe haute qu'il foulait.

Œil de Geai aperçut un pelage négligé, au loin dans les sous-bois. Il l'identifia aussitôt et pressa l'allure. Il était sur le point de héler le félin lorsqu'un autre chat surgit des broussailles pour aller saluer l'ancienne guérisseuse du Clan du Tonnerre.

« Croc Jaune !

— Salutations, Plume de Flamme ! »

Œil de Geai s'arrêta net, les oreilles dressées.

« Rhume des Foins veut te parler », annonça-t-elle à l'apprenti.

Je me demande ce que l'ancien guérisseur du Clan de l'Ombre a à lui dire...

Œil de Geai se mit à suivre Plume de Flamme de loin. Il sursauta lorsque Croc Jaune surgit près de lui.

« Tu n'apprendras donc jamais ? le gronda-t-elle.

— C'est lui qui est venu dans *mon* rêve !

— Et il t'a demandé de le suivre ?

— Tu ne sais pas tout ! riposta-t-il tandis que Plume de Flamme disparaissait au loin.

— Peut-être, mais je sais que tu dois lui faire confiance. C'est un guérisseur.

— Feuille de Lune aussi était une guérisseuse », cracha Œil de Geai avec mépris.

Croc Jaune plissa les yeux et Œil de Geai se crispa, s'attendant à subir un sermon. Qui ne vint jamais. La vieille chatte semblait pensive.

« Tu as dit que je ne savais pas tout, murmura-t-elle. Dis-moi, qu'est-ce que j'ignore ?

— Tu as toute la nuit devant toi, j'espère ?

— Nous n'avons pas le temps pour tes traits d'esprit ! grogna-t-elle, le regard noir. Plusieurs d'entre nous sont inquiets. Une vague de ténèbres se prépare à déferler sur les Clans. Voilà peut-être pourquoi nous aurons besoin des Trois.

— Une vague de ténèbres ? Tu sais ce que ça veut dire ?

— Non, nous espérions que toi, tu le saurais.

— Tout ce que nous avons compris, c'est qu'Étoile du Tigre recrute des guerriers de différents Clans pendant leur sommeil. Plume de Faucon l'aide peut-être.

— Il les recrute ? Pourquoi ? s'étonna-t-elle, les yeux écarquillés.

— La Forêt Sombre se soulève. » Œil de Geai entendit ses propres paroles comme si ce n'était pas lui qui les prononçait. Son cœur s'emballa. « La Forêt Sombre se soulève contre nous.

— Qu'est-ce que tu veux dire ? murmura-t-elle, la fourrure hérissée.

— Étoile du Tigre entraîne des combattants contre nous. Il a déjà recruté Pelage de Brume. Je l'ai affronté près de la Source de Lune. Et il n'était pas seul. Un autre guerrier se battait à ses côtés, venu lui aussi de la Forêt Sombre.

— Qui ?

— Je l'ignore. Un grand matou au pelage sombre. Je ne l'ai pas reconnu.

— Tu penses qu'il est de mèche avec Étoile du Tigre ?

— Oui, comme Plume de Faucon. » Œil de Geai eut soudain très froid. « Je ne sais pas combien ils sont. Mais ils pénètrent dans les rêves de certains guerriers des Clans – des guerriers qui ont une raison de nous en vouloir ou qui sont leurs parents. Ils les entraînent à se battre.

— Et tu soupçonnes Plume de Flamme d'être une de leurs recrues ? s'indigna-t-elle. C'est un guérisseur !

— Nous ne savons plus à qui nous fier. La nuit, Cœur de Tigre empiète sur notre territoire. Et il n'est peut-être pas le seul. J'ai promis à Pelage de Lion d'essayer de découvrir s'il y en avait d'autres. Peut-être dans le Clan de la Rivière. Des parents de Plume de Faucon. »

Croc Jaune s'assit.

« Dans ce cas, ils avaient raison de s'inquiéter, marmonna-t-elle comme pour elle-même.

— Qui ça, ils ? miaula Œil de Geai, apeuré. Les membres du Clan des Étoiles ? » Comment le Clan des Étoiles lui-même pouvait-il être inquiet ? Un frisson glacé lui glissa le long du dos. « Que devons-nous faire ? »

Le regard ambré de Croc Jaune se perdit au loin, bien au-delà d'Œil de Geai.

« Nous devons pénétrer dans la Forêt Sombre. »

CHAPITRE 16

❧

L**ES ARBRES AU FEUILLAGE TOUFFU** murmuraient doucement dans la brise. Croc Jaune franchit d'un bond un ruisseau qui serpentait dans l'herbe haute. Œil de Geai la suivit en se délectant de sentir l'herbe tendre sous ses pattes après le sol couvert de feuilles mortes de la forêt. Elle le conduisit à travers d'épais buissons qui semaient rosée et pollen sur leur pelage.

Une prairie ensoleillée s'étendait devant eux, ornée d'arbres et parsemée de fleurs. Des guerriers au poil soyeux et à l'air serein cheminaient dans l'herbe ou s'étiraient paresseusement au soleil. Un matou tigré, tapi au sol, remua l'arrière-train avant de bondir sur une souris dodue. Une chatte blanche au bout des pattes rose sortit du tronc creux d'un frêne et griffa joyeusement l'écorce tout en observant un écureuil filer le long d'une branche haute. Tout à coup, elle grimpa le tronc à toute allure et disparut dans le feuillage.

Œil de Geai leva la truffe. Des parfums quasi familiers flottaient dans l'air : le Clan du Vent, le Clan de l'Ombre, le Clan du Tonnerre et le Clan de la Rivière.

« Bonjour, Rivière d'Argent, ronronna Croc Jaune à l'adresse d'une femelle grise qui sortait d'un bouquet de fougères.

— Salutations, Croc Jaune. As-tu vu Jolie Plume ?

— Elle se reposait près des Rocs Chauds, tout à l'heure.

— Merci. »

Rivière d'Argent fendit la prairie en agitant le bout de la queue.

Œil de Geai plissa les yeux.

« Pas de querelles. Pas de mauvaise saison. Pas de disette, lâcha-t-il. Pas étonnant que tous semblent satisfaits.

— Nous ne cessons jamais de veiller sur ceux que nous avons laissés derrière nous, et de nous inquiéter pour eux.

— Si c'est ici que nous devons finir, pourquoi s'inquiéter ?

— Personne ne souhaite voir un de ses semblables souffrir. Et tous les chemins ne conduisent pas jusqu'ici », répondit Croc Jaune.

Œil de Geai frémit en se rappelant leur destination. Une autre fourrure familière attira son attention. Si familière que cela en était effrayant. Poil roux flamboyant, larges oreilles dressées, prunelles émeraude – le matou agile se glissait entre les buissons, droit devant. Il paraissait plus pâle que les autres, presque invisible. Et pourtant, il *était* là.

« Étoile de Feu ? souffla Œil de Geai.

— Pas tout à fait, le rassura-t-elle gentiment. Cinq de ses vies sont ici, mais il ne pourra pas nous voir ni nous entendre avant que sa neuvième vie nous ait rejoints. »

Il regarda le chat fantomatique disparaître derrière un chêne. Est-ce qu'Étoile de Feu sentait ses vies lui échapper peu à peu ? *Non.* Il repoussa cette idée. Comment pourrait-il rester un chef si fort, si c'était le cas ?

Le guérisseur se rendit alors compte que d'autres silhouettes étaient plus pâles encore. Certaines si transparentes qu'elles semblaient à peine être là. De la brume plus que de la chair.

« Est-ce qu'ils sont à moitié morts, ceux-là aussi ? demanda-t-il à Croc Jaune tandis qu'un matou écaille aux allures de spectre croisait leur chemin sans répondre au signe de tête que lui adressait la vieille chatte.

— Non. Ils sont là depuis longtemps, très long-temps, expliqua-t-elle. Si longtemps qu'ils sont presque oubliés.

— De tous ? fit Œil de Geai, que cette idée glaçait d'effroi.

— Il ne faut pas craindre de sombrer dans l'oubli. Nul n'est éternel, pas même les étoiles. Tous les chats disparaissent. Peu à peu puis complètement. Ils ont mérité de reposer en paix. »

Œil de Geai imagina Croc Jaune se fondre dans le néant. Son cœur se serra.

« Ne t'inquiète pas, ronronna-t-elle comme si elle avait lu dans ses pensées. Qui pourrait oublier mon caractère de vieux blaireau acariâtre ?

— Hé ! Croc Jaune ! »

Une jolie chatte écaille les salua depuis les rochers qui dominaient une cascade plongeant dans une rivière étincelante. Elle sauta à terre et disparut un moment dans l'herbe haute avant de reparaître devant eux en s'ébrouant pour faire tomber les graines prises dans sa fourrure.

Œil de Geai reconnut Petite Feuille.

« Salutations, dit-il.

— Où allez-vous ? » demanda-t-elle.

Ses yeux, aussi brillants que les étoiles, s'assombrirent soudain en croisant le regard dur de Croc Jaune.

« Dans la Forêt Sombre.

— Non, vous ne devez pas faire ça !

— Nous n'avons pas le choix. »

Œil de Geai observait l'échange, la tête inclinée. Il avait du mal à déterminer laquelle était la plus effrayée : elles avaient beau tenter de cacher leurs émotions, leur peur était palpable.

« Étoile du Tigre complote contre nous, expliqua-t-il. Nous devons découvrir ce qu'il trame.

— Est-ce bien raisonnable d'y aller seuls ? demanda Petite Feuille, que ce nom avait hérissée. Je viens avec vous.

— Je voudrais éviter d'attirer trop l'attention, objecta Croc Jaune.

— Étoile de Feu ne me le pardonnerait jamais si je laissais quoi que ce soit arriver à Œil de Geai.

— Tu parles de moi comme d'un chaton vulnérable, protesta-t-il.

— Vous allez voir Étoile du Tigre, lui rappela-t-elle. Face à lui, tout le monde est vulnérable.

— Alors le temps est peut-être venu de changer cela ! » s'écria-t-il, la queue fouettant l'air.

Œil de Geai mit Petite Feuille au courant des manigances d'Étoile du Tigre puis ils cheminèrent sous les arbres en silence. À mesure qu'ils progressaient, la végétation perdait de sa luxuriance. Les troncs s'affinaient, les branches devenaient hors d'atteinte. Le soleil se fondit dans le ciel, diffusant une lumière blanche étrange qui imprégnait les bois telle de l'eau autour d'une roselière. Œil de Geai inspira une goulée d'air froid et humide. Il ne sentit qu'une odeur de pourriture. L'herbe se raréfia sous leurs pattes avant de disparaître tout à fait, tandis que de la brume noyait le sol nu. Elle s'épaissit et les enveloppa si bien qu'Œil de Geai ne vit bientôt plus le pelage épais et négligé de Croc Jaune et n'entendit plus le pas léger de Petite Feuille.

L'air devint si épais qu'il toussa. Il pressa l'allure dans l'espoir de rattraper les deux chattes. Il n'osait pas les appeler, de crainte que d'autres ne l'entendent. Le sol devint tourbeux sous ses pattes.

Où sont-elles ?

Le cœur affolé, le sang battant à ses tempes, il se mit à courir aussi vite que possible.

Croc Jaune ! Petite Feuille !

Il ne voyait plus rien. Le brouillard l'étouffait. C'était encore pire que de courir à l'aveuglette sur le territoire du Clan du Tonnerre. Alors qu'il filait à travers les arbres, il trébucha sur une racine noueuse. Malgré la douleur qui lui transperçait la patte, il poursuivit. Un miaulement retentit dans la brume et le guérisseur entendit bientôt des pas marteler le sol derrière lui.

Quelqu'un le pourchassait !

Il redoubla l'allure, slaloma entre les arbres, les frôlant de si près que ses poils se coinçaient dans l'écorce. Malgré tout, son poursuivant gagnait du terrain.

La panique le guettait. Il n'arrivait presque plus à respirer tant il courait vite.

Crac !

Le choc contre l'arbre l'ébranla de la truffe au bout de la queue. Il tituba et tomba, assommé, le poitrail dans une flaque. Alors qu'il roulait sur le dos, il vit une silhouette se pencher sur lui et un large museau émerger de la brume.

« Non ! gémit-il.

— C'est moi, Croc Jaune, cervelle de souris ! gronda la chatte avant de le relever par la peau du cou.

— Tu l'as trouvé ! haleta Petite Feuille en accourant, hors d'haleine.

— Nous devons rester groupés », feula l'ancienne, qui tremblait de rage.

Œil de Geai l'avait déjà vue de mauvais poil, mais jamais si furieuse. Il comprit alors à quel point elle avait peur.

Il hocha la tête et tenta de reprendre son souffle.

« Venez », fit Croc Jaune.

Elle se mit en route puis s'arrêta un instant pour s'assurer qu'ils la suivaient. Ils continuèrent leur chemin dans la boue jusqu'à ce que la brume se lève un peu.

Œil de Geai reconnut les arbres, la lumière inquiétante, le silence où le moindre bruit résonnait étrangement. Il avait déjà vu Étoile du Tigre une fois. Ce jour-là, Petite Feuille était venue le chercher pour le ramener en lieu sûr. Elle était loin d'être ravie de revenir dans le Lieu sans Étoiles ; ses poils étaient hérissés, ses yeux écarquillés. Mais Croc Jaune était plus effrayée encore.

Œil de Geai lui jeta un coup d'œil nerveux. Jamais il n'aurait cru qu'elle pouvait avoir peur de quoi que ce soit. Pourtant, la raideur de sa démarche trahissait une terreur abyssale. Pour en avoir le cœur net, il se glissa dans son esprit.

Il fut aussitôt pris de panique. Des images obsédantes hantaient les pensées de l'ancienne guérisseuse du Clan du Tonnerre. Un chat massif au pelage sombre. Des baies empoisonnées, aussi rouges et luisantes que des gouttes de sang. Une peine, une fureur déchirantes.

Curieux, il voulut creuser plus loin. *Non !* Il devait se concentrer sur son environnement. Leur expédition était suffisamment dangereuse sans qu'il se perde dans les cauchemars d'un autre félin.

Œil de Geai redressa la tête en entendant un bruissement de feuilles au loin, dans les taillis, et des piétinements. Il jeta un coup d'œil étonné à Petite Feuille.

« Non, il n'y a pas de gibier, ici », miaula-t-elle.

Le guérisseur frémit, glacé par l'idée qu'on les épiait depuis les ombres. Il scruta les arbres. Des yeux luisaient dans l'obscurité.

Œil de Geai se rapprocha de Petite Feuille.

« Qui est-ce ? murmura-t-il.

— Des chats, morts et oubliés depuis longtemps. Ignore-les. »

Comment ? Œil de Geai devinait leurs regards menaçants, leurs esprits hantés par leurs actes machiavéliques qu'ils étaient à présent les seuls à se rappeler.

Croc Jaune marqua une pause et leva la truffe.

« Nous devons trouver Étoile du Tigre et découvrir ce qu'il trame.

— Tu crois que nous allons le prendre par surprise ?

s'étonna Petite Feuille. Il connaît trop bien cette forêt. Il saura que nous sommes là bien avant que nous le trouvions. »

Œil de Geai s'engagea sur un sentier qui serpentait entre les arbres gris.

« Il faut quand même essayer, dit-il. Sinon, pourquoi sommes-nous venus ? »

Il flaira une odeur de matou. Elle suscita en lui une vague impression de malaise mais il ne put déterminer à quel Clan elle appartenait. Il jeta un coup d'œil à ses deux compagnes.

Petite Feuille avait la gueule entrouverte et les narines frémissantes.

« Tu as senti cette odeur ? lui demanda-t-il.

— Attendez ! lança Croc Jaune qui scrutait la forêt d'un air épouvanté. Rentrons. Nous n'arriverons à rien, ici. »

Mais qu'est-ce qui pouvait bien l'effrayer autant ?

Un miaulement caverneux résonna sur le sentier, un peu plus loin :

« Bonjour. »

Œil de Geai aperçut un énorme chat noir qui bloquait le passage.

« Que fais-tu ici ? »

Œil de Geai se figea, toujours incapable de reconnaître cette odeur. Où avait-il déjà rencontré ce guerrier ? Il leva bravement le menton et se préparait à lui répondre quand il se rendit compte que le nouveau venu ne s'adressait pas à lui. Son regard ambré était rivé à Croc Jaune.

Œil de Geai fut happé par un tourbillon de souvenirs. Croc Jaune hurlant pendant qu'elle mettait bas dans les ténèbres pour se cacher de son Clan. Une petite boule de fourrure tombant dans le nid d'une autre reine, qui n'avait que faire de son nouveau protégé, qu'elle mordait, griffait et privait de lait pour le punir d'avoir vu le jour. Puis le chaton devint adulte. *Étoile Brisée*. Ce nom embrasa l'esprit d'Œil de Geai. Un guerrier puissant et musculeux, un survivant assoiffé de pouvoir. Les images continuaient à défiler. La mort d'un chef et un Clan plongé dans le chaos, perdu dans les ténèbres. Soudain, Œil de Geai revit Croc Jaune, plus forte que jamais ; le guerrier, lui, était affaibli, meurtri, emprisonné, et pourtant son regard aveugle brillait toujours d'un éclat meurtrier. À travers les yeux de Croc Jaune, Œil de Geai le vit se débattre tandis qu'elle le forçait à avaler des baies empoisonnées, se tordre de douleur puis mourir en jurant de se venger. Œil de Geai crut que son cœur allait éclater, trop plein de la douleur et de la culpabilité d'une reine qui avait donné la vie à un tel monstre. Et qui la lui avait reprise.

J'ai assassiné mon propre fils !

Tout frémissant, Œil de Geai inspira profondément et s'extirpa de ces visions cauchemardesques.

C'était Étoile Brisée. Le fils de Croc Jaune !

Le matou fixait sa mère avec un froid mépris, ses crocs découverts brillant dans la lumière inquiétante.

Œil de Geai se colla à Croc Jaune.

« C'est ton fils, souffla-t-il. Tu étais pourtant guérisseuse ! »

La chatte arracha son regard du matou et contempla Œil de Geai.

« Tout le monde fait des erreurs, gronda-t-elle.

— Qu'est-ce que tu veux ? » cracha Étoile Brisée.

Œil de Geai bataillait avec ce qu'il avait vu et appris

de Croc Jaune pendant ce bref instant de communion mentale.

Je lui faisais confiance ! Elle ne vaut pas mieux que Feuille de Lune !

Petite Feuille se planta devant Étoile Brisée.

« Qu'est-ce que vous manigancez ? » demanda-t-elle d'une voix autoritaire.

Étoile Brisée la jaugea comme s'il venait tout juste de remarquer sa présence.

« Rien.

— Je parle des séances d'entraînement que vous donnez à certains de nos guerriers », précisa-t-elle.

Étoile Brisée cilla et son expression s'adoucit.

« Quelles séances d'entraînement ? miaula-t-il en feignant l'innocence. Pourquoi ferions-nous ça ?

— C'est bien ce que nous voulons savoir, rétorqua Petite Feuille sans se démonter.

— Si vous ne me croyez pas, faites comme chez vous, suggéra-t-il en ronronnant. Explorez un peu les environs. Vous verrez bien que nous ne faisons rien de mal. »

Œil de Geai suivit le regard du guerrier vers les arbres gris et humides, drapés dans la brume fantomatique.

« Allez où vous voulez, insista-t-il.

— Entendu. »

Petite Feuille fit un pas en avant mais il l'empêcha de continuer.

« Évidemment, murmura-t-il d'un ton mielleux, si je laisse le Clan des Étoiles voir la Forêt Sombre, alors vous devrez me laisser visiter votre terrain de chasse. » Il montra les crocs et ajouta : « Ce n'est que justice, non ? Comme le prône le code du guerrier. »

Une grimace triomphante lui déforma le museau.

Croc Jaune bondit devant lui, le poil hérissé.

« Ça n'arrivera jamais !

— Dans ce cas, vous ne pouvez pas pénétrer plus loin sur mon territoire », répondit-il avec un haussement d'épaules.

Sur ces mots, il fit volte-face.

Œil de Geai se jeta à sa suite, la fourrure en bataille.

« Non ! rugit Petite Feuille en lui barrant la route pour l'empêcher d'attaquer. Tu n'es pas de taille à remporter ce combat. »

Déçu, Œil de Geai hocha la tête. Elle avait raison. Si seulement Pelage de Lion pouvait le suivre jusqu'ici !

« Venez. »

Petite Feuille rebroussa chemin et, du bout du museau, elle encouragea doucement Croc Jaune à partir. La vieille chatte avança droit devant elle, les yeux dans le vague, pleins de chagrin. Œil de Geai n'avait plus aucune envie de se plonger dans ses pensées, à présent.

Ils suivirent le sentier jusqu'à ce qu'Étoile Brisée ait disparu derrière eux dans la brume.

Le guérisseur trébucha lorsque Petite Feuille le poussa soudain hors du sentier, dans une barrière peu haute de fougères fanées. Croc Jaune s'arrêta et regarda autour d'elle, perplexe.

« Par ici ! l'appela Petite Feuille.

— Qu'est-ce que vous faites ? demanda l'ancienne en se glissant près d'eux, déroutée.

— Rentre, lui ordonna la jeune chatte. Ici, tu ne nous es d'aucune aide tant qu'Étoile Brisée est dans les environs. Il corrompt ton jugement. » Du bout de la truffe, elle frôla l'épaule de sa camarade. « Retourne au Clan des Étoiles, où tu es aimée. »

Croc Jaune battit des cils et soupira.

« Très bien.

— Si nous ne revenons pas, envoie-nous une patrouille.

— Entendu. Je vous attendrai près de la cascade. Soyez prudents ! lança-t-elle en sortant des fougères.

— Promis. »

Petite Feuille entraîna Œil de Geai plus loin encore du sentier et se glissa dans les sous-bois sombres et brumeux.

Œil de Geai restait tout près d'elle. À force de marcher dans la terre poisseuse, ses pattes étaient froides et mouillées.

Ils sortirent enfin des fougères, face à un ruisseau gazouillant. Ses eaux, sombres et stériles, ondoyaient paresseusement entre les arbres.

Petite Feuille scruta le cours d'eau en aval puis en amont. Pas de tronc tombé en travers. Pas de rochers émergeant à sa surface. Œil de Geai frémit. *Pourvu qu'elle ne suggère pas qu'on le traverse à la nage !*

« Regarde ! » souffla-t-elle.

Des silhouettes progressaient entre les arbres, sur la rive opposée. Des guerriers se rassemblaient, à moitié visibles dans la brume.

« Vise toujours la gorge. » Un matou tigré au pelage sombre faisait la leçon aux autres. Il saisit un chat brun élancé entre ses griffes et le projeta à terre. « Vous voyez ? »

La victime gigota vainement tandis que le tigré faisait courir une griffe le long de sa gorge, laissant une ligne sanglante dans son sillage.

Œil de Geai sentit Petite Feuille se crisper près de lui.

« Éclair Noir », murmura-t-elle.

Ce dernier se tourna vers eux. Œil de Geai baissa la tête, le cœur battant.

« C'est bon, il ne nous a pas vus », le rassura Petite Feuille.

Un grondement guttural leur fit dresser tous les poils. Plume de Faucon sortit de l'ombre et, d'un coup de patte, écarta Éclair Noir de sa victime.

« Concentre-toi sur ce que tu fais ! »

Il renvoya brutalement le guerrier ensanglanté vers ses camarades alignés devant lui. Le matou brun s'ébroua et lécha sa blessure.

« Tu t'inquiéteras plus tard pour ta fourrure ! » feula Plume de Faucon.

Le chat s'arrêta en pleine toilette et regarda Plume de Faucon, les yeux écarquillés.

« Tu voulais apprendre des coups mortels ! cracha le matou. Alors arrête de te comporter comme un chaton apeuré et écoute. » Il se tourna vers un guerrier blanc squelettique qui les observait, les yeux à demi clos. « Viens là, Patte de Neige ! »

Le félin blanc s'avança d'un pas prudent.

« Tu es prêt à apprendre ? railla Plume de Faucon.

— C'est pour ça que je suis là, répliqua l'autre, l'œil brillant.

— Tant mieux. » Le mâle aux yeux bleus saisit soudain l'autre par la gorge, le souleva avec ses pattes et se tourna vers les autres. « Queue de Rat, viens ici ! »

Tandis que Patte de Neige se débattait dans l'air, un chat brun sombre s'approcha.

« Éventre-le », lui ordonna Plume de Faucon.

Une lueur sanguinaire éclaira les yeux du nouveau venu.

Le souffle d'Œil de Geai s'accéléra. Un jet de bile lui monta dans la gorge.

« Non ! souffla-t-il. Le code du guerrier ne permettrait jamais une attaque aussi cruelle. »

Les griffes plantées dans le sol, Petite Feuille murmura avec dégoût :

« Ceux-là ont toujours vécu en dehors du code. Ils étaient des chats errants au sein de leur propre Clan. Ils le sont toujours. C'est pour ça qu'ils sont là. Ils n'ont jamais mérité le nom de guerriers. »

Œil de Geai sentit une haleine fétide sur sa nuque.

« Vous vous trompez. »

Les deux félins firent volte-face.

Assis au milieu du sentier, Étoile du Tigre les fixait avec mépris.

« Ici, nul code ne nous dit ce qu'il est possible ou pas de faire. » Son regard glissa un instant vers Plume de Faucon. « C'est votre monde qui est limité par des règles et des attentes ridicules. »

Œil de Geai vit rouge.

« Un véritable cœur de guerrier n'a besoin d'aucune règle pour le guider ! Il ne peut pas faire le mal !

— Tant d'innocence, c'est touchant, non ? miaula Étoile du Tigre, l'air amusé, à Petite Feuille.

— C'est de la bonté, pas de l'innocence, rétorqua celle-ci en se redressant.

— Tiens donc ! Est-ce que les chats vraiment pétris de bonté espionnent les autres ?

— S'il n'y a pas d'autres solutions pour apprendre ce qu'il se passe, oui, feula-t-elle.

— Vous auriez pu simplement m'interroger.

— Très bien, fit Œil de Geai en forçant ses épaules crispées à se relâcher. Pourquoi entraînes-tu certains de nos camarades ? »

Étoile du Tigre balaya la forêt du regard.

« Je ne vois aucun chat des Clans ici. » Puis il gratifia Œil de Geai d'un coup d'œil si glacial que le guérisseur dut planter ses griffes dans le sol pour empêcher ses pattes de trembler. « À part vous deux. Et vous empiétez sur mon territoire. » Son haleine puante envahit la truffe d'Œil de Geai lorsqu'il se pencha vers lui. « Ce qui fait de vous les seuls à enfreindre les règles. Étoile Brisée ne vous a-t-il donc pas ordonné de partir ? »

Comment le sait-il ?

Petite Feuille foudroya Étoile du Tigre du regard.

« Pourquoi prendre la peine d'entraîner ces chats à maîtriser des attaques mortelles ?

— Et pourquoi pas ?

— Vous êtes déjà morts !

— Ce n'est pas une raison pour perdre nos talents guerriers, répondit-il en haussant les épaules.

— Et pourquoi auriez-vous besoin de ces talents ici ? cracha Œil de Geai.

— Guerrier un jour, guerrier toujours », ronronna Étoile du Tigre.

Petite Feuille s'approcha pour le défier :

« Tu as renoncé à l'honneur d'être un guerrier à l'instant où tu as décidé de tuer Étoile Bleue ! Tu n'as pas le droit de voler la loyauté des guerriers des Clans pour les retourner contre leurs camarades !

— Vraiment ? Et qui m'en empêchera ?

— Nous ! » s'écria Œil de Geai en collant son museau à celui du puissant félin.

Étoile du Tigre le chassa d'un coup de patte. Le souffle coupé, Œil de Geai grimaça de douleur lorsque son oreille percuta le sol. Il se releva tant bien que mal et fit face à son adversaire. Il refusait de laisser ce fantôme penser qu'il lui faisait trop peur pour qu'il le combatte.

« Ne te fatigue pas, lâcha l'autre. C'est un duel perdu d'avance. » Il tourna les talons en miaulant : « Maintenant, fichez le camp d'ici avant que je vous livre à mes amis pour qu'ils s'entraînent sur vous.

— Viens, murmura Petite Feuille. Nous ne pouvons rien faire de plus. »

Œil de Geai se hâta de la suivre. Le cri d'agonie de Patte de Neige derrière eux lui donna la nausée.

CHAPITRE 17

❧

Pᴇʟᴀɢᴇ ᴅᴇ Lɪᴏɴ n'arrivait pas à dormir. Œil de Geai avait-il découvert quelque chose, à la Source de Lune ? Arpentait-il les rêves d'un autre chat, à cet instant précis ? Ils devaient identifier leurs ennemis avant qu'il ne soit trop tard.

Le guerrier doré s'assit et observa le ciel à travers les branches. La demi-lune semblait trembler derrière les feuilles et la Toison Argentée scintillait tout autour d'elle. Ses camarades étaient blottis au creux de leurs nids, près de lui, baignés dans une lumière cristalline. Est-ce que certains d'entre eux suivaient l'entraînement d'Étoile du Tigre, pendant leur sommeil ?

Poil de Fougère ? Un muscle tressautait sur le flanc du guerrier. *Impossible.* Quelle faiblesse Étoile du Tigre aurait-il pu trouver chez lui ?

Poil d'Écureuil ? Il avait beau lui en vouloir à mort pour ses mensonges, il n'arrivait pas à croire qu'elle puisse se laisser persuader de trahir ses camarades.

Pelage de Poussière ? Le matou brun contredisait souvent Étoile de Feu, mais Pelage de Lion soupçonnait ces deux-là de prendre plaisir à se quereller, se provoquant mutuellement sans jamais en garder de ressentiment.

Aile Blanche ? Jamais. Juste… impossible.

Son regard se posa sur Cœur d'Épines. *Peut-être.* Naguère, c'était un ami proche de Pelage de Granit. Œil de Geai devrait peut-être explorer les rêves de Cœur d'Épines.

Feuille de Lune ? Nul chat de la Forêt Sombre n'aurait été assez stupide pour penser qu'elle pourrait se retourner contre ses camarades.

Et Cœur Cendré, alors ?

La chatte grise releva justement la tête.

« Pelage de Lion ? »

Le guerrier doré cligna des yeux. À quoi pensait-il donc ? Comment pouvait-il douter de la loyauté de ses amis ?

« Je n'arrive pas à dormir, murmura-t-il.

— Allons faire un tour », proposa-t-elle en bâillant.

D'un bond, elle sortit de son nid et disparut dans la clairière.

Pelage de Lion la suivit, content d'avoir de la compagnie. Si quelqu'un était capable de lui faire oublier ses idées noires, c'était bien elle.

Son pelage argenté brillait sous les étoiles et ses yeux semblaient presque noirs dans l'obscurité.

« Viens », miaula-t-elle avant de filer vers la barrière de ronces.

Renforcée par un empilement de branches, elle protégeait l'entrée du camp comme jamais. La chatte se glissa dans le tunnel et Pelage de Lion l'imita.

Dans la forêt, un vent frais agitait les arbres nus.

« Forêt ou lac ? demanda la guerrière.

— Forêt. »

Pelage de Lion n'avait pas envie de traîner sur la rive où ils seraient trop exposés. Il était plus facile de se déplacer sur les sentes des bois sans se faire remarquer. Et s'ils allaient jusqu'à la frontière du Clan de l'Ombre, il pourrait guetter l'odeur de Cœur de Tigre. Il s'engagea dans le ravin rempli de feuilles mortes. Cœur Cendré le doubla à toute allure et, d'un coup de patte, souleva une pluie de feuilles qui retombèrent sur le dos du guerrier. Elle fonça tout droit avant qu'il puisse riposter et s'immobilisa plus loin, le souffle court, attendant qu'il la rejoigne, sa fine silhouette nimbée d'argent.

« Tu as remarqué que Nuage de Lis et Nuage de Colombe s'évitent ? »

La question de la chatte le prit par surprise.

« Non.

— Tu devrais les observer, suggéra-t-elle. Elles ne partagent presque plus leur repas.

— Les frères et les sœurs, ça se dispute tout le temps », répondit-il avec un haussement d'épaules.

Petits, Feuille de Houx et lui se querellaient sans cesse, surtout quand sa sœur se montrait trop autoritaire. Son cœur se serra et il chassa ce souvenir.

« Pas Nuage de Colombe et Nuage de Lis, insista-t-elle. Elles ont toujours été très proches. » Son regard bleu s'embruma, nostalgique. « Mais j'imagine que je me disputais moi aussi avec Pelage de Miel et Nuage de Loir, lorsqu'ils étaient en vie. »

Cœur Cendré eut l'air si triste qu'il voulut lui rappeler qu'elle avait toujours de la famille dans le Clan.

« Ça fait des lunes que tu ne t'es pas fâchée avec Pavot Gelé.

— Elle est trop occupée avec Petite Cerise et Petit Loir pour ça. » Elle s'illumina soudain. « Ce sont de sacrés chenapans, pas vrai ? Enfin, ils sont mignons quand même.

— Oui, quand ils dorment », ronronna Pelage de Lion.

Ils n'étaient pas venus là pour pleurer sur leurs frères et sœurs perdus. Pelage de Lion voulait oublier un instant ses soucis. Il grimpa sur un talus et contourna un roncier.

Cœur Cendré le suivit, le frôlant parfois lorsqu'elle se glissait entre des branches piquantes.

« J'aimerais vraiment que Nuage de Lis ne se sente pas en rivalité avec Nuage de Colombe, soupira-t-elle.

— C'est normal, pour des apprenties.

— Peut-être, mais cela n'a commencé que lorsque Nuage de Colombe a été choisie pour partir en mission. Je crois que tout vient de là. D'ailleurs, pourquoi Étoile de Feu l'a-t-il choisie ? J'ai entendu dire que le Clan des Étoiles lui avait envoyé une vision. C'est vrai ?

— C'est ce qu'elle a dit, répondit-il, évasif. Quoi qu'il en soit, nous avons eu de la chance.

— Elle est peut-être spéciale, comme Œil de Geai. Tu crois qu'elle devrait devenir apprentie guérisseuse ? Est-ce qu'Œil de Geai accepterait de la former ?

— Je te déconseille d'en parler à Nuage de Colombe. Elle serait horrifiée. C'est une guerrière jusqu'à la moelle. »

Elle lui jeta un coup d'œil avant de reprendre :

« Tu devrais peut-être lui parler pour qu'elle soit un peu plus prévenante avec sa sœur.

— Pourtant, Nuage de Lis fait de gros progrès, lui

fit-il remarquer. Peut-être que cette rivalité lui fait du bien. »

Cœur Cendré agita la queue, agacée.

« Courons un peu, suggéra-t-il pour éviter que leur promenade ne soit gâchée par des désaccords concernant leurs apprenties. Ça nous réchauffera.

— D'accord. » Tout à coup, elle ouvrit la gueule et regarda en l'air. « Oh, non ! »

Inquiet, il leva la tête à son tour.

« Ha, ha, je t'ai bien eu ! lança-t-elle en fonçant à travers la forêt.

— Tricheuse ! »

Alors qu'il allait la rattraper, elle se glissa dans le tronc creux d'un arbre. Il le contourna et la doubla au moment où elle en ressortait, des toiles d'araignées collées à sa queue touffue.

Pelage de Lion était en tête, à présent. Il grimpa sur un escarpement rocheux. Cœur Cendré y bondit après lui, si près qu'il sentit le museau de la chatte lui frôler la queue. Alors que ses griffes crissaient sur la roche, il repensa à Œil de Myosotis et à leurs jeux dans les tunnels.

Il s'arrêta au sommet, le souffle court.

« Attends ! cria-t-il quand Cœur Cendré lui passa devant à toute allure.

— Tu es déjà fatigué ? lança-t-elle par-dessus son épaule en s'immobilisant brusquement.

— Non.

— On pourrait grimper aux arbres, à la place. » Une lueur malicieuse éclaira son regard. « Oh, j'avais oublié que tu n'aimais pas ça !

— Pourquoi grimper quand on peut courir ? »

D'un bond, Pelage de Lion repassa devant elle et

fonça à travers la forêt. Il n'était pas dans les tunnels et Cœur Cendré n'était pas Œil de Myosotis. Cette chatte appartenait au Clan du Tonnerre, de la truffe au bout de la queue. Il n'y avait rien de mal à passer du temps avec elle. Plus libre et plus heureux qu'il ne l'avait été depuis des lunes, il obliqua soudain vers le lac.

Je refuse de me cacher dans l'ombre comme une proie !

Cœur Cendré sur les talons, il contourna une touffe de fougères et sortit de la forêt. Ses pattes glissèrent sur la pente herbeuse. Cœur Cendré le prit de vitesse et arriva la première sur la rive dans un crissement de galets.

Elle fonça dans le lac et s'arrêta au milieu des vagues, de l'eau jusqu'au ventre.

« Je te mets au défi de te mouiller les pattes !

— Hors de question ! » répliqua-t-il en s'arrêtant de justesse au bord de l'eau.

Cœur Cendré plongea jusqu'aux épaules et se mit à nager, le souffle coupé par la froideur de l'eau. Pelage de Lion avait oublié qu'Œil de Geai lui avait appris à nager pour remuscler sa patte après son accident.

« Tu ressembles à une chatte du Clan de la Rivière ! lança-t-il. Et si tu m'attrapais un poisson, pendant que tu y es ? »

Cœur Cendré sortit de l'eau et s'ébroua. Pelage de Lion recula pour éviter de se faire mouiller.

« Je t'interdis de dire ça ! souffla-t-elle, les yeux pétillants. J'appartiens au Clan du Tonnerre du fond du cœur !

— Et j'en suis bien content. »

Pelage de Lion repoussa tout souvenir d'Œil de

Myosotis et admira sa camarade énergique, dont le pelage trempé formait des pointes.

Cœur Cendré cilla.

« Évidemment ! s'écria-t-elle. C'est le meilleur Clan qui existe. »

Pelage de Lion regarda ses pattes. Ce n'était pas vraiment ce qu'il avait voulu dire. Si gêné que ses oreilles le brûlaient, il se mit à marcher le long de la berge. Il se demandait s'il ne valait pas mieux qu'elle n'ait pas compris son compliment maladroit. *Elle doit me prendre pour une cervelle de souris.*

« Brrr ! fit-elle en le rattrapant, tremblante de froid.

— Rentrons au camp avant que tu attrapes la mort. »

Il l'entraîna vers le sommet du coteau puis dans la forêt, pressé contre elle pour la réchauffer un peu. Elle sentait bon – un mélange de mousse et de chaleur, comme un nid douillet.

« Merci pour la balade, murmura-t-il à l'approche de la combe.

— De rien. C'était chouette. Nous le paierons demain matin, ajouta-t-elle en bâillant.

— Ça en valait la peine », ronronna-t-il.

Il se réjouit d'avoir pu oublier pendant quelques instants la prophétie et la Forêt Sombre.

Il se réveilla tard. Griffe de Ronce organisait déjà les patrouilles de l'aube lorsqu'il ouvrit les yeux. Après s'être ébroué pour s'éclaircir les idées, il s'extirpa de son nid et sortit de sous la branche du hêtre.

Cœur Cendré s'était rapprochée de leur lieutenant, comme les autres guerriers.

« Est-ce que Nuage de Lis et moi pouvons nous joindre à la patrouille frontalière ? » s'enquit-elle.

Griffe de Ronce jeta un coup d'œil à Poil de Fougère, qui accepta d'un frétillement d'oreilles.

« C'est d'accord. »

Pelage de Lion tenta de croiser le regard de Cœur Cendré, espérant y retrouver un peu de la chaleur qu'elle lui avait témoignée la veille. Mais elle se contenta de hocher brusquement la tête.

« Je pars en patrouille avec Nuage de Lis, lui dit-elle d'un ton sec.

— J'ai entendu. »

Faisait-elle exprès de se montrer distante ou bien avait-elle moins apprécié leur balade que lui ?

Nuage de Colombe le tira de ses pensées.

« Griffe de Ronce veut que nous allions chasser avec Cœur d'Épines », déclara-t-elle.

La patrouille frontalière était déjà sur le départ. Pelage de Lion vit la queue de Nuage de Lis disparaître dans la barrière de ronces.

« Ça ne t'ennuie pas, de ne pas accompagner ta sœur ? demanda-t-il à son apprentie en repensant aux craintes de Cœur Cendré.

— Pourquoi ça m'ennuierait ? Je saurai ce qu'elle fait, où qu'elle soit, répondit-elle avec un haussement d'épaules.

— Vu comme ça... »

Pelage de Lion trouva bizarre qu'elle parle si calmement de ses pouvoirs. D'habitude, elle se comportait comme s'ils n'étaient qu'une épine dans sa patte.

« Vous venez ? » lança Cœur d'Épines devant la barrière.

Brume de Givre et Tempête de Sable trépignaient près de lui.

« C'est moi qui prendrai notre premier gibier, déclara Brume de Givre en jetant un coup d'œil vers Cœur d'Épines et Tempête de Sable, comme si elle était déterminée à les impressionner.

— Pas si je peux t'en empêcher », rétorqua Nuage de Colombe.

Elle dépassa Pelage de Lion et fonça dans la barrière de ronces.

Le guerrier la rattrapa dans le ravin. Cœur d'Épines et Tempête de Sable en inspectaient déjà les versants, la truffe frémissante. Brume de Givre passa devant eux à toute allure en soulevant des feuilles dans son sillage.

« Tu n'attraperas jamais rien si tu fais un raffut pareil ! la rabroua Nuage de Colombe.

— Chut ! la gronda Pelage de Lion. Tu vas effrayer le gibier.

— Moi, je vais effrayer le gibier ? » Elle suivit du regard Brume de Givre puis les feuilles qui retombaient doucement derrière elle. Du bout de la queue, elle donna une pichenette à son mentor. « Tu t'es levé de la patte gauche ou quoi ? »

Pelage de Lion se renfrogna. Il n'allait pas admettre que la froideur apparente de Cœur Cendré l'avait peiné.

Mais Nuage de Colombe ne semblait pas attendre de réponse. Ses oreilles s'étaient dressées et ses moustaches frémissaient.

« Il y a une souris en haut du ravin, annonça-t-elle. Je vais l'attraper ?

— Laisse une chance à Brume de Givre », lui conseilla Pelage de Lion.

À en croire Cœur Cendré, Nuage de Colombe avait déjà braqué Nuage de Lis contre elle ; il ne voulait pas que tous les membres du Clan se sentent en rivalité avec son apprentie.

« Mais elle risque de prendre trop de temps, et la souris sera une proie facile, implora-t-elle.

— Attends un peu, d'accord ? répliqua-t-il. Jusqu'à présent, le Clan n'avait pas eu besoin de tes pouvoirs pour éviter de mourir de faim. »

Il vit son mouvement de recul et regretta aussitôt ses paroles. Il n'avait pas voulu se montrer si brusque.

Soudain, à mi-pente, un buisson frémit. Dans une explosion de feuilles, un pigeon s'en échappa. Brume de Givre bondit en agitant les pattes tandis que l'oiseau battait des ailes et disparaissait dans les branches d'un chêne. Brume de Givre se réceptionna gauchement et s'ébroua, si honteuse que ses poils se dressèrent.

« Séparons-nous ! » lança Pelage de Lion. Il avait pitié de la jeune guerrière. Ce serait peut-être plus facile pour elle si elle n'était pas en compétition directe avec Nuage de Colombe. « Comme nous ferons moins de bruit dans les feuilles, nous aurons plus de chances.

— Entendu ! lança Tempête de Sable, au sommet du ravin. Brume de Givre, essayons sur la rive du lac. »

Elle dévala la descente et disparut entre les arbres, suivie de Cœur d'Épines et de la chatte blanche.

« C'est bon, je peux l'attraper, maintenant, cette souris ? miaula Nuage de Colombe avec humeur.

— Elle s'est sans doute mise à couvert.

— Je l'entends encore.» La novice se dirigea vers le haut de la pente puis, d'un bond agile, captura le rongeur et le tua d'un coup de crocs rapide. Elle le jeta ensuite devant son mentor. «Tu trouves que c'est injuste, n'est-ce pas ?

— De quoi ?

— Que je me serve de mes pouvoirs pour chasser !

— Bien sûr que non.» Pelage de Lion s'en voulait de s'être montré si sec avec elle. Elle s'habituait tout juste à ses capacités spéciales. «Ils font partie de la prophétie, alors autant que tu t'en serves.

— Je pensais que la prophétie ne s'appliquait pas qu'au Clan du Tonnerre, contra-t-elle, mais à tous les Clans. Ne serait-il pas plus juste que je me serve de mes pouvoirs pour chasser pour tous les Clans ?

— Je doute qu'ils te remercient de ton aide», rétorqua-t-il.

Pourtant, il comprenait ce qu'elle voulait dire. Lui, il pouvait se jeter dans le feu de la bataille pour défendre ses camarades face à un Clan rival tout en sachant qu'il en sortirait toujours vainqueur. Était-ce équitable ? Il secoua la tête, incapable de trouver les mots pour la rassurer.

«Je crois que nous devons juste penser à tout ce que nous avons déjà accompli avec nos pouvoirs. Après tout, si tu n'avais pas senti la présence des castors, nous serions tous morts de soif, à l'heure qu'il est.»

Les yeux de Nuage de Colombe retrouvèrent un peu de leur éclat.

Soulagé, Pelage de Lion l'entraîna plus loin sur la crête. Du sommet, ils virent le groupe de Tempête de Sable chasser sur le coteau qui dominait le lac. D'un bond, la guerrière rousse débusqua un faisan caché dans l'herbe et Brume de Givre, tapie non loin, bondit et l'attrapa avant qu'il puisse s'enfuir.

« Bravo, Brume de Givre ! » s'exclama Nuage de Colombe.

Comme elle dressait soudain les oreilles, Pelage de Lion se tourna vers elle.

« Qu'est-ce qu'il y a ?

— J'entends la patrouille de Nuage de Lis.

— Est-ce qu'ils ont découvert d'autres traces du Clan de l'Ombre ?

— Non. Ils en cherchent toujours. »

Immobile, elle garda les oreilles dressées. Que guettait-elle ? Pelage de Lion scruta la forêt mais les branches et les buissons lui masquaient la vue.

Nuage de Colombe sursauta, les yeux écarquillés.

« Que se passe-t-il ? s'inquiéta-t-il en sortant les griffes.

— Rien. »

Pelage de Lion plissa les yeux, perplexe. Elle était décidément très nerveuse.

« Et si on essayait plus près de la frontière du Clan du Vent ? suggéra-t-elle. J'entends un pic-vert. On pourra trouver son nid. »

Pelage de Lion réfléchit. C'était peut-être une bonne idée. Poil de Fougère inspectait la frontière du Clan d'Ombre et il n'apprécierait sans doute pas que ses camarades lui traînent dans les pattes.

Ils repérèrent l'arbre où nichait le pic-vert à l'orée de la forêt. La lande s'étendait au-delà du torrent frontalier, étendue grise sous un ciel gris.

« Je vais monter, annonça Nuage de Colombe.

— Je t'accompagne. »

Pelage de Lion ne voulait pas avoir une réputation

294

de mauvais grimpeur. Cœur Cendré se moquait suffisamment de lui comme ça. Il escalada le peuplier brillant juste derrière Nuage de Colombe et se percha sur une épaisse branche qui dominait la forêt.

« Le bruit venait de là, dit-elle. Regarde. »

Elle s'écarta pour faire une place à son mentor puis tendit la queue vers un petit nid logé à la naissance d'une branche, juste sous eux. S'il n'y avait ni œuf, ni oiseau à l'intérieur, il était garni de plumes duveteuses.

Pelage de Lion y plongea le museau, la truffe froncée tant la puanteur le dégoûtait, et en ressortit la gueule pleine de plumes.

Nuage de Colombe ronronna :

« On dirait que tu viens d'avaler un moineau ! »

Tandis que Pelage de Lion ronronnait à son tour, il entendit des miaulements.

Œil de Geai.

Les guérisseurs redescendaient de la Source de Lune. Ils se saluaient sur la frontière. Puis Œil de Geai s'éloigna du torrent en compagnie de Petit Orage et de Plume de Flamme.

« Viens », ordonna le guerrier à son apprentie.

Il sauta et atterrit à un poil des deux chats du Clan de l'Ombre.

Petit Orage sursauta.

« Est-ce que les guerriers du Clan du Tonnerre se prennent pour des écureuils ? demanda-t-il avant de lécher sa fourrure pour la remettre en place.

— Désolé, je ne voulais pas vous faire peur, s'excusa Pelage de Lion. Nous étions en train de ramasser des plumes.

— Vous comptez apprendre à voler ? » miaula Plume de Flamme.

Nuage de Colombe descendit à son tour le long du tronc en projetant sur eux une pluie d'éclats d'écorce et de duvet. Plume de Flamme se recroquevilla comme une souris apeurée.

« Désolée ! fit-elle. Comment s'est passée votre réunion ? »

Pelage de Lion scruta l'expression de son frère. Avait-il découvert quelque chose ?

« Très bien, merci », répondit Œil de Geai. Il se tourna vers les deux autres guérisseurs et les salua d'un signe de tête. « Je vais rentrer avec mes camarades.

— Entendu, fit Petit Orage. Nous allons suivre la rive du lac pour rejoindre notre frontière.

— Saluez Cœur de Tigre de ma part ! » lança Nuage de Colombe.

Pelage de Lion se tourna vers elle, étonné. Pourquoi envoyait-elle ses salutations à Cœur de Tigre ?

Elle surprit son regard et, le poil soudain hérissé, elle se hâta d'ajouter :

« Et… euh… à Aube Claire aussi. »

Œil de Geai avait déjà pris le chemin du retour. Ses épaules tombantes et ses yeux vitreux trahissaient sa fatigue.

« Alors ? fit Pelage de Lion en le rattrapant.

— Attendez, qu'est-ce qu'on fait de tout ça ? demanda Nuage de Colombe, la tête baissée vers les plumes éparpillées au pied du peuplier.

— Nous reviendrons les chercher plus tard, lança Pelage de Lion par-dessus son épaule. Qu'est-ce qui s'est passé ? » demanda-t-il ensuite en se collant à son frère pour le guider.

Le guérisseur sembla soulagé de pouvoir s'appuyer sur lui.

« J'ai pénétré dans la Forêt Sombre.

— Qu'est-ce que tu veux dire ? hoqueta Nuage de Colombe.

— C'est là que se trouvent nos véritables ennemis, expliqua Pelage de Lion.

— Des guerriers morts ? » s'étonna l'apprentie.

Pelage de Lion retint un soupir impatient. Pourquoi n'avaient-ils pas prévenu Nuage de Colombe plus tôt ? Ils n'avaient pas le temps de tout lui raconter maintenant.

« Contente-toi d'écouter, ordonna-t-il avant de revenir à son frère. Qu'as-tu vu ?

— J'ai rencontré Étoile Brisée, miaula Œil de Geai. C'est lui qui m'avait attaqué avec Pelage de Brume.

— L'ancien chef du Clan de l'Ombre ? s'écria Pelage de Lion, le poil hérissé.

— Oui. Et nous avons vu Plume de Faucon entraîner des guerriers.

— Des guerriers des Clans ?

— Non, de la Forêt Sombre.

— Alors nous n'avons toujours pas de preuve qu'il recrute nos camarades.

— En effet, soupira Œil de Geai. Pourtant, ils préparent bel et bien un mauvais coup. Pourquoi entraîneraient-ils des guerriers morts ? Ils n'ont plus besoin de se battre depuis longtemps. De plus, ils répétaient des attaques vraiment cruelles. »

Pelage de Lion sentit son frère trembler près de lui. Mais lui n'avait pas peur. Il sortit les griffes. Il avait hâte d'affronter Plume de Faucon et Étoile du Tigre ! Il savait qu'il pouvait les battre tous les deux.

Nuage de Colombe les suivait, la fourrure hirsute.

« Comment des chats de la Forêt Sombre pourraient-ils recruter des guerriers des Clans ?

— Dans leurs rêves, lui apprit Œil de Geai.

— Au nom du Clan des Étoiles, pourquoi les écouteraient-ils ?

— Tu ne connais pas Étoile du Tigre. Il se repaît de la faiblesse des autres. Il les amadoue pour qu'ils lui obéissent tout en leur donnant l'impression qu'ils sont nobles et puissants. Ils ne se rendent sans doute même pas compte qu'ils font quelque chose de mal.

— Comment peut-on être aussi stupide ? » soupira-t-elle.

Pelage de Lion eut soudain très chaud.

« Tous les guerriers aiment les compliments, miaula-t-il. Et Étoile du Tigre est assez intelligent pour exploiter le moindre ressentiment. Il sait qu'il y aura toujours des guerriers contents de se venger de vieilles querelles. »

Il ne mentionna pas la haine que Pelage de Brume nourrissait à l'encontre du Clan du Tonnerre.

« Aucun guerrier du Clan du Tonnerre ne voudrait rouvrir de vieilles blessures », répondit Nuage de Colombe, les yeux écarquillés.

Pelage de Lion se réjouit d'entendre son apprentie parler comme une véritable guerrière : lorsqu'une bataille avait été livrée, elle ne comptait plus. Mais l'innocence de Nuage de Colombe la rendait vulnérable.

« Nous essayons juste de te prévenir que tous les guerriers ne sont pas parfaits, et Étoile du Tigre sera le premier à en tirer avantage.

— Comment pouvons-nous l'affronter, s'il est déjà mort ? s'emporta-t-elle.

— Nous comptons sur toi pour rester aux aguets, lui expliqua son mentor. Guette des signes anormaux parmi les autres Clans. Rapporte-nous tout ce que tu vois ou entends qui te semble sortir de l'ordinaire. Tout ce qui pourrait suggérer que des habitants de la Forêt Sombre entraînent des guerriers des Clans.

— Tu veux… que je les espionne ? s'étrangla-t-elle, horrifiée.

— Oui, fit simplement Œil de Geai. Et pas seulement ceux des autres Clans. Les nôtres, aussi.

Elle s'arrêta.

— Espionner mes propres camarades ? Jamais de la vie !

— Ce n'est pas que nous ne leur faisons pas confiance, expliqua Pelage de Lion. C'est à Étoile du Tigre que nous ne faisons pas confiance.

— Vous ne faites confiance à personne ! l'accusa Nuage de Colombe. Comment pouvez-vous seulement vous fier à moi ? Vous êtes complètement paranoïaques ! Vous cherchez une bonne excuse pour vous servir de vos pouvoirs. Peut-être que la prophétie n'a rien à voir avec Étoile du Tigre. Peut-être que nous sommes juste là pour devenir les meilleurs guerriers possibles. Pourquoi devrais-je être responsable du destin de tous ? » Elle fila soudain dans la forêt en lançant derrière elle : « Je veux être normale ! Je refuse d'espionner qui que ce soit ! »

Elle disparut entre les arbres.

« Elle l'a vraiment bien pris…, marmonna Pelage de Lion avant de soupirer. Nous attendons peut-être trop d'elle.

— Elle fait partie de la prophétie, répondit Œil de Geai en se remettant en route. Nous ne l'avons pas choisie. Elle doit être forte ! » Sa voix s'adoucit. « Je ne veux pas qu'elle souffre. Malgré tout, elle est l'un des Trois et elle doit jouer son rôle. »

Elle est l'un des Trois. Pelage de Lion repensa à Feuille de Houx. Pourquoi est-ce que ce n'avait pas été elle, la troisième ? Le cœur serré, il se rappela sa sagesse et son intelligence. Elle n'était peut-être pas concernée par la prophétie, mais elle était sa sœur et, parfois, cela comptait plus que tout.

CHAPITRE 18

NUAGE DE COLOMBE ne voulait pas rentrer au camp. Elle était si furieuse que son pelage était tout ébouriffé. Elle n'était pas une espionne et elle ne laisserait personne la forcer à le devenir ! Elle refusait de croire que la prophétie attendait cela d'elle.

Elle filait entre les arbres, slalomait entre les buissons et fonçait dans les fougères sans se soucier des proies qu'elle risquait d'effrayer. Avec ses pouvoirs, elle pourrait toujours débusquer du gibier. Toujours.

La colère qui irriguait ses pattes la rendait plus endurante.

Trouve du gibier, Nuage de Colombe !

Sauve-nous des castors, Nuage de Colombe !

Espionne tout le monde autour du lac… Oh, et puis tant que tu y es, espionne aussi tes propres camarades !

Ben voyons ! Elle avait l'esprit en ébullition. *Et pourquoi vous ne les espionnez pas vous-mêmes !* Elle imagina l'expression de Pelage de Lion et d'Œil de Geai si elle leur disait ce qu'elle pensait vraiment. *Oh, évidemment. Vous voulez avoir des amis ! Moi, j'imagine que je n'en ai pas besoin. Que ce n'est pas grave si ma propre sœur ne m'adresse plus la parole.*

La rancœur lui brûlait le ventre.

Tout à coup, elle dressa l'oreille. Des feuilles craquaient. Des buissons s'agitaient tout près. La patrouille frontalière n'était plus très loin. Avait-elle couru autant que ça ? Elle s'arrêta net et leva la truffe. Elle était presque sur la frontière du Clan de l'Ombre. Elle aurait dû remarquer que les ronciers s'épaississaient. Elle balaya les environs d'un regard anxieux. Comment allait-elle expliquer qu'elle se trouvait si loin de sa propre patrouille ?

Un petit monticule se dressait devant elle. Elle entendit le groupe de Nuage de Lis juste derrière.

« Tu vois quelque chose ? lança Poil de Fougère.

— Pas de touffes de fourrure », répondit la novice.

Nuage de Colombe plongea entre les ronces.

« Les traces datent de quand ? » demanda encore Aile Blanche.

Nuage de Lis grimpa sur le monticule et renifla un tronc. Nuage de Colombe vit sa sœur froncer la truffe.

« De quelques jours. Mais elles ont été renouvelées hier soir », on dirait.

Nuage de Colombe ressentit une bouffée de fierté pour sa sœur : elle allait devenir une grande guerrière. Tout le monde la trouverait formidable.

Contrairement à moi.

Elle soupira. Tous ses camarades se retourneraient contre elle s'ils apprenaient qu'elle se servait de ses pouvoirs secrets pour tester leur loyauté. *Un vrai guerrier fait confiance à ses camarades !*

Poil de Fougère, Cœur Cendré et Aile Blanche

étaient apparus eux aussi sur le monticule. Ils inspectaient chaque arbre, chaque buisson. Nuage de Colombe s'enfonça un peu plus dans les ronces en serrant les dents pour supporter la douleur des épines dans sa fourrure. Poil de Fougère s'approcha.

Crotte de souris !

Voyant que le guerrier reniflait le bord du buisson, elle se tortilla encore pour s'enfoncer le plus loin possible. Puis, en désespoir de cause, elle grimpa sur l'une des branches les plus épaisses. Tout en se mordant la langue pour ne pas crier de douleur, elle se hissa jusqu'au sommet du buisson, d'où elle vit Poil de Fougère suivre une trace dans la direction opposée. Trop concentré sur sa quête d'odeurs du Clan de l'Ombre, il devait ignorer celles de son propre Clan. Soulagée, elle descendit de l'autre côté du roncier, qui formait à présent une barrière parfaite entre ses camarades et elle.

Ses pattes foulèrent les douces aiguilles qui couvraient le sol.

Oh, Clan des Étoiles !

Elle leva la truffe.

Elle était en territoire rival !

Son regard glissa sur le roncier et elle vit que, si elle le contournait en vitesse, elle pourrait regagner son territoire sans laisser de trace. Elle se mit aussitôt à longer le buisson en rampant près du sol.

« Bonjour ! »

Cœur de Tigre !

Le cœur battant, elle fit volte-face vers le guerrier du Clan de l'Ombre.

« Désolée ! Je ne voulais pas… Enfin, je ne comptais pas…

— C'est bon, fit-il. Je te fais confiance. On est amis, non ?

— Bien sûr », confirma-t-elle, les oreilles brûlantes.

Le poil soyeux de Cœur de Tigre brillait sous les rayons du soleil qui filtraient entre les pins. Il s'approcha d'elle, si près que leurs museaux se frôlèrent. « Je suis content de te revoir », miaula-t-il en s'asseyant. Il se lécha la patte et se lissa les moustaches. « Depuis la fin de notre mission, nos conversations me manquent.

— À moi aussi. » Nuage de Colombe était rassérénée. Amis un jour, amis toujours. Pourquoi les frontières devraient-elles y changer quoi que ce soit ? « Il y a bien les Assemblées, mais ce n'est pas pareil.

— Je vois ce que tu veux dire... C'était chouette, non ? Dormir dans des nids à la belle étoile et se réveiller chaque jour à un endroit différent, entourés des mêmes museaux familiers... »

Voyager lui manquait, comme s'il était frustré d'être confiné dans son territoire.

« J'ai essayé de rendre visite à Fleur d'Ajoncs, tu sais...

— C'est vrai ? fit-il en cessant un instant sa toilette. Comment va-t-elle ?

— Elle s'est fait mordre par un chien. Sans gravité.

— J'ai remarqué sa blessure lors de l'Assemblée... Je me demandais d'où elle lui venait.

— Tout le monde s'est fâché contre moi ! trépigna-t-elle. Tout ce qu'ils ont retenu, c'est que j'avais franchi la frontière. Je m'inquiétais pour elle, c'est tout. Nous sommes tous des guerriers, non ? C'est si mal de se préoccuper des autres ?

— Non, ce n'est pas mal », la rassura-t-il en plantant son regard dans le sien.

Gênée, elle se détourna.

«Tu te souviens, quand on a fait exploser le barrage ? s'enquit Cœur de Tigre d'un miaulement vif, comme s'il avait senti son malaise et voulait lui changer les idées. La rivière nous a pratiquement propulsés jusqu'au Clan des Étoiles.» Il se releva et se mit à pétrir le sol. « Nous ne pouvions nous accrocher à rien, à part quelques bouts de bois qui nous aidaient à maintenir la tête hors de l'eau. »

Il bondit sur une petite branche qui pointait du tronc d'un pin et s'y balança un instant, accroché par les pattes avant.

Nuage de Colombe émit un ronron amusé.

« Et quand on essayait d'enlever les bûches qui constituaient le barrage ? ajouta-t-elle. Autant tenter d'arracher un arbre !

— Je t'ai trouvée très courageuse, murmura-t-il.

— Tu l'étais plus encore.

— N'importe quoi ! J'étais mort de peur !

— Ça ne se voyait pas. »

Nuage de Colombe se surprit à contempler son doux regard ambré. Elle ne sut plus quoi dire.

L'appel d'un guerrier du Clan de l'Ombre la fit sursauter :

« Cœur de Tigre ! »

La fourrure en bataille, Cœur de Tigre la poussa le long du roncier pour qu'elle retourne sur son propre territoire.

« À bientôt ! » souffla-t-il avant de s'en aller rejoindre ses camarades.

Nuage de Colombe inspecta les environs. Personne

ne l'avait vue. Elle s'éloigna à toute allure de la frontière et fila vers le camp. Sa rencontre avec Cœur de Tigre lui avait réchauffé le cœur et elle se surprit à ronronner. C'était là une amitié que Pelage de Lion et Œil de Geai ne pourraient jamais gâcher, parce qu'ils ne seraient jamais au courant.

Elle leva la truffe. Et s'ils pensaient qu'elle espionnerait le Clan de l'Ombre pour leur compte, ils se mettaient la patte dans l'œil. Des camarades étaient des camarades, mais les amis étaient plus précieux encore.

CHAPITRE 19

❧

« **L**ES CAMARADES comptent plus que tout. Et maintenant, tes camarades, c'est nous. »

Plume de Faucon sonda le regard de Nuage de Lis et celle-ci commença à se détendre. La forêt grise drapée de brume lui parut soudain moins étrange. Les bruits des guerriers à l'entraînement derrière les arbres sombres ne l'intimidaient plus. Elle était avec ses camarades.

Au début, lorsque Nuage de Lis s'était retrouvée au-delà de la prairie parsemée de fleurs, dans la forêt, elle s'était sentie nerveuse. Elle avait rampé entre les troncs immenses, la fourrure en bataille, et s'était crispée chaque fois qu'un miaulement était monté des profondeurs brumeuses des bois.

Puis Plume de Faucon l'avait trouvée. Son regard s'était illuminé : il se réjouissait qu'elle soit là.

« N'aie pas peur d'eux, la rassura-t-il lorsqu'elle sursauta en entendant un bruit soudain, étouffé.

— Qui sont-ils ? »

Nuage de Lis tendit la queue vers deux silhouettes fantomatiques qui se battaient dans une clairière à quelques longueurs d'arbre d'eux.

«Tes camarades.

— Ce sont des membres du Clan du Tonnerre ?»
s'étonna-t-elle.

Cet endroit ne pouvait pas être si terrible si ses
camarades de Clan y venaient aussi.

Sans répondre, Plume de Faucon creusa une ligne
dans le sol.

«Voyons si tu arrives à passer cette marque», la
défia-t-il.

Encore de l'entraînement !

Nuage de Lis se tapit et grimaça car son épaule lui
faisait mal. La douleur la suivait, des rêves à la réalité,
de la réalité aux rêves. Lorsqu'elle avait chassé avec
Brume de Givre et Œil de Crapaud dans l'après-midi,
elle avait eu du mal à garder le rythme. Son entraînement secret laissait des traces, mais Nuage de Lis
savait qu'elle devenait plus forte et les compliments
de Plume de Faucon étaient d'autant plus précieux
qu'ils étaient gagnés au prix de gros efforts.

Elle fit glisser sa queue sur le sol, les yeux rivés à son
mentor nocturne. Il restait assis calmement derrière la
ligne qu'il avait tracée. Elle plissa les yeux et immobilisa son arrière-train comme il le lui avait enseigné.

Elle se remémora une de ses leçons. *Attends un instant. Puis un autre. Jusqu'à ce que l'adversaire ne sache
plus ce que tu vas faire.*

Nuage de Lis fonça, les pattes en avant, les griffes
sorties. Elle guetta la direction que Plume de Faucon
allait prendre, sachant qu'il blufferait doublement,
faisant mine de partir d'un côté, puis de revenir, puis
de repartir. Elle attendit le dernier moment pour
décoller ses pattes arrière et s'orienter dans la bonne
direction pour frapper le museau du guerrier.

D'un coup puissant à l'épaule, il la repoussa sans mal et elle retomba affalée sur le flanc. Elle se releva aussitôt en clignant des yeux pour chasser le tournis. Plume de Faucon baissa la tête vers la ligne. La terre avait été remuée, mais seulement du côté de la novice.

«Tu n'as pas réussi, gronda-t-il. Recommence.»

Concentrée, Nuage de Lis ramassa ses pattes sous elle. Elle remarqua à peine l'ombre qui bougea à la périphérie de sa vision.

Une voix grave tonna dans la brume :

« Salutations, Plume de Faucon. »

Nuage de Lis fit volte-face, surprise. Un guerrier massif au pelage sombre apparut. *Griffe de Ronce ?* Non. Si ce chat-là possédait les mêmes épaules larges et la même fourrure tachetée, ses yeux brillaient comme ceux d'un renard.

« Qui... ? »

Nuage de Lis n'eut pas le temps de finir sa question. Plume de Faucon lui rentra dedans et lui cloua les épaules au sol. Il colla presque son museau au sien, les crocs découverts.

« Combien de fois t'ai-je dit de ne pas te laisser distraire ? » gronda-t-il.

Elle se releva en vitesse, impatiente d'examiner le nouveau venu, sans toutefois oser quitter Plume de Faucon des yeux.

Le matou au regard bleu glacier hocha la tête.

« Je te présente Étoile du Tigre. »

Maintenant qu'elle avait sa permission, Nuage de Lis se tourna vers le guerrier sombre. Il était plus grand encore que Griffe de Ronce et son pelage était couturé de cicatrices.

« É... Étoile du Tigre ? » bégaya-t-elle.

Elle avait entendu bien des histoires à propos de ce guerrier, des histoires si terribles que ses pattes se mirent à trembler.

Elle fut surprise de voir son regard s'adoucir.

« Ne crois pas tout ce qu'on te dit, petite », miaula-t-il de sa voix rauque.

Lisait-il donc dans ses pensées ?

« Je... je n'étais pas... enfin, je ne voulais pas... »

Étoile du Tigre lui tourna autour, sa fourrure frôlant celle de l'apprentie.

« Tu es au milieu de tes amis, maintenant, Nuage de Lis, murmura-t-il. Je sais ce que le Clan dit de moi. Pourtant, mes anciens camarades ne peuvent voir jusqu'au fond de mon cœur. » Il s'assit avant de poursuivre : « On est bien souvent seul, quand on a du pouvoir. J'ai été puni car je voulais diriger mon Clan. Ils ont mal compris mon désir de les guider en ces temps difficiles. Et ils m'ont donc banni de mon Clan.

— Tu parles du Clan du Tonnerre ? miaula Nuage de Lis, qui avait du mal à se souvenir des détails des contes de pouponnière qu'elle avait entendus jadis.

— Oui, c'est mon Clan natal, soupira-t-il. S'ils m'avaient laissé devenir leur chef, ils n'auraient pas perdu tant de camarades. Au lieu de quoi, ils m'ont chassé. Mais ils ne peuvent anéantir la loyauté que j'éprouve pour le Clan qui m'a vu grandir.

— Tu es pourtant devenu le chef du Clan de l'Ombre, protesta l'apprentie, les yeux plissés.

— Que pouvais-je faire d'autre ? Devenir un solitaire ? Quel véritable guerrier choisirait ce destin ? » Il se pencha vers elle, les yeux ronds, l'air sincère.

« Nous sommes des camarades de Clan, n'en doute pas. » Il se tourna vers Plume de Faucon. « Comment se débrouille-t-elle ?

— Montre-lui, ordonna le guerrier à Nuage de Lis.

— Quoi donc ? demanda-t-elle, nerveuse.

— Ta vitesse de déplacement, ta précision de frappe. »

La novice se ramassa sur elle-même et bondit en poussant de toutes ses forces sur ses pattes. Elle se réceptionna avec grâce et pivota aussitôt sur une patte arrière avant de sauter de nouveau pour atterrir sur une brindille qu'elle avait choisie comme cible. D'un mouvement fluide, elle la porta à sa gueule et la brisa d'un coup de dent. Ensuite, elle s'immobilisa, les muscles toujours bandés, la queue basse, prête à recommencer s'il le fallait.

« Impressionnant », murmura Étoile du Tigre.

Il s'approcha d'elle et tendit sa grosse patte vers un morceau de brindille qu'il jeta en l'air. Le bout de bois décrivit un arc au-dessus de la tête de la novice.

« Attrape ! »

Aussi sec, Nuage de Lis bondit, tourna en l'air, saisit la brindille entre ses griffes et retomba sur trois pattes. Satisfaite, elle lâcha son trophée devant Étoile du Tigre.

« Elle est prête, ronronna-t-il, son regard luisant tourné vers Plume de Faucon.

— Prête pour quoi ? » s'enquit-elle, tout excitée.

Étoile du Tigre tourna la tête vers elle.

« Je ne pensais pas te le dire si tôt... » Il jeta un coup d'œil vers Plume de Faucon, comme s'il hésitait. « Mais je suppose que plus vite nous agirons, plus nous aurons de chances de sauver tes camarades. »

Nuage de Lis dressa les oreilles. Le Clan du Tonnerre était-il donc en danger ?

« Le Clan de l'Ombre projette d'envahir votre territoire.

— Vraiment ? » s'étonna-t-elle, le cœur battant. Elle savait qu'il y avait quelques problèmes sur la frontière mais rien qui représente une menace immédiate. « Pourquoi ? »

Étoile du Tigre soupira avant de répondre :

« Il y a bien des lunes, Étoile de Feu a cédé au Clan de l'Ombre une large bande de votre territoire. Il a expliqué à ses guerriers qu'ils n'en avaient pas besoin. Qu'elle serait trop compliquée à défendre.

— Il la leur a *donnée* ? Pourquoi donc ? » s'étrangla-t-elle.

Elle savait qu'il ne s'agissait que de la clairière où les Bipèdes venaient construire leurs nids colorés à la belle saison. Pourtant, tout ce qui pouvait tenir le Clan de l'Ombre à bonne distance de la forêt giboyeuse était précieux. Et elle avait toujours cru que leurs voisins avaient gagné cette zone par la force.

Étoile du Tigre secoua la tête d'un air désolé.

« Depuis le jour où il a renoncé à sa vie de chat domestique, Étoile de Feu redoute le Clan de l'Ombre. Les rumeurs sur sa férocité lui ont toujours fait froid dans le dos.

— Mais Étoile de Feu n'a peur de rien !

— Vraiment ? J'imagine qu'il peut donner cette impression à des apprentis. Mais je le connaissais avant qu'il devienne guerrier, lorsqu'il était encore assez jeune pour se laisser impressionner par des contes de pouponnière.

— Il n'aurait jamais cru à ces bêtises !

— Non, bien évidemment, miaula-t-il en enroulant la queue autour de ses pattes. Quel guerrier y croirait ? Pourtant, il a décrété qu'il serait plus facile de *donner* du territoire que de risquer de le défendre. Et, malheureusement, le Clan de l'Ombre l'a vu comme un signe de faiblesse et non de sagesse.

— Pourquoi me raconter tout ça ? demanda-t-elle, méfiante. Tu étais le chef du Clan de l'Ombre, jadis. Pourquoi me révéler leurs plans ?

— Le Clan du Tonnerre est mon Clan natal, répéta-t-il, les yeux réduits à deux fentes. Je lui suis toujours loyal même s'il m'a chassé, s'il m'a forcé à supplier un autre Clan de m'accueillir. » Le regard baissé, il ajouta : « Je préférerais être un humble guerrier plutôt que vivre hors des Clans, sans le code du guerrier pour guider mes pas. » Il releva la tête : « Le Clan du Tonnerre doit être prévenu du danger qui le guette.

— Tu crois vraiment que le Clan de l'Ombre va nous envahir ?

— Ils ont déjà eu droit à un avant-goût de votre territoire, insista Plume de Faucon en s'approchant.

— Que veulent-ils en plus ? »

Le cœur de Nuage de Lis battait la chamade. Elle devait défendre son Clan !

Étoile du Tigre inclina la tête sur le côté et répondit : « Toute la bande de terre qui s'étend jusqu'au nid de Bipèdes abandonné.

— Mais c'est là qu'Œil de Geai fait pousser ses remèdes !

— Tu crois qu'ils l'ignorent ? » murmura Étoile du Tigre.

Nuage de Lis se sentit bête. Raison de plus pour eux de convoiter cette zone !

« Qu'est-ce que je peux faire ? » s'enquit-elle.

Étoile du Tigre ferma les yeux un instant avant de lui demander :

« Tu es sûre que tu es prête ?

— Évidemment !

— Dans ce cas, tu dois persuader ton Clan de reprendre le territoire qu'il a cédé aux guerriers du Clan de l'Ombre.

— Est-ce que ça les dissuadera de nous envahir ?

— Cela leur enverra un message clair, lui assura-t-il. Cela prouvera que le Clan du Tonnerre ne les craint pas.

— Et c'est vrai ! s'emporta-t-elle en griffant le sol.

— Mais le Clan de l'Ombre le sait-il ? miaula Plume de Faucon.

— Il le saura si nous attaquons les premiers !

— Exactement, ronronna Étoile du Tigre, visiblement satisfait.

— Comment puis-je convaincre le Clan du Tonnerre de les attaquer ? s'inquiéta la novice, songeuse.

— Va parler à Étoile de Feu.

— Il ne m'écoutera pas ! protesta-t-elle, les oreilles rabattues. Et si je lui dis que ce message vient de toi, il ne le croira pas !

— Dans ce cas, inutile de mentionner mon nom. Il croira tout ce que tu lui diras, si tu le tournes de la bonne façon. »

Mille pensées tourbillonnaient dans l'esprit de Nuage de Lis. Comment trouver les mots justes pour décider Étoile de Feu ?

« Je ne sais pas… », murmura-t-elle.

Étoile du Tigre soutint son regard.

« Tu trouveras un moyen, camarade. »

CHAPITRE 20

« JE TROUVERAI UN MOYEN, murmura Nuage de Lis tandis qu'Étoile du Tigre entraînait Plume de Faucon au loin dans la brume.

— Un moyen de faire quoi ? » murmura Pluie de Pétales dans son oreille.

Nuage de Lis ouvrit les yeux. La lumière du petit matin filtrait à travers les branches qui formaient la voûte de la tanière.

Pluie de Pétales soupira et se tourna vers Poil de Bourdon.

« C'est suffisamment énervant qu'on doive retourner dormir dans la tanière des apprentis sans qu'en plus ils nous empêchent de dormir en bavardant comme des pies dans leur sommeil. »

Nuage de Lis s'assit brusquement, paniquée. Qu'avait-elle dit d'autre ?

Un courant d'air glacial lui souffla sur la truffe. La novice reconnut l'odeur du givre. La nuit avait apporté la première gelée de la saison.

Près d'elle, Nuage de Colombe remua dans son

nid. Elle leva la tête et balaya la tanière du regard en bâillant.

« Qu'est-ce qui se passe ?

— Rien, fit Nuage de Lis en sortant d'un bond de sa litière.

— Où tu vas ? s'enquit Nuage de Colombe.

— Je vais parler à Étoile de Feu. »

Nuage de Colombe s'assit, intriguée.

« Pourquoi ?

— On dirait que notre chef a pris l'habitude de tenir conseil avec des apprentis », lâcha Pluie de Pétales d'un ton sec.

Nuage de Lis les ignora toutes les deux et se glissa dehors. Dans la clairière, Cœur Cendré faisait sa toilette avec Poil de Châtaigne et Pavot Gelé devant la pouponnière. Petit Loir et Petite Cerise se chamaillaient sur le sol blanchi par la gelée pour être le premier à atteindre une boule de mousse. Millie se dirigeait vers les ronces cachant l'antre d'Œil de Geai tandis que Flocon de Neige et Cœur Blanc partageaient une souris sous la Corniche.

« Nuage de Lis ! la héla Cœur Cendré.

— Je suis occupée, répondit Nuage de Lis, presque arrivée à l'éboulis.

— Où vas-tu ?

— Je dois voir Étoile de Feu, expliqua la novice sans s'arrêter. C'est urgent. »

Elle commença à grimper les rocs. Flocon de Neige et Cœur Blanc, les yeux ronds, s'interrompirent au milieu de leur repas pour l'observer.

Nuage de Lis poursuivit, un peu gênée de se sentir au centre de l'attention générale. Le futur du Clan du Tonnerre dépendait d'elle. Elle marqua une pause sur le seuil de la tanière du chef, consciente du regard brûlant de son mentor, venu l'attendre au pied de l'éboulis.

« Étoile de Feu ? lança-t-elle en essayant d'empêcher sa voix de trembler.

— Nuage de Lis ? fit-il depuis l'intérieur.

— Oui. Il faut que je te parle.

— Entre », répondit le meneur, surpris.

Le cœur battant, elle pénétra dans le sombre gîte. Plume Grise et Griffe de Ronce étaient assis près d'Étoile de Feu.

« Ce n'est pas une raison pour cesser les patrouilles supplémentaires », le pressait Plume Grise.

Les trois vétérans étaient visiblement au milieu d'une discussion agitée.

Étoile de Feu hocha la tête avant de se tourner vers Nuage de Lis.

« Eh bien ? » fit-il.

Elle jeta un coup d'œil aux parois rocheuses lisses et au doux nid de mousse et de fougères au fond de la tanière. C'était la première fois qu'elle venait là.

« Euh... »

Elle regretta aussitôt de ne pas avoir préparé ce qu'elle allait dire.

« En attendant que Nuage de Lis retrouve la parole, poursuivons, lança le rouquin à ses guerriers.

— Est-ce que ces patrouilles supplémentaires sont vraiment justifiées ? demandait Griffe de Ronce, la queue battante. Avec la mauvaise saison qui approche, nous devrions nous concentrer sur la chasse. Comme le Clan de l'Ombre semble avoir cessé ses incursions...

— C'est faux ! » le coupa Nuage de Lis.

Les trois vétérans la dévisagèrent.

« Tu les as vus ? s'étonna Étoile de Feu.

— Non. »

Au nom du Clan des Étoiles, comment allait-elle expliquer ce qu'elle savait ?

« J'ai... j'ai fait un rêve. »

Griffe de Ronce rabattit les oreilles, Plume Grise pencha la tête sur le côté.

« Continue », l'encouragea le chef.

Nuage de Lis improvisa :

« J'ai rêvé que je me tenais au bord de notre territoire... sur la bande d'herbe près de la clairière où les Bipèdes viennent à la saison des feuilles vertes. » Elle tenta de déchiffrer les expressions de ses aînés. La prenaient-ils au sérieux ? « L'endroit qui appartenait jadis au Clan du Tonnerre. Celui que tu as donné au Clan de l'Ombre.

— Comment le sais-tu ? Tu n'étais même pas née ! s'étonna Étoile de Feu, les yeux plissés.

— C'est sans doute Poil de Souris qui le lui a dit, marmonna Griffe de Ronce.

— Non ! C'était dans mon rêve. Tu l'as donné au Clan de l'Ombre parce que, comme il était impossible d'y chasser, tu trouvais inutile de le défendre.

— Poursuis, je t'en prie, l'encouragea Étoile de Feu en se penchant vers elle, les oreilles dressées.

— J'ai vu la rivière frontalière, et c'était du sang qui y coulait. » Les mots venaient tout seuls, à présent. Maintenant qu'elle était lancée, c'était plus facile qu'elle ne le pensait. « Le sang du Clan du Tonnerre. Et les guerriers du Clan de l'Ombre patrouillaient sur la rive en ronronnant, et ils disaient que bientôt notre sang abreuverait toute la forêt, où ils régneraient en seuls maîtres parce que le Clan du Tonnerre n'était pas plus dangereux qu'un essaim de scarabées qu'il est facile d'écraser. »

Lorsqu'elle se tut un instant pour reprendre son souffle, elle vit que les trois guerriers la fixaient, captivés. Encouragée, elle reprit :

« Alors je suis rentrée au camp à toute vitesse, mais les guerriers de l'Ombre étaient partout dans la forêt : dissimulés derrière des buissons, chassant des écureuils, s'entraînant au combat, jusqu'au nid de Bipèdes abandonné. Ils cueillaient même les remèdes d'Œil de Geai en disant que le Clan de l'Ombre ne connaîtrait plus jamais la maladie. »

Elle était à court de mots. Avait-elle réussi à les convaincre ?

« Il y a peut-être du vrai là-dedans, déclara Plume Grise, les yeux à demi clos, avant de jeter un coup d'œil à Étoile de Feu. Toi aussi, tu faisais des rêves prémonitoires, quand tu étais apprenti.

— Les jeunes débordent aussi d'imagination, rétorqua Griffe de Ronce en sortant les griffes.

— Mais sa sœur nous a prévenus pour les castors, lui rappela Plume Grise. Ce n'était pas son imagination.

— Est-ce que ce rêve vaut vraiment la peine qu'on provoque le Clan de l'Ombre ? questionna Griffe de Ronce. Nous n'avons pas de preuves. Et je viens de vous dire qu'il avait arrêté de franchir la frontière.

— Cela peut faire partie de leur stratégie, suggéra Plume Grise. Pour nous donner un faux sentiment de sécurité. »

Nuage de Lis ne quittait pas Étoile de Feu du regard. Le meneur enroula sa queue autour de ses pattes.

« À qui d'autre as-tu parlé de ce rêve ? demanda-t-il.

— Personne, lui assura-t-elle. Je suis venue te voir tout de suite.

— Dans ton rêve, y avait-il d'autres chats, à part le Clan de l'Ombre et toi ? Des membres du Clan des Étoiles ?

— Elle est trop jeune pour en connaître, fit remarquer Plume Grise.

— Longue Plume ? insista Étoile de Feu.

— Non. Que des guerriers du Clan de l'Ombre.

— En as-tu reconnu certains ? voulut savoir le rouquin.

— Corbeau Givré, euh... Pelage Charbonneux... »

L'estomac noué, Nuage de Lis essayait de se souvenir des noms des guerriers vus lors des Assemblées. Mentir un peu ne pouvait pas faire de mal, si c'était pour sauver son Clan. La fin justifiait les moyens et tout était bon à prendre pour les convaincre.

« Je vois. » Étoile de Feu se tourna vers Plume Grise et Griffe de Ronce. « Qu'est-ce que vous en pensez ? »

Nuage de Lis avait du mal à rester immobile tant elle était excitée.

« Cela expliquerait toutes ces traces sur notre frontière, gronda Plume Grise. Ils faisaient peut-être du repérage pour déterminer sur quel flanc nous attaquer.

— Et il est intéressant qu'elle ait vu la clairière aux Bipèdes, ajouta Griffe de Ronce. En la leur donnant, nous avons dû paraître vulnérables.

— C'était une bonne décision, contra Plume Grise pour défendre son chef. Qui nous a épargné un bain de sang inutile. Et jamais nous n'aurions pu chasser dans un territoire si découvert. D'autant plus qu'il grouille de Bipèdes quand les proies y abondent.

— C'est vrai, mais cette décision a pu être mal comprise, concéda Étoile de Feu. Nous n'aurions peut-être pas dû y renoncer si facilement. Cet acte de bonne volonté semble avoir été perçu comme un signe de faiblesse. »

Ils me croient !

« Si nous reprenons la clairière, alors ils sauront que nous ne les craignons pas ! s'écria Nuage de Lis, incapable de se taire plus longtemps.

— Merci, Nuage de Lis, miaula Étoile de Feu en se levant. Nous devons en discuter avec les autres guerriers et, d'ici là, je veux que tu gardes tout cela pour toi. » Il la frôla et ajouta : « N'en parle même pas à Nuage de Colombe. »

Nuage de Lis hocha la tête avec enthousiasme tandis que les trois matous sortaient de la caverne.

Étoile de Feu lança par-dessus son épaule :

« Avertis-moi si tu fais d'autres rêves.

— Promis. »

Nuage de Lis avait l'impression que son cœur allait exploser. Elle avait réussi ! Ils envisageaient d'attaquer le Clan de l'Ombre ! Elle mourait d'impatience d'annoncer la bonne nouvelle à Étoile du Tigre..

Chapitre 21

❧

Belle Églantine s'était mise à tousser.

Enrouée depuis la veille au soir, elle souffrait à présent d'une lourdeur dans la poitrine qui s'aggravait chaque fois qu'Œil de Geai baissait la tête pour écouter son souffle.

«Tiens, miaula-t-il en poussant un autre tas de remèdes devant elle. Mange ça.

— Encore…, gémit-elle. Je ne peux plus rien avaler.

— Je les ai assaisonnés avec du sang de souris», insista-t-il.

Belle Églantine geignit comme si la simple idée d'ingurgiter quoi que ce soit la rendait plus malade encore. Œil de Geai repensa malgré lui à la longue déchéance de Poil Crépu décrite par Petit Orage. Jamais il ne laisserait la même chose arriver à sa camarade.

Millie arriva.

«Je suis venue t'aider pour les exercices de Belle Églantine…» Elle laissa sa phrase en suspens en flairant une odeur de maladie chez sa fille. «Qu'est-ce qu'elle a ? s'inquiéta-t-elle.

— Juste un peu de fièvre, répondit Œil de Geai d'un ton léger. Un peu d'exercice l'aidera peut-être à se remettre plus vite.

— Elle ne devrait pas plutôt se reposer ?

— Je me suis reposée toute la nuit ! » protesta Belle Églantine en griffant son nid.

Prise d'une quinte de toux, elle ferma la gueule pour s'empêcher de tousser.

Œil de Geai devina l'hésitation de Millie. La chatte finit par miauler :

« Entendu. Allons-y. »

Malgré sa respiration rauque, Belle Églantine s'efforça d'accomplir les exercices habituels avec sa mère. Tout à coup, elle s'arrêta et Œil de Geai l'entendit s'affaler dans son nid.

« C'est trop dur ! »

Le guérisseur se crispa. Belle Églantine n'avait jamais baissé les pattes.

« Allez, la pressa-t-il. Tu te sentiras mieux après.

— Tout est trop dur ! gémit-elle. Des exercices matin et soir... Et je me traîne jusqu'au tas de gibier comme s'il était aussi loin que les montagnes... Je ne peux même pas respirer ou m'allonger confortablement, sans parler de chasser ou de jouer avec mon frère et ma sœur !

— Mais pense à la chance que tu as de pouvoir faire encore plein de choses, répondit Millie d'un ton cajoleur qui ne trompa pas Œil de Geai car son odeur trahissait sa peur. Tu peux toujours faire ta toilette avec Poil de Bourdon et Pluie de Pétales et déguster une souris savoureuse avec eux. Sans compter que tout le Clan t'admire. »

Œil de Geai devinait qu'elle cherchait désespérément d'autres arguments pour remonter le moral de sa fille.

Il posa le museau sur l'épaule de la guerrière.

« Et si tu allais lui attraper quelque chose de bon ? suggéra-t-il. J'y ajouterai des remèdes frais. » Puis il se tourna vers Belle Églantine : « Tu as travaillé dur, ces derniers temps. Une journée de repos te fera du bien. »

Tandis que Millie s'éloignait, Œil de Geai se mit à masser le poitrail de la blessée, espérant stimuler sa respiration.

« Ta mère échangerait volontiers sa place avec la tienne, tu sais, murmura-t-il.

— C'est idiot, dit-elle, le souffle court. Pourquoi quiconque voudrait se retrouver dans mon état ?

— Les mères sont comme ça. »

Il pensa à Feuille de Lune. Est-ce qu'elle accepterait d'être aveugle à sa place ?

« Attention ! le rabroua-t-elle. J'ai passé un temps fou à lisser mon pelage et tu me masses à rebrousse-poil !

— Désolé. »

Œil de Geai fut un peu soulagé de l'entendre ronchonner comme avant.

« Faire ma toilette, voilà tout ce dont je suis capable, en ce moment. Alors ne gâche pas tout mon beau travail. »

Œil de Geai ronronna et d'un coup de langue remit ses poils en place.

Les ronces frémirent et Pelage de Poussière apparut sur le seuil.

« Œil de Geai, Étoile de Feu a convoqué un conseil de vétérans. Il veut que tu te joignes à nous. »

L'aveugle hésita. Qui allait veiller sur Belle Églantine ?

« Ça ira, ne t'en fais pas, miaula la jeune guerrière comme si elle lisait dans ses pensées. Au contraire, être seule me fera du bien.

— Tu en es sûre ?

— Sûre et certaine.

— D'accord. »

Il sortit dans la clairière et leva la truffe. Étoile de Feu s'était perché à la naissance d'une branche du hêtre, à l'écart de la clairière. Plume Grise, Griffe de Ronce, Poil d'Écureuil, Pelage de Poussière, Cœur d'Épines, Tempête de Sable, Cœur Blanc et Flocon de Neige étaient assis devant lui. Leur odeur trahissait leur appréhension. Œil de Geai alla se placer parmi eux.

« Merci de te joindre à nous. » La queue d'Étoile de Feu allait et venait sur l'écorce de l'arbre, signe de son agitation. « Nuage de Lis a fait un rêve.

— Quel rapport avec nous ? lança Pelage de Poussière.

— Je crois que c'est un signe du Clan des Étoiles, répondit le meneur en griffant l'écorce.

— Nuage de Lis ? répéta Cœur d'Épines avec mépris.

— Et pourquoi pas ? s'indigna Cœur Blanc pour prendre la défense de sa petite-fille.

— La fille de notre fille ne mentirait pas à son Clan ! renchérit Flocon de Neige.

— Je ne dis pas qu'elle a menti, gronda Cœur d'Épines. Je veux juste savoir pourquoi Étoile de Feu accorde tant d'importance à ce rêve.

— Elle semble en savoir plus qu'elle ne le devrait, expliqua Plume Grise.

— Comme tous les apprentis ! le railla le guerrier brun doré.

— C'est différent », insista Griffe de Ronce, agacé.

Œil de Geai écoutait la conversation en silence. Nuage de Lis ? Une vision ? Pourquoi le Clan des Étoiles lui envoyait-il des messages ? Il dressa l'oreille.

« D'accord, d'accord, renifla Pelage de Poussière, impatient. Partons du principe que son rêve était bien un message de nos ancêtres. De quoi parlait-il ?

— Elle a rêvé que le Clan de l'Ombre nous envahissait, leur apprit Étoile de Feu. Que la rivière qui longe la clairière aux Bipèdes était pleine de sang. Notre sang. »

Œil de Geai sentit les guerriers se crisper.

« Et savons-nous ce que ça signifie ? demanda Cœur d'Épines.

— Ce n'est pas difficile à deviner, le rabroua Pelage de Poussière. Le Clan de l'Ombre veut profiter de l'avantage qu'on leur a donné en leur cédant la clairière. Il veut nous prendre encore plus de terrain. »

Œil de Geai perçut la colère d'Étoile de Feu. Malgré tout, le meneur répondit d'un ton égal :

« Mes décisions ne sont peut-être pas toujours bonnes. Mais elles sont fondées sur la raison et l'expérience.

— Personne ne remet en cause ton jugement, le rassura Pelage de Poussière. Cependant, n'importe quel vétéran sait que le Clan de l'Ombre cherchera toujours à profiter des faiblesses des autres.

— On peut tout de même espérer qu'en les traitant

comme de véritables guerriers, ils finiront par agir dignement, objecta Plume Grise d'une voix rauque.

— Assez ! s'impatienta Étoile de Feu. Nous sommes réunis pour discuter de la sécurité de notre Clan, pas du sens de l'honneur du Clan de l'Ombre. Si Nuage de Lis a fait un rêve prémonitoire, nous devons agir en conséquence.

— Parfait ! miaula Pelage de Poussière en griffant le sol.

— Œil de Geai ? »

Le guérisseur leva la tête.

« As-tu reçu la moindre mise en garde du Clan des Étoiles contre le Clan de l'Ombre ?

— Non. »

Pas contre le Clan de l'Ombre.

« Nous n'avons pas besoin que nos ancêtres nous préviennent ! rétorqua Pelage de Poussière. Le Clan de l'Ombre lui-même a laissé des traces évidentes !

— Oui, avec toutes ces incursions chez nous, ces derniers temps…, marmonna Poil d'Écureuil.

— Mieux vaut tuer le problème dans l'œuf, ajouta Tempête de Sable.

— Et comment ? voulut savoir Cœur Blanc.

— Eh bien, nous leur avons donné la clairière, nous devons la leur reprendre ! déclara Pelage de Poussière en se levant.

— Elle était à nous, avant, renchérit Flocon de Neige.

— Et avec la mauvaise saison qui arrive, une part de terrain de chasse supplémentaire ne sera pas de trop », conclut Plume Grise.

Œil de Geai percevait le malaise de leur chef.

« Je n'aime pas revenir sur ma parole, gronda le rouquin.

— C'est au Clan de l'Ombre que nous avons affaire ! lui rappela Cœur d'Épines. Pour eux, la parole d'un guerrier n'a aucune valeur.

— Certes, murmura Étoile de Feu. Et si Nuage de Lis a raison, retarder l'échéance met nos vies en danger. »

Œil de Geai soupira. Il savait ce que cela signifiait. Mentalement, il passa en revue sa réserve de remèdes. Avait-il suffisamment de feuilles de souci ? Il n'y avait rien de mieux pour soigner les griffures et les morsures.

« Nous devons attaquer les premiers, décida Étoile de Feu.

— Maintenant ? demanda Pelage de Poussière en faisant les cent pas.

— Non. Je dois d'abord les prévenir.

— Les prévenir ? s'étonna Griffe de Ronce. Tu veux perdre la bataille avant même de l'avoir commencée ?

— Nous pouvons remporter n'importe quel combat, lui assura Étoile de Feu. Je vais juste donner à Étoile de Jais une chance de nous rendre la clairière de façon pacifique.

— Comme s'il allait accepter ! s'étrangla Flocon de Neige.

— Je dois le faire, insista Étoile de Feu. Le sang ne doit pas couler inutilement. »

Il sauta de la branche.

Où est Pelage de Lion ? Œil de Geai se rendit soudain compte que son frère n'était pas dans la combe. Il devait être mis au courant de ce qui se préparait. Œil de Geai courut après son chef.

« Est-ce que je peux aller chercher Pelage de Lion ?
— Pas le temps, répondit le meneur. Je veux que tu m'accompagnes. Griffe de Ronce, laisse Plume Grise s'occuper des patrouilles. Tu viens avec nous. »
Œil de Geai rabattit les oreilles. Étoile de Feu ne craignait-il donc pas de se rendre dans le camp du Clan de l'Ombre avec son lieutenant et son guérisseur ? Surtout pour apporter un tel message... Un mauvais pressentiment lui noua le ventre.

Et s'ils ne revenaient jamais, tous les trois ?

Et si c'était précisément ce qu'Étoile du Tigre souhaitait ? Après tout, il avait gagné la confiance de Cœur de Tigre. Combien d'autres guerriers de l'Ombre avait-il recrutés ?

Tandis qu'ils traversaient la forêt, les feuilles durcies par le gel craquaient sous leurs pattes. Lorsqu'ils approchèrent de la frontière, Étoile de Feu et Griffe de Ronce levèrent la truffe. Œil de Geai devinait qu'ils espéraient trouver des traces du Clan de l'Ombre sur leur territoire. Est-ce que le rêve de Nuage de Lis constituait une raison suffisante pour attaquer ? Était-ce vraiment un signe du Clan des Étoiles ?

Étoile de Feu fit halte sur la frontière, en proie à une ultime hésitation, puis, comme s'il repoussait ses derniers doutes, il franchit le marquage rival. De l'autre côté, l'air embaumait la sève de pin et le sol couvert d'aiguilles était moelleux sous leurs pattes. Griffe de Ronce suivit le rouquin d'un pas calme et déterminé, tandis qu'Œil de Geai traînait derrière.

« Ne te laisse pas distancer, lui ordonna le lieutenant. Nous sommes en territoire ennemi. »

Au même instant, Œil de Geai perçut une présence, dans les arbres devant eux.

« Une patrouille ! prévint-il.

— Nous sommes venus voir Étoile de Jais ! » lança Étoile de Feu en s'immobilisant.

Sa voix résonna sous les pins.

Œil de Geai reconnut les odeurs de Patte de Crapaud et de Dos Balafré. Le guérisseur fut frappé par leur inquiétude.

« Et pour quelle raison ? gronda Dos Balafré en sortant des broussailles avec son camarade.

— Pour lui parler. »

Œil de Geai imagina les deux guerriers de l'Ombre échanger un regard incertain. Puis Dos Balafré accepta de les conduire au camp.

Si Œil de Geai en connaissait déjà le chemin, jamais il ne s'était senti si mal à l'aise de l'emprunter, si peu sûr de le suivre pour une bonne raison.

Là-bas, des murmures surpris accueillirent leur arrivée.

« Étoile de Feu ? s'étonna Pelage d'Or, assise au fond de la clairière.

— Il veut parler à Étoile de Jais », expliqua Dos Balafré en filant vers la tanière de son meneur.

Mais celui-ci en sortait déjà.

« Que fait le chef du Clan du Tonnerre dans le camp du Clan de l'Ombre ? demanda-t-il, méfiant.

— Je dois te parler, répondit Étoile de Feu. En privé.

— En *privé* ? » miaula Étoile de Jais, la queue battante. Il tourna doucement autour de Griffe de Ronce et Œil de Geai. « Pourquoi tant de secrets ? grogna-t-il, sur ses gardes.

— Tu peux convier ton propre lieutenant et ton guérisseur, proposa Étoile de Feu.

— Comme c'est généreux de ta part, renifla le meneur blanc aux pattes noires. Feuille Rousse ! Petit Orage ! Nous avons de la visite. »

Lorsque Feuille Rousse traversa la clairière, Œil de Geai perçut la raideur de ses pattes. Sa fragilité transpirait par tous ses pores et il reconnut dans son haleine l'odeur des herbes fortifiantes. Le lieutenant du Clan de l'Ombre avait vieilli et Œil de Geai comprit qu'elle ne survivrait sans doute pas à la mauvaise saison. Petit Orage sortit précipitamment de sa tanière, les pattes parfumées par les remèdes qu'il venait de préparer. Du pas-d'âne et de l'herbe à chat, reconnut Œil de Geai, qui comprit que le mal blanc avait frappé certains guerriers du Clan de l'Ombre.

L'aveugle laissa son esprit dériver dans le camp rival à la recherche de la pouponnière. Pas de trace de la maladie là-bas. Ensuite, il entendit des quintes de toux en provenance de la tanière des apprentis. Nuage de Pin était atteinte mais elle n'avait pas de fièvre. La robuste novice n'aurait pas de mal à s'en remettre.

Œil de Geai suivit Étoile de Jais, Étoile de Feu et Griffe de Ronce dans l'antre du meneur, la truffe froncée d'avance. Jamais il ne comprendrait le goût du Clan de l'Ombre pour la viande de rat.

« Que voulez-vous ? fit sèchement Étoile de Jais.

— Que vous rendiez la clairière des Bipèdes au Clan du Tonnerre, répliqua Étoile de Feu sur le même ton.

— Quoi ? ! s'étrangla l'autre, tandis que Feuille Rousse griffait le sol.

— Nous vous l'avions cédée, poursuivit Étoile de Feu. Mais vous avez franchi notre frontière une fois de trop.

— C'est faux ! cracha Feuille Rousse. Vous voulez juste agrandir votre terrain de chasse. Est-ce que tes guerriers sont si gloutons qu'ils ont déjà dévoré toutes les proies de la forêt ?

— Nous ne manquons pas de gibier, rétorqua Étoile de Feu d'un ton calme. Cependant, notre forêt ne peut en fournir aussi aux chasseurs du Clan de l'Ombre. »

L'atmosphère était si tendue que le cœur d'Œil de Geai s'emballa, comme si l'air n'était plus respirable.

« Vous nous accusez *nous* de franchir la frontière ? cracha Étoile de Jais. Et nous qui commencions à penser que le Clan du Tonnerre avait oublié ce qu'un marquage signifie ! »

Œil de Geai sentit que Griffe de Ronce se retenait de bondir sur le meneur adverse.

« Nous voulons récupérer notre terre, gronda le lieutenant du Clan du Tonnerre.

— Elle est à nous, désormais, cracha Feuille Rousse.

— Dans ce cas, nous la reprendrons par la force, les prévint Étoile de Feu.

— Si c'est la guerre que tu veux, tu l'auras, promit Étoile de Jais, dont la queue battait, rageuse, contre les parois de sa tanière.

— Très bien, soupira Étoile de Feu. Mes guerriers établiront la nouvelle frontière demain à l'aube. À toi de voir si tu essaies de les en empêcher.

— Ne joue pas à ce petit jeu avec moi ! feula Étoile de Jais. C'est *toi* qui mènes ton Clan au combat. »

Étoile de Feu sortit de la tanière sans répondre.

« Patte de Crapaud ! Corbeau Givré ! Dos Balafré ! hurla Étoile de Jais tandis que les visiteurs se dirigeaient vers la sortie. Escortez-les jusqu'à la frontière. »

Sa rage était telle qu'elle fit dresser les poils de ses guerriers.

Mal à l'aise, Œil de Geai suivit Étoile de Feu en se forçant à marcher doucement alors même qu'il rêvait de partir en courant. L'animosité qui régnait à présent dans le camp était insupportable.

Patte de Crapaud se plaça à côté de lui et lui donna un coup brusque dans l'épaule.

Le guérisseur s'écarta de lui. Les yeux fermés, il pria pour que le songe de Nuage de Lis ait bien été un signe du Clan des Étoiles et non un simple rêve.

CHAPITRE 22

Nuage de Lis inspira profondément. L'air glacial lui brûla la langue mais l'odeur du marquage frais du Clan du Tonnerre la réchauffa aussitôt. Elle expira à fond. Ses camarades étaient alignés le long de la frontière tels des faucons, déterminés à défendre leur nouveau territoire. Leurs souffles formaient des panaches blancs dans la lumière pâle de l'aurore tandis que des volutes de brume serpentaient entre les troncs des pins et glissaient vers eux sur l'herbe de la clairière.

À côté d'elle, Nuage de Colombe tremblait comme une feuille.

« Ça va ? lui demanda Nuage de Lis.

— Oui.

— Tu crois que le Clan de l'Ombre va venir ? »

Nuage de Colombe ne répondit pas. Elle scrutait les arbres, les oreilles dressées, les griffes sorties.

L'espace d'un instant, Nuage de Lis regretta que sa sœur ne soit pas restée au camp. Elle n'avait pas suivi les entraînements nocturnes de Plume de Faucon. Comment pourrait-elle affronter les guerriers du

Clan de l'Ombre ? Nuage de Lis s'imagina soudain sa sœur gravement blessée, le flanc entaillé par de profondes griffures. Elle frémit. Quels qu'aient été leurs différends, elles étaient toujours sœurs.

L'apprentie au pelage argenté et blanc planta ses griffes dans la terre humide pour se concentrer sur le présent. C'était *son* combat. La nouvelle frontière existait grâce à elle et elle était prête à la défendre au péril de sa vie.

« Tenez les rangs ! feula Pelage de Lion en voyant Pluie de Pétales faire un pas en avant, les moustaches frémissantes.

— J'ai cru entendre quelque chose, protesta la jeune guerrière écaille et blanc.

— Remets-toi en place ! gronda Étoile de Feu. Que tout le monde reste à l'intérieur de la frontière. »

Pluie de Pétales recula d'un pas.

Nuage de Colombe se crispa soudain. Quelqu'un arrivait.

Nuage de Lis retint son souffle : Étoile de Jais sortit de la pinède, flanqué de Feuille Rousse et de Pelage Fauve. Dans le clair-obscur, le pelage blanc du meneur semblait luire. Il paraissait bien plus puissant qu'aux Assemblées, avec ses poils dressés sur l'échine et ses yeux brûlants de rage. Nuage de Lis se retint de reculer. *Plume de Faucon m'a entraînée !* Elle se raccrocha à cette idée de toutes ses forces.

Étoile de Jais s'immobilisa en fronçant la truffe. La clairière était imprégnée de l'odeur du Clan du Tonnerre.

« Tu as fait ton choix, feula-t-il en direction d'Étoile de Feu. Tu nous avais donné ce territoire. Tu n'as pas le droit de le reprendre.

— Nous vous avons aussi donné une chance de régler cela de façon pacifique, lui rappela Étoile de Feu, le menton levé. Il est encore temps d'éviter de verser le sang.

— Le sang coulera, répondit Étoile de Jais, les crocs découverts. Et chaque goutte salira un peu plus ta conscience. »

D'un mouvement de la queue, il fouetta l'air. Aussitôt, des guerriers du Clan de l'Ombre surgirent de la brume, les griffes en avant, les crocs découverts. Leurs cris déchirèrent l'aube.

Nuage de Lis se figea. Ces guerriers étaient énormes ! Puis elle sentit la large silhouette de Plume de Faucon se presser contre elle. Elle savait que si elle tournait la tête, elle ne le verrait pas, pourtant il était bien là.

« Défends ce qui t'appartient, gronda-t-il. Tu sais comment. »

La première vague de guerriers déferla sur eux.

Un matou tigré au poil sombre fonça vers elle. Nuage de Lis était prête. Elle pivota et le frappa avec ses pattes arrière. Touché à la joue, il fut projeté en arrière et tomba en poussant un cri de surprise.

D'un bond, l'apprentie évita le guerrier neutralisé et se dressa sur ses pattes arrière pour affronter un autre matou deux fois plus gros qu'elle.

Dos Balafré !

Elle lut la surprise dans les yeux du combattant.

« Ne crois pas que je vais te ménager parce que tu es une novice. »

D'un puissant coup de patte, il l'envoya rouler au sol. Un peu étourdie, elle évita de justesse son attaque : il abattit sa patte tout près de son oreille. Elle se releva d'un bond et se cabra de nouveau.

Pluie de Pétales apparut à ses côtés.

«Tu veux de l'aide ?

— Oui, volontiers», grogna Nuage de Lis.

Elle asséna une pluie de coups de pattes avant au gros chat. Pendant que sa camarade prenait le relais, Nuage de Lis se glissa derrière leur adversaire, où elle se tapit. Comme Pluie de Pétales le forçait à reculer, il trébucha sur Nuage de Lis qui le projeta au sol. Sans lui laisser le temps de se redresser, elle se jeta sur ses épaules et lui laboura le dos.

« Passe sous lui ! » ordonna-t-elle à Pluie de Pétales.

La jeune guerrière obéit et se glissa sous le guerrier furibond pour le faucher. Nuage de Lis sauta au moment où il basculait sur le dos et se laissa aussitôt tomber sur lui, les pattes en avant, pour lui couper le souffle. Le matou suffoquant resta immobile un instant, sous le choc, avant de se relever tant bien que mal. Il secoua la tête comme pour s'éclaircir les idées.

«Waouh ! s'extasia Pluie de Pétales. Cœur Cendré doit être un sacré bon mentor ! »

Nuage de Lis jeta un coup d'œil à sa camarade, l'esprit en ébullition. *Mon mentor est encore meilleur que tout ce que tu peux imaginer !*

Dos Balafré battit en retraite en se faufilant dans la masse de pelages. Nuage de Lis balaya le champ de bataille du regard. Le Clan de l'Ombre avait franchi la nouvelle frontière et repoussait le Clan du Tonnerre dans l'herbe humide de la clairière.

Nuage de Colombe ?

Dans le chaos de brume et de fourrures, Nuage de Lis n'arrivait pas à la repérer. Elle plongea dans la mêlée et se fraya un passage à coups d'épaules entre les corps à corps. Le combat était sans pitié. Nuage de Colombe avait sans doute besoin d'aide.

CHAPITRE 23

Nuage de Colombe planta ses griffes un peu plus profondément dans la terre lorsque Étoile de Jais apparut sous les arbres, escorté par Feuille Rousse et Pelage Fauve. Elle ne céderait pas à la panique, quoi qu'il arrive. Nuage de Lis se pressait contre elle. Comment sa sœur faisait-elle pour rester immobile alors qu'elle-même tremblait comme une feuille ? Elle n'avait donc pas peur ?

L'apprentie grise entendait les combattants du Clan de l'Ombre approcher d'un pas décidé, leurs pattes effleurant à peine le sol tapissé d'aiguilles, leur pelage frôlant les troncs des pins, leur souffle haletant. Leur puanteur fondit sur elle et l'étouffa au point qu'elle crut suffoquer.

Étoile de Jais s'adressa à Étoile de Feu.

La novice sentait son sang battre à ses tempes. Si elle voyait la gueule des deux chefs remuer, elle n'entendait rien à part son propre pouls.

Puis les guerriers du Clan de l'Ombre surgirent de la pinède telle une nuée de corbeaux.

« Pas de quartier ! » lança Pelage de Lion avant de foncer au combat.

Elle l'entendit à peine.

Tapie contre le sol, elle s'efforçait de se souvenir des attaques apprises mais la panique lui vidait complètement la tête. Autour d'elle, ses camarades s'élancèrent tandis qu'elle les regardait, ramassée sur elle-même, les yeux ronds.

Le vacarme fut bientôt insoutenable. Chaque souffle, chaque bruit de fourrure déchirée, de griffure, de morsure, tout, elle entendait tout. Cris, grognements, feulements lui torturaient les sens. Alors qu'elle tentait d'ignorer ce chaos sonore, une odeur de peur et de sang lui imprégna la langue. Avait-elle senti le souffle de Pelage de Poussière, qu'un adversaire venait de clouer au sol ? Poil de Châtaigne criait-elle de douleur ou de triomphe ?

Un pelage crème fonçait vers elle. Des pattes s'abattirent sur ses épaules et la propulsèrent en arrière. Puis des griffes se plantèrent dans son flanc. Cette guerrière du Clan de l'Ombre avait la même odeur que Cœur de Tigre.

Aube Claire ?

Instinctivement, Nuage de Colombe martela le ventre de la chatte jusqu'à ce qu'elle lui fasse lâcher prise. Oui, c'était bien Aube Claire ! L'apprentie se releva d'un bond et plongea sous le ventre de la chatte, rompant le rang, fonçant tête baissée dans les lignes ennemies pour tenter désespérément d'échapper à la masse des combattants hurlants.

Le Clan de l'Ombre avait repoussé le Clan du Tonnerre jusqu'au milieu de la clairière.

Nuage de Colombe n'arrivait pas à prendre appui sur le sol glissant. Aube Claire la poursuivait.

L'apprentie pivota, se dressa sur ses pattes arrière et affronta son assaillante avec une pluie de coups gauches. L'autre riposta. Lui frappa le museau. La déséquilibra.

Aide-moi, Clan des Étoiles !

Elle tenta de se relever mais la chatte crème la clouait au sol et lui labourait le dos. Un cri de douleur échappa à la novice. Alors qu'elle se tortillait pour se libérer, elle aperçut du coin de l'œil un éclair de fourrure dorée.

Pelage de Lion se pencha vers elle et gronda :

« On dirait que tu t'es un peu trop éloignée de tes camarades. »

Après un échange de coups avec le matou, Aube Claire relâcha Nuage de Colombe. Pelage de Lion l'avait repoussée sans mal.

« Ça va aller, maintenant ? » demanda-t-il à son apprentie.

Elle hocha la tête en espérant que ce soit vrai et son mentor regagna la mêlée à toute allure.

Nuage de Lis vint la voir à son tour.

« Tout va bien ?

— Oui », haleta-t-elle.

Elle s'efforçait d'ignorer les cris de ses camarades.

« Attention ! » la mit en garde sa sœur.

Nuage de Colombe fit volte-face au moment même où Patte de Renard lui rentrait dedans à reculons, les pattes avant levées pour parer les attaques d'un vétéran du Clan de l'Ombre.

Corbeau Givré.

Deux apprentis ennemis – Nuage d'Étourneau et Nuage de Pin – encadraient le matou noir et blanc, leurs yeux fixés sur Patte de Renard, qu'ils repoussaient vers la pinède pour le séparer de ses camarades. Nuage de Lis s'élança et mordit Nuage d'Étourneau à la patte. Nuage de Colombe sut ce qu'elle devait faire. Elle se jeta sur Nuage de Pin et la fit basculer si violemment que Corbeau Givré glissa vers elle un coup d'œil inquiet. Patte de Renard retomba à quatre pattes et fonça sur son ennemi. Ils roulèrent tous deux dans l'herbe. Pendant ce temps, Nuage de Colombe griffait Nuage de Pin si fort que celle-ci se débattait en poussant des cris de douleur.

Nuage d'Étourneau tentait de s'accrocher à l'herbe tandis que Nuage de Lis le traînait en arrière, les crocs plantés dans sa nuque. Nuage de Colombe se figea. Sa sœur semblait sur le point d'achever son adversaire. Elle soupira de soulagement en la voyant relâcher Nuage d'Étourneau, qui courut rejoindre ses propres camarades.

Nuage de Lis se tourna vers sa sœur, ses crocs tachés de sang découverts, et miaula :

« Alors, à qui le tour ? »

Poil de Fougère et Cœur d'Épines apparurent devant les deux sœurs, le souffle court.

« Griffe de Ronce veut que nous essayions une autre stratégie, haleta Poil de Fougère tandis qu'Œil de Crapaud et Patte de Renard s'approchaient pour l'écouter. Le Clan de l'Ombre se regroupe sans cesse. Et il nous repousse à l'autre bout de la clairière.

— On n'a aucune prise, sur cette herbe, gémit Œil de Crapaud.

— Griffe de Ronce veut que nous les débordions sur les flancs, annonça Poil de Fougère.

— Comment ? voulut savoir Nuage de Lis.

— Nous allons former une patrouille qui aura pour objectif d'éloigner le Clan de l'Ombre de la clairière et de les ramener dans leur pinède, sur leur propre territoire, expliqua Cœur d'Épines.

— Ce sera plus équitable dans les bois, ajouta Poil de Fougère. Il y a des ronces et des arbres. Le sol nous paraîtra plus familier. Et nous pourrons tester nos nouvelles tactiques.

— Le Clan de l'Ombre ne risque-t-il pas de se battre avec plus de détermination si nous envahissons leur territoire ?

— C'est un risque à prendre, marmonna le vétéran. Nous ne les battrons jamais ici, à découvert. »

Pelage de Lion bondit vers eux, talonné par Pétale de Rose et Poil de Châtaigne.

«Vous êtes prêts ? » demanda le guerrier doré à Cœur d'Épines.

Ce dernier hocha la tête et se dirigea vers la pinède.

Nuage de Colombe jeta un coup d'œil à sa sœur. Et s'ils se retrouvaient pris en tenaille entre deux rangs du Clan de l'Ombre ?

Cette idée ne semblait pas effleurer Nuage de Lis, qui s'élança à la suite de Cœur d'Épines. Nuage de Colombe courut derrière, le cœur battant.

« Hé ! Où vont-ils ? s'écria un guerrier du Clan de l'Ombre.

— Ils ont rompu les rangs ! »

Nuage de Colombe tenta de se concentrer sur ses camarades, de se glisser derrière eux entre les pins sur le tapis d'aiguilles et de s'habituer à la pénombre de la pinède. Sa sœur était déjà partie à l'assaut d'un arbre, s'agrippant à l'écorce tel un écureuil.

Cachée derrière une roncière, Nuage de Colombe observa le champ de bataille dans la clairière. C'était le chaos total. Où étaient passées leurs techniques martiales ? Les guerriers s'entredéchiraient. Comment supportaient-ils de s'infliger cela ?

« Nuage de Colombe ! »

Le miaulement de Pelage de Lion la tira de ses pensées. Des guerriers de l'Ombre fonçaient vers les pins, crachant de rage.

« Vite, grimpe à cet arbre ! »

Perplexe, elle regarda l'écorce lisse du pin. Ses camarades s'étaient déjà hissés dans des arbres voisins et s'accrochaient à des branches fines, prêts à se laisser tomber sur les guerriers ennemis qui accouraient vers eux.

« Remue-toi ! » lui ordonna son mentor en la poussant du bout du museau pour qu'elle atteigne la branche la plus basse.

Ensuite, le guerrier doré se tourna pour affronter l'escouade du Clan de l'Ombre qui se déversait sous les arbres, Étoile de Jais en tête. Le meneur blanc aux pattes noires écumait de rage.

« Vous n'êtes même pas capables de respecter la frontière que vous venez d'établir ! » Il cilla, surpris, en ne voyant que Pelage de Lion et Cœur d'Épines. « Où sont les autres ? »

Ses guerriers s'immobilisèrent près de lui.

Pelage de Lion leva la tête et Étoile de Jais suivit son regard. Il écarquilla les yeux en apercevant les combattants du Clan du Tonnerre perchés là-haut.

Dans son effort pour garder l'équilibre, Poil de Fougère tremblait. Il tomba juste avant que Cœur d'Épines ne donne le signal :

« Maintenant ! »

Les autres chats perchés fondirent sur la patrouille ennemie. Seule Nuage de Colombe resta sur sa branche, toute tremblante. Sous elle, les pelages ondoyaient tel un banc de poissons. Elle fixa la fourrure claire de Griffe de Chouette et se prépara à bondir.

Oh, par le Clan des Étoiles !

La branche avait plié sous elle. Elle glissa et atterrit gauchement sur le dos de sa cible. Si c'était peu élégant, ce fut suffisant pour le clouer au sol.

« Au nom du Clan des Étoiles, qu'est-ce que tu fais ? » gronda le matou clair.

Il s'ébroua pour la faire tomber et se tourna vers elle, les pattes avant levées. Nuage de Colombe esquiva son attaque et plongea en avant pour lui mordre la patte.

« Besoin d'aide ? » proposa Pétale de Rose, apparue près d'elle.

La guerrière asséna une pluie de coups au matou pour le forcer à reculer dans un roncier, lui arrachant des cris de douleur.

Nuage de Colombe scruta les alentours. Pelage de Lion avait coincé Dos Balafré contre un arbre. Nuage de Lis se battait de nouveau au corps à corps avec Nuage d'Étourneau. L'apprenti n'avait-il pas retenu la leçon ? Œil de Crapaud se tortillait sous un matou au pelage sombre et tacheté dont la queue fouettait rageusement l'air.

Cœur de Tigre !

«Vous vous battez comme des écureuils ! cracha ce dernier. Le Clan du Tonnerre n'a donc aucune fierté ? »

Lorsqu'il laboura le dos d'Œil de Crapaud avec ses pattes arrière, des touffes de poils volèrent autour de lui et sa victime hurla de douleur.

Nuage de Colombe vit rouge. Elle devait aider son camarade. Elle hésita : c'était *Cœur de Tigre* ! Était-elle vraiment capable d'attaquer son ami ?

Oh, Clan des Étoiles ! Est-on vraiment obligés de s'affronter ?

Soudain, Patte de Renard délogea Cœur de Tigre, au grand soulagement de Nuage de Colombe.

« À l'aide ! » appela Poil de Châtaigne derrière elle.

Nuage de Colombe pivota et vit sa camarade lancer la patte vers Pelage de Fumée. Son adversaire lui crachait dessus, les crocs découverts, acérés et brillants. La guerrière se dressa sur ses pattes arrière en même temps que lui puis se laissa tomber contre son poitrail. Ses pattes arrière patinèrent sur le sol, projetant sur Nuage de Colombe une pluie d'aiguilles de pin. Nuage de Colombe bondit à son secours. Elle faucha Pelage de Fumée ; le guerrier atterrit sur le ventre en grognant.

« Merci », fit Poil de Châtaigne avant de sauter sur le dos du matou.

Nuage de Colombe s'écarta d'eux et vit du coin de l'œil Nuage de Lis. Elle forçait Nuage d'Étourneau à reculer grâce à une série de coups de pattes particulièrement brutaux et précis.

Waouh ! Nuage de Colombe était impressionnée. Sa sœur était une combattante hors pair. Tout à coup, elle se crispa en reconnaissant la silhouette sombre qui fonçait vers Nuage de Lis.

Cœur de Tigre.

Non, il ne devait pas lui faire de mal !

Prise de panique, Nuage de Colombe fonça dans la masse des combattants. Elle se glissa sous Corbeau Givré et se releva juste au moment où Cœur de Tigre sautait vers sa sœur.

« Nuage de Lis ! » héla-t-elle, mais son appel se perdit dans la clameur des combats.

Heureusement, la novice au pelage argenté et blanc se tourna et aperçut Cœur de Tigre. *Que le Clan des Étoiles soit loué !* Nuage de Colombe sortit les griffes, prête à aller aider sa sœur. Puis elle s'immobilisa.

Cœur de Tigre s'était figé au milieu de son saut et était retombé gauchement sur ses quatre pattes. Il croisa le regard de Nuage de Lis. Les deux félins se jaugèrent un instant.

La gorge de Nuage de Colombe se noua.

Cœur de Tigre a adressé un signe de tête à Nuage de Lis ! Un mouvement à peine perceptible. Au point que Nuage de Colombe se demanda si elle ne l'avait pas imaginé. Puis le guerrier du Clan de l'Ombre fit volte-face et disparut dans la bataille, son pelage se mêlant à celui de Griffe de Chouette tandis qu'il aidait son camarade à affronter Cœur d'Épines et Patte de Renard.

Nuage de Colombe aurait dû se sentir soulagée. Sa sœur était saine et sauve. Cœur de Tigre ne l'avait pas blessée. Mais une autre émotion lui nouait le ventre. Elle ne souhaitait pas que Cœur de Tigre adresse ce regard-là à Nuage de Lis. Le regard qu'il avait eu pour elle, Nuage de Colombe, en lui déclarant qu'il voulait qu'ils restent amis.

Serais-je jalouse ?

Elle tenta de repousser cette idée douloureuse.

Pourquoi Cœur de Tigre avait-il regardé Nuage de Lis de cette façon ? L'avait-il reconnue comme la sœur de Nuage de Colombe ?

Non, ce n'était pas ça. Ils avaient échangé un regard *entendu*. À croire qu'ils s'étaient déjà rencontrés. *Mais je le saurais !* Les poils de Nuage de Colombe se hérissèrent. Est-ce que Nuage de Lis avait quitté le camp en douce pour aller retrouver Cœur de Tigre ? Était-ce pour cela que les sœurs s'étaient autant éloignées l'une de l'autre ? Pour cela que Cœur de Tigre avait recherché l'amitié de Nuage de Colombe ?

Ce n'est pas le moment ! Une petite voix lui soufflait qu'en se torturant ainsi elle mettait son Clan en danger, elle la première. Ses camarades avaient besoin d'elle. Ses réflexions devraient attendre. Pour le moment, elle devait se battre.

Elle pivota et griffa les pattes arrière de Griffe de Chouette avant de mordre la queue de Corbeau Givré. Le cri de douleur du matou donna un regain d'énergie à l'apprentie et, lorsqu'il se tourna vers elle, elle se dressa sur ses pattes arrière, prête à l'affronter.

C'est alors qu'un hurlement de rage déchira la pinède. Nuage de Colombe s'écarta de son adversaire et fit volte-face. À l'orée de la clairière, Feuille Rousse affrontait Étoile de Feu. Elle l'avait pris à la gorge et serrait si fort ses mâchoires qu'un filet de bave coulait sur sa joue. Étoile de Feu avait beau se débattre, elle tenait bon.

Une fourrure dorée fendit les bois.

Pelage de Lion !

Nuage de Colombe cilla en voyant son mentor se jeter sur le lieutenant du Clan de l'Ombre. La chatte ne bougea pas. Alors, les griffes sorties, les yeux fous, Pelage de Lion lui saisit la tête entre ses pattes et la tira en arrière. Étoile de Feu s'écroula sur le sol. Le sang giclait de sa gorge.

Chapitre 24

Du bout du museau, Pelage de Lion aida Nuage de Colombe à escalader le pin. Puis il se tourna vers les guerriers du Clan de l'Ombre. Il fallait que le plan de Griffe de Ronce fonctionne. Le combat dans la clairière se passait mal car personne n'avait pensé au fait qu'ils ne pourraient pas tenir leur position sur l'herbe glissante. Ils devaient déplacer le combat vers un lieu où le Clan du Tonnerre aurait l'avantage. Peut-être qu'Étoile de Feu avait eu raison d'entraîner les apprentis à grimper aux arbres. Avec un peu de chance, ils seraient plus forts au milieu des pins.

Étoile de Jais surgit des ronces.

«Vous n'êtes même pas capables de respecter la frontière que vous venez d'établir ! »

Pelage de Lion sortit les griffes.

« Où sont les autres ? » s'étonna Étoile de Jais.

Le guerrier doré se réjouit en voyant l'air dérouté du meneur. Il sentit sa force irriguer ses membres et se prépara à l'attaque. Les combattants du Clan de l'Ombre déferlaient entre les pins. Ils étaient furieux ;

le museau déformé par l'indignation, ils poussaient des cris furibonds.

« Maintenant ! »

Au signal de Cœur d'Épines, les guerriers du Clan du Tonnerre fondirent sur leurs ennemis tels des faucons sur leurs proies. Pelage de Lion se délecta des miaulements surpris de leurs adversaires. La bataille fit rage tout autour de lui dans une explosion de feulements.

Pelage Charbonneux.

Pelage de Lion aperçut la fourrure grise qui fonçait sur lui un instant avant l'impact. Il fut propulsé en arrière et glissa sur les aiguilles. Il dut planter ses griffes dans le sol pour s'immobiliser. *Pelage Charbonneux ne sait pas à qui il a affaire.* Pelage de Lion se releva et fit face à son adversaire.

Le matou gris, plein de hargne, lui décocha un regard assassin où brûlaient la colère et l'indignation, comme si cette bataille n'était qu'une grave injustice.

Ce qui était peut-être le cas. Pelage de Lion se figea sur place.

Tout ça à cause du rêve d'une apprentie qui n'avait jusque-là jamais montré le moindre signe de lien avec le Clan des Étoiles.

Il écarta cette idée.

Nuage de Lis était la sœur de Nuage de Colombe. Ils pouvaient lui faire confiance.

Pelage Charbonneux se dressa sur ses pattes arrière et lui griffa l'oreille. Pelage de Lion n'éprouva qu'un vague picotement. Son pouvoir remontait depuis son ventre pour irriguer tous ses muscles.

Il eut l'impression que, autour de lui, la bataille ralentissait.

Les chats luttaient avec des gestes lents, comme sous l'eau. Les cris s'estompaient.

Près de lui, Oiseau de Neige affrontait Pétale de Rose. Ses yeux verts trahissaient la moindre de ses pensées, jaugeant la position de Pétale de Rose, glissant sur le côté pour fixer son point d'attaque, se fermant à moitié lorsqu'elle banda ses muscles avant de sauter.

C'est trop facile. Pelage de Lion s'avança dans la mêlée, écarta Griffe de Chouette d'un coup de patte, repoussa Saule Rouge d'un autre. Le matou doré vit le regard de Pelage Fauve se braquer sur lui et l'entendit retenir son souffle et se préparer à bondir, il sentit le courant d'air lorsque son assaillant sauta lentement vers lui, les crocs découverts. Pelage de Lion n'eut qu'à se cabrer et à lever une patte pour l'envoyer percuter ses camarades.

Un cri, lent et guttural, retentit à l'orée de la clairière.

Il se tourna : Feuille Rousse tenait Étoile de Feu par la gorge. Le lieutenant de l'Ombre avait planté ses crocs profondément dans les chairs du chef du Clan du Tonnerre. Étoile de Feu tentait de la repousser mais elle encaissait ses coups sans desserrer les mâchoires. Le meneur finit par chanceler, dérapant dans son propre sang.

Pelage de Lion fonça vers la guerrière. Il lui asséna un coup de patte surpuissant, les griffes à moitié découvertes, pour qu'elle lâche prise. Mais elle encaissa le choc sans libérer Étoile de Feu.

Ce dernier glissa doucement sur le ventre, les yeux si écarquillés que des cercles blancs étaient visibles autour de ses prunelles.

Désespéré, Pelage de Lion enroula ses pattes autour de la tête de la guerrière et tira de toutes ses forces en arrière. Lorsqu'elle lâcha enfin sa victime, le guerrier doré retomba lourdement sur le dos et Feuille Rousse s'écroula sur lui comme un poids mort.

Aussitôt, la clameur des combats l'assourdit de nouveau. Des cris stridents le percutèrent comme une vague glaciale :

«Tu as tué Feuille Rousse!» hurlait Griffe de Chouette.

Pelage de Lion se releva péniblement. La chatte roula au sol, inerte, ses yeux grands ouverts mais ternis par le voile de la mort.

«Je... je n'ai rien fait!» haleta-t-il, paniqué.

Il ne lui avait même pas infligé une égratignure. Il l'avait juste forcée à lâcher prise. Comment avait-elle pu mourir pour si peu?

Étoile de Jais l'écarta d'un coup d'épaule et se pencha sur la dépouille de son lieutenant.

«Feuille Rousse!» Il la secoua entre ses grosses pattes noires, en vain. «Feuille Rousse!

— Ça suffit!» lança Cœur d'Épines en se dégageant de Dos Balafré. «La bataille a son vainqueur, gronda-t-il. La clairière est à nous. Le reconnaissez-vous ou devons-nous continuer à nous battre?»

Étoile de Jais lui décocha un regard assassin.

«Prenez-la, cracha-t-il. Jamais elle n'a valu tout le sang qui a été versé aujourd'hui pour elle.»

Autour d'eux, les combats ralentirent puis cessèrent complètement, dans la stupeur générale. Pelage de Lion, glacé d'effroi, resta immobile jusqu'à ce que Poil de Châtaigne hurle :

«Étoile de Feu!»

L'esprit encore confus, le guerrier doré se tourna et vit la mare de sang autour de la gorge de son chef. Le meneur du Clan du Tonnerre tressauta et ses flancs cessèrent de se soulever. Sa queue retomba derrière lui, inerte, comme une pièce de gibier.

Il est en train de perdre une vie !

Pelage de Lion eut la sensation que la terre s'ouvrait sous ses pattes. Les choses n'auraient jamais dû se passer comme ça !

Les guerriers du Clan de l'Ombre se rassemblaient peu à peu autour de Feuille Rousse, se pressaient pour lécher son pelage qui refroidissait déjà.

Pelage de Lion recula.

Poil de Châtaigne se pencha sur Étoile de Feu, les yeux embués, tandis que Tempête de Sable apparaissait à la lisière de la pinède.

« Qu'est-ce qui se passe ? demanda-t-elle en se précipitant vers son compagnon.

— Il est en train de perdre une vie », lui apprit Poil de Châtaigne, la mine sombre.

Deux morts ?

Quel genre de combat était-ce donc ? Le Clan des Étoiles ne les aurait jamais envoyés dans une bataille si mortelle. Une idée s'insinua doucement dans l'esprit de Pelage de Lion. Sa fourrure, poisseuse du sang de ses ennemis, se glaça. Il eut l'impression qu'un abysse noir s'ouvrait dans son ventre.

Et si ce n'était pas le Clan des Étoiles qui avait envoyé ce rêve ? Et s'il avait été envoyé depuis les territoires qui s'étendaient au-delà du terrain de chasse de leurs ancêtres ? Est-ce que c'étaient les guerriers de la *Forêt Sombre* qui les avaient précipités dans ce conflit fatal ? Deux vétérans morts – dont un qui ne se réveillerait jamais – et bien d'autres guerriers et apprentis gravement blessés ! Les deux Clans seraient vulnérables pendant longtemps, alors que la mauvaise saison commençait à peine. Le Clan des Étoiles n'aurait jamais voulu cela… Non, pas pour une bande de terrain inutile aux deux Clans.

Pelage de Lion contempla les corps inertes de Feuille Rousse et d'Étoile de Feu.

Les guerriers passaient devant lui, l'un après l'autre, stupéfaits, pour les entourer.

Cette bataille n'aurait jamais dû avoir lieu !

Retrouvez la suite de :

LES SIGNES DU DESTIN
LA GUERRE DES
CLANS

Cycle IV – Livre III

à paraître en octobre 2015

Découvrez un extrait de la nouvelle série
d'Erin Hunter

SURVIVANTS

LIVRE I
Lucky le Solitaire

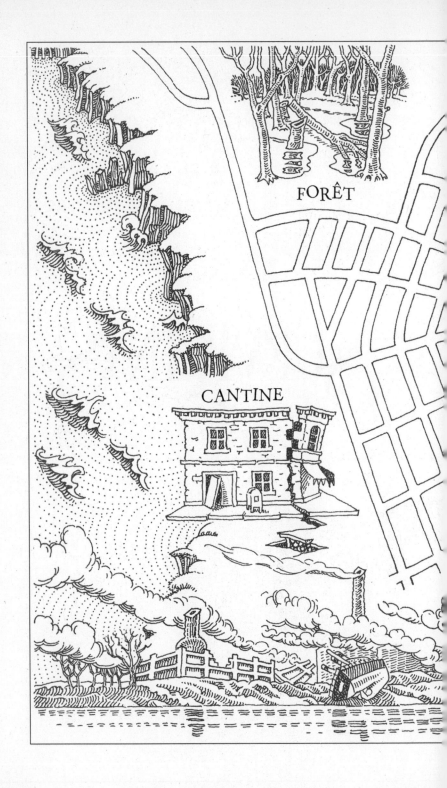

FORÊT

CANTINE

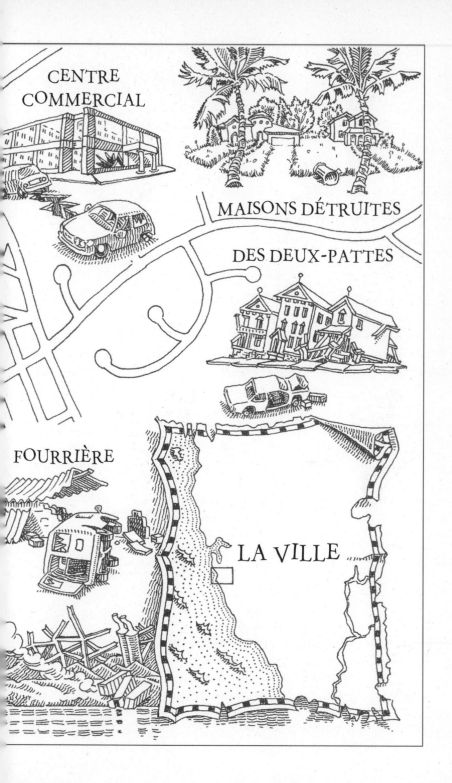

CENTRE
COMMERCIAL

MAISONS DÉTRUITES

DES DEUX-PATTES

FOURRIÈRE

LA VILLE

CHAPITRE PREMIER

❧

Lucky se réveilla en sursaut, les poils hérissés par la peur. Il bondit sur ses pattes en grognant.

Il rêvait qu'il était tout petit, en sécurité avec sa portée, auprès de Mère-Chien. L'air frémissait de menace, lui donnant la chair de poule. S'il avait vu son ennemi, Lucky l'aurait affronté, mais le monstre était invisible, inodore. Lucky geignit de terreur. Il ne s'agissait pas d'une histoire racontée avant de s'endormir : son angoisse était réelle.

Il mourait d'envie de fuir, mais il ne pouvait aller nulle part. Le grillage de sa cage le retenait prisonnier. Il se blessait le museau chaque fois qu'il poussait la porte et les fils de fer lui mordaient l'arrière-train quand il reculait.

Lucky n'était pas seul à être enfermé dans cet endroit horrible : d'autres chiens en cage l'entouraient... De désespoir, il leva la tête et aboya à pleins poumons. Malheureusement, personne ne se porta à son secours. Sa voix fut recouverte par d'autres aboiements affolés.

Tous étaient pris au piège.

Paniqué, il gratta le sol même si cela ne servait à rien.

L'odeur agréable et réconfortante de la femelle lévrier dans la cage voisine lui parvint alors.

— Grace ? Grace, un malheur approche…

— Oui, je le sens, moi aussi ! Que se passe-t-il ?

Les deux-pattes… Où se trouvaient-ils ? Bien qu'ils les retiennent prisonniers dans cette fourrière, ils avaient toujours pris soin d'eux. Ils apportaient de la nourriture et de l'eau, leur fournissaient un couchage, nettoyaient leurs saletés…

Les deux-pattes ne tarderaient pas à arriver, il en était sûr.

Soudain, les autres chiens hurlèrent à la mort. Lucky se joignit à eux : « Deux-pattes ! Deux-pattes, au secours… »

La terre remua sous lui, la cage trembla et, brusquement, il n'y eut plus un bruit. Terrorisé, Lucky s'aplatit sur le sol.

Puis ce fut le chaos.

Le monstre invisible avait posé ses griffes sur la fourrière.

Lucky fut projeté contre le grillage tandis que le monde extérieur bougeait dans tous les sens. Pendant de très longues secondes, il ne distingua plus le haut du bas. Le monstre jouait avec lui, le fracas des rochers et le bris des pierres transparentes le rendaient sourd, les nuages de poussière l'aveuglaient. Les hurlements terrifiés et les cris de douleur lui perçaient les tympans. Lorsqu'un gros morceau de mur heurta le grillage dressé devant sa truffe, Lucky fit un bond en arrière. Terra-Canis venait-elle le chercher ?

Puis, aussi soudainement qu'il était arrivé, le monstre disparut. Plus loin, un mur s'effondra au milieu d'une brume épaisse. Dans un grincement horrible, une énorme cage bascula en avant et se fracassa sur le sol.

Finalement, le silence s'installa. Lucky renifla une odeur métallique. « Du sang ! »

La panique lui tordit le ventre. Il était couché sur le côté, à l'intérieur de sa prison déformée. Il allongea ses puissantes pattes pour se redresser. La cage cliqueta, vacilla, mais il ne réussit pas à se relever.

« Non ! s'affola-t-il. Je suis coincé ! »

— Lucky ? Lucky ? Ça va ?

— Grace ? Où es-tu ?

Son visage allongé poussa le sien entre les fils de fer emmêlés.

— La porte de ma cage s'est ouverte quand elle est tombée. J'ai cru mourir. Lucky ! Je suis libre ! Mais toi...

— Aide-moi, Grace !

Ils ne percevaient plus aucun geignement. Cela signifiait-il que les autres chiens étaient... morts ? Non, impossible. Lucky hurla pour briser le silence.

— Et si je poussais ta cage ? suggéra Grace. Ta porte bouge. Essayons de l'ouvrir.

Aussitôt, Lucky donna de furieux coups de pattes arrière dans le treillis tandis que Grace tirait de son côté parmi les gravats.

— Là ! C'est mieux. Attends que je...

Mais Lucky était à bout de patience. Comme le coin supérieur de la porte était arraché, il glissa la patte dans la fente et tira de toutes ses forces. Le grillage céda et le chien ressentit une vive douleur dans un coussinet. Vite, il se faufila à l'extérieur et put enfin se redresser.

La queue plaquée entre les pattes, tremblant de tout son corps, il contempla avec Grace le chaos qui régnait autour d'eux. Plusieurs chiens à poil ras gisaient au milieu des cages brisées. Sous le dernier mur qui était tombé, une patte immobile dépassait entre les pierres. Absolument rien ne remuait. L'odeur de la mort se répandait déjà à toute allure à travers la fourrière.

Entre deux geignements, Grace demanda :

— C'était quoi ? Que s'est-il passé ?

— Je crois, bégaya Lucky, que c'était un Grognement. Je... ma Mère-Chien me racontait souvent des histoires sur Terra-Canis et ses terribles Grognements. Je pense que ce monstre en était un.

— Filons en vitesse, couina Grace, terrorisée.

— Je suis d'accord.

Lucky recula lentement tout en secouant la tête pour se débarrasser de l'odeur de mort. Mais celle-ci s'accrochait à ses narines.

Il jeta des coups d'œil désespérés autour de lui, observa le mur tombé sur les cages des autres chiens, le tas de parpaings. Des rayons de lumière filtraient à travers le nuage de poussière et de fumée.

— Par là, Grace ! Là où le mur s'est écroulé ! Suis-moi.

Il ne le lui répéta pas deux fois : aussitôt, Grace bondit sur le monticule de gravats. Lucky, à cause de sa patte blessée, fit plus attention. Sachant que les deux-pattes ne tarderaient pas à arriver, il accéléra le pas.

Pourtant, quand il rejoignit Grace à l'extérieur, il fut surpris de n'en voir aucun.

Il renifla et repéra une étrange odeur...

— Éloignons-nous de la fourrière, marmonna-t-il. Je ne sais pas ce qu'il s'est passé, mais je préfère être loin d'ici quand les deux-pattes rappliqueront.

Grace poussa un gémissement aigu et baissa le museau.

— Lucky, on dirait qu'il n'y a plus un seul deux-pattes.

Ils s'éloignèrent lentement et en silence. Au loin, quelques boîtes mobiles cassées hurlaient. Lucky pressentait comme une menace. Quasiment toutes les rues et les ruelles étaient bloquées. Néanmoins, il persévéra. Guidé par son odorat, il contourna les bâtiments détruits, évita les fils emmêlés qui jaillissaient du sol.

La nuit tombait quand il estima qu'ils pouvaient s'arrêter et se reposer sans crainte. De toute manière, Grace était trop fatiguée pour continuer. Les sprinteurs étaient peut-être plus doués pour les démarrages en trombe que pour les trajets de longue haleine. Lucky se retourna. Les ombres s'allongeaient sur le sol, cachant davantage les coins sombres. Il frissonna : d'autres animaux rôdaient certainement dans les parages, effrayés et affamés.

Tous deux étaient épuisés après avoir échappé au Grand Grognement. Après son rituel tour sur elle-même, Grace s'effondra par terre, posa la tête sur ses pattes et ferma ses yeux inquiets. À la recherche de chaleur et de réconfort, Lucky se plaqua contre elle. « Je vais garder un œil ouvert, décida-t-il. Juste au cas où... Je... »

Il se réveilla en sursaut. Il tremblait, son cœur battait à se rompre.

Son sommeil avait été agité pendant ce sans-soleil. Il avait rêvé du murmure lointain du Grand Grognement, d'une file interminable de deux-pattes détalant à toutes jambes, des sifflements et des bips des boîtes mobiles. Il ne distingua aucun être vivant aux alentours. La ville semblait abandonnée.

Sous le buisson d'aubépines, Grace dormait à poings fermés, les flancs de son corps svelte se soulevant et s'abaissant à chaque souffle. Le calme et la chaleur de son amie endormie le réconfortèrent un peu. Soudain, cela ne lui suffit plus. Il poussa du museau son long visage pour la réveiller, lui lécha les oreilles jusqu'à ce qu'elle réponde par un murmure joyeux. Elle se redressa, le renifla et le lécha à son tour.

— Comment va ta patte, Lucky ?

Sa question raviva aussitôt la douleur. Lucky renifla son coussinet. Il y avait une vilaine entaille rouge en travers. Il la lécha avec précaution, craignant qu'elle ne se remette à saigner.

— Mieux, mentit-il.

Alors qu'ils sortaient du buisson, son moral tomba à zéro.

La route devant eux était penchée et fissurée. De l'eau fusait d'un tuyau à moitié enterré et créait des arcs-en-ciel. Dans les rues en pente, la lumière du Chien-Soleil luisait sur le métal enchevêtré. Une nappe d'eau huileuse remplaçait les jardins ; les maisons des deux-pattes qui lui paraissaient immenses et indestructibles étaient à présent pulvérisées, comme écrasées par un poing de deux-pattes géant.

— Le Grand Grognement, murmura Grace, stupéfaite et apeurée. Regarde ce qu'il a fait.

Lucky frissonna.

— Tu avais raison pour les deux-pattes. Il y en avait des meutes et des meutes, et là, on n'en voit pas un.

Il tendit l'oreille, goûta l'air avec sa langue : de la poussière, des relents souterrains nauséabonds... Aucune odeur de frais.

— Même les boîtes mobiles ne bougent plus.

Lucky pencha la tête vers l'une d'elles, renversée sur le côté, son nez à moitié enfoui sous un mur éboulé. De la lumière sortait de ses flancs métalliques, mais on n'entendait ni ronflement, ni grognement. Elle semblait morte.

Grace parut surprise.

— Je me suis toujours demandé à quoi cela servait. Comment tu les appelles, déjà ?

— Des boîtes mobiles. Les deux-pattes s'en servent pour se déplacer. Ils ne courent pas aussi vite que nous.

Il n'en revenait pas qu'elle ignore un détail aussi élémentaire. Il regretta presque d'avoir pris la route avec elle. Sa naïveté ne les aiderait pas beaucoup quand il faudrait se battre pour survivre.

Lucky renifla à nouveau. La nouvelle odeur de la ville le mettait mal à l'aise. Cela sentait la pourriture, la mort, le danger. « Ce n'est plus un endroit pour les chiens », conclut-il.

Il se dirigea vers une fissure d'où jaillissait de l'eau. Cette blessure dans la terre alimentait une flaque huileuse aux couleurs irisées. Elle dégageait des effluves bizarres que Lucky n'aimait pas. Comme il mourait de soif, il lapa l'eau malgré son goût infect. À côté de lui, il vit le reflet de Grace qui buvait elle aussi.

Elle leva la première son museau dégoulinant.

— C'est trop calme, chuchota-t-elle, le poil dressé. Nous devons absolument gagner les collines et trouver un endroit inhabité.

— Nous sommes autant en sécurité ici qu'ailleurs, répliqua Lucky. Fouillons les maisons des deux-pattes ! Nous y dénicherons peut-être de la nourriture. Les cachettes n'y manquent pas, crois-moi.

— Tu n'es peut-être pas le seul à y avoir pensé. Cette idée me déplaît.

Lucky examina les pattes de Grace, assez longues pour courir dans les herbes hautes, son corps fin et léger.

— De quoi as-tu peur ? Je parie que tu bats tout le monde à la course.

— Pas dans les rues, rectifia-t-elle en jetant des regards inquiets à droite et à gauche. Une ville possède beaucoup trop de virages. J'ai besoin d'espace pour prendre de la vitesse.

Lucky scruta à son tour les environs. Elle avait raison : les bâtiments et les coins de rue ne manquaient pas.

— Je propose qu'on bouge. Qu'on les voie ou pas, il reste peut-être des deux-pattes dans le quartier. Et moi, je ne veux pas retourner à la fourrière.

— Moi non plus, ajouta Grace, ses babines retroussées révélant de puissants crocs blancs. Nous devrions chercher d'autres chiens, nous joindre à une meute.

Lucky fronça le museau. Il n'était pas un chien

de meute. Qu'y avait-il de si génial à vivre avec une dizaine de chiens dépendant les uns des autres et soumis à un Alpha tout-puissant ? Il n'avait besoin de l'aide de personne et ne voulait pas forcément offrir la sienne. La seule pensée de devoir compter sur d'autres chiens lui hérissait le poil.

« Apparemment, Grace ne ressent pas la même chose », pensa-t-il. Enthousiaste, elle ne cessait de parler :

— Tu aurais adoré ma meute. Nous courions et chassions ensemble, nous attrapions des lapins, des rats...

Elle se tut soudain et regarda avec nostalgie la ville dévastée.

— Ensuite les deux-pattes sont arrivés et ont tout gâché.

Touché par la tristesse dans sa voix, Lucky lui demanda :

— Que s'est-il passé ?

Grace se secoua.

— Ils nous ont traqués. Ils étaient si nombreux, tous portaient la même fourrure marron ! Nous sommes restés groupés, c'est ce qui a provoqué notre perte, grogna-t-elle avec colère, mais pas question d'abandonner l'un de nous. C'est la loi de la meute. Ensemble quoi qu'il arrive, le meilleur comme le pire.

Grace s'interrompit et lâcha malgré elle un gémissement de tristesse.

— Ta meute se trouvait à la fourrière, murmura Lucky qui venait de comprendre.

— Oui... Je dois y retourner.

Il se posta devant elle tandis qu'elle pivotait et l'empêcha d'avancer.

— Non, Grace.

— Lucky ! Ce sont mes compagnons, je ne peux pas partir avant de savoir ce qui leur est arrivé. Peut-être que quelques-uns sont...

— Non, Grace ! aboya Lucky. Tu as vu l'état du bâtiment !

— Et si nous avions raté...

— Grace !

Lucky s'adressa à elle sur un ton plus doux et lécha son visage plissé de chagrin.

— Il n'y a plus que des ruines là-bas. Ils sont tous morts, ils ont rejoint Terra-Canis. Nous ne pouvons pas nous attarder ici. Les deux-pattes risquent de revenir...

Ces arguments la convainquirent.

Elle poussa un grand soupir et fit demi-tour.

Lucky dissimula de son mieux son soulagement. Il marcha près d'elle, leurs flancs se frôlant à chaque pas.

— Toi aussi, tu avais des amis à la fourrière ?

— Moi ? s'exclama Lucky qui voulait lui remonter le moral. Non, merci. Je suis un Solitaire.

— Ah bon ? s'étonna Grace. Tous les chiens ont besoin d'une meute.

— Pas moi. J'aime être seul, toutefois je comprends que certains chiens préfèrent vivre en meute, se dépêcha-t-il d'ajouter pour ne pas la vexer. Je me débrouille par mes propres moyens depuis que j'ai quitté ma portée.

Il ne put s'empêcher de lever fièrement la tête.

— Il n'y a pas meilleur endroit sur terre pour un chien que la ville. Je te montrerai. On trouve de la nourriture en abondance, des coins chauds où dormir, des abris pour se protéger des averses…

« Mais est-ce encore vrai ? »

Il réfléchit quelques instants, scruta les rues éventrées, les murs démolis, les plaques de pierre transparente brisées, les chaussées penchées, les boîtes mobiles abandonnées.

« Nous ne sommes pas en sécurité, songea-t-il. Fichons vite le camp d'ici. »

Pas question de partager ses craintes avec Grace. Elle s'inquiétait déjà beaucoup. Si seulement ils avaient un peu de distraction…

« Là-bas ! »

Lucky aboya avec excitation. Ils tournèrent au coin de la rue et tombèrent sur une autre scène de désolation. Lucky, cependant, avait senti… de la nourriture !

Il partit en trombe, bondissant de joie à la vue d'une immense boîte puante renversée. Les deux-pattes jetaient ce dont ils ne voulaient plus dans ces boîtes, puis les cadenassaient si bien que Lucky n'avait jamais pu goûter ces mets de choix. Cette fois, la boîte gisait sur le côté, son contenu à moitié pourri éparpillé sur le sol. Des corbeaux noirs sautillaient et piochaient dans le tas. La tête haute, Lucky aboya aussi fort qu'il le put. Surpris, les volatiles croassèrent avant de s'envoler un peu plus loin.

— Viens ! cria-t-il tout en sautant sur le tas nauséabond.

Grace le suivit en aboyant de joie.

Tandis qu'il fouillait les déchets avec sa truffe, Lucky entendit des battements d'ailes : les corbeaux revenaient. Aussitôt, il fondit sur le groupe et claqua des dents pour chasser un oiseau rebelle.

Le corbeau fila dans un grand battement d'ailes ; Lucky dérapa et sa blessure au coussinet se réveilla. Il eut l'impression que le plus féroce des chiens lui avait mordu la patte entière. Il ne put retenir un gémissement de douleur.

Pendant que Grace éloignait les corbeaux, Lucky s'assit et lécha sa plaie. Impatient, il renifla la délicieuse odeur venant de la nourriture avariée. Il en oublia un instant sa douleur.

Pendant un moment, Lucky et Grace fouinèrent avec bonheur parmi les aliments délicats laissés par les corbeaux. Grace sortit des os de poulet d'une boîte en plastique ; Lucky trouva un croûton de pain. Seulement leurs découvertes furent bien maigres par rapport à leur appétit d'ogre.

— Nous allons mourir de faim dans cette ville, gémit Grace tout en léchant une boîte de conserve vide.

Elle la plaqua au sol avec une patte et enfonça sa truffe à l'intérieur.

— Je te promets que non. Nous ne fouillerons pas les ordures tout le temps.

Lucky pensa soudain à un endroit qu'il avait visité. Il lui donna un petit coup dans le flanc.

— Je vais t'emmener quelque part où nous mangerons comme des chiens en laisse.

Grace dressa les oreilles.

— Vraiment ?

— Vraiment. Après, tu auras une tout autre opinion de la ville.

Lucky se mit en route d'un pas assuré, il en avait

déjà l'eau à la bouche. Grace trottinait derrière lui. Bizarrement, il appréciait la compagnie de la jeune chienne et il était heureux de pouvoir l'aider. En temps normal, il aurait préféré être seul. Pas aujourd'hui !

Le Grand Grognement n'avait peut-être pas changé que la ville…

Ouvrage composé par
PCA - 44400 Rezé

Cet ouvrage a été imprimé
en Allemagne par

GGP Media GmbH
à Pößneck

Dépôt légal : mars 2015